OPEN
风度阅读
书 传 递 灵 魂

我想，这是一种纯粹的个人情感。尽管这一种个人情感在我有不可殚言的虔意。我必得从伤绪之中解脱，也是无须凭别人劝慰我自己明白的。然而怀念是一种相会的形式……

梁晓声

原来

中华书局

图书在版编目(CIP)数据

原来 /梁晓声著 . —北京 : 中华书局, 2013.8 (2016.10 重印)
ISBN 978 – 7 – 101 – 09503 – 6

Ⅰ. 原… Ⅱ. 梁… Ⅲ. 散文集 – 中国 – 当代   Ⅳ. I267

中国版本图书馆 CIP 数据核字(2013)第 156428 号

书　　名	原　来
著　　者	梁晓声
责任编辑	焦雅君　何　龙
出版发行	中华书局
	(北京市丰台区太平桥西里 38 号　100073)
	http://www.zhbc.com.cn
	E-mail : zhbc@ zhbc.com.cn
印　　刷	北京天来印务有限公司
版　　次	2013 年 8 月北京第 1 版
	2016 年 10 月北京第 2 次印刷
规　　格	开本/700×1000 毫米　1/16
	印张 20　插页 2　字数 200 千字
印　　数	15001 – 18000 册
国际书号	ISBN 978 – 7 – 101 – 09503 – 6
定　　价	39.00 元

我为什么还写作

这是我在中华书局出的第二本书。

书名是编辑同志代取的——征求我的意见，我同意。

因为我喜欢。

"原来"有本真的意思。

"原来这样啊！""原来如此。"都是指本真怎样。

文字不同于摄影。文字所呈现的本真，必然具有个人之感情色彩。即使摄影，感情色彩也是在所难免的，故都以作品曰之——而这也正是一概作品的意义。

没有感情色彩的作品，我难以理解其产生过程的本真动念。

此集中的每一篇，都是我写时的某一种感情的记录。

近来我又每问自己——你已写了二千余万字，为什么仍写？

别人也每问——你就没有写烦的时候吗？

老实说，有的。

但我却越来越变成一头多愁善感，经常思绪联翩的动物了。

原来，我烦的只不过是写作时那一种使我大受颈椎病折磨的伏案姿态——对于我们人世间所怀有的那一份感情，非但未泯，反而加深。

　　我便还不能不写。

　　　　　　　　　　2013 年 7 月 1 日

目录

I.一种圆满滋味

更老的我，与老态龙钟的哥哥相伴着走向人生的终点，在我看来，倒也别有一种圆满滋味在心头。对于绝大多数的人，人生本就是一堆责任而已。参透此谛，爱情是缘，友情是缘，亲情尤其是缘，不论怎样，皆当润砥成珠。

II. 夜里的微光

走着走着，我就流泪了。那一天，是我当父亲以来，第一次知道心疼孩子。以前呢，我的心都被穷日子累糙了，顾不上关怀自己的孩子们了……

Ⅲ. 美好心灵的院落

每个人的心灵都是一处院落。在未来的日子里，有许多人将会教给我们许多谋生的技艺和与人周旋的技巧，但为我们的心灵充当园丁的人，将很少很少。

I.

一种圆满滋味

慈母情深

我买的第一本长篇小说是《青年近卫军》。一元多钱。母亲还从来没有一次给过我这么多钱。我还从来没有向母亲一次要过这么多钱。

我的同代人，当你们也像我一样，还是一个小学五年级学生的时候，如果你们也像我一样，生活在一个穷困的普通劳动者家庭的话，你们为我作证，有谁曾在决定开口向母亲要一元多钱的时候，内心里不缺少勇气？

当年的我们，视父母一天的工资是多么非同小可啊！

但我想有一本《青年近卫军》想得整天失魂落魄，无精打采。

我从同学家的收音机里听到过几次《青年近卫军》长篇小说连续广播。那时我家的破收音机已经卖了，被我和弟弟妹妹们吃进肚子里了。直接吃进肚子里的东西当然不能取代"精神食粮"。

我那时还不知道什么叫"维他命"。更没从谁口中听说过"卡路里"，但头脑却喜欢"革命英雄主义"。一如今天的女孩子们喜欢嚼泡泡糖。

七八十台破缝纫机，一行行排列着，七八十个都不算年轻的女人忙碌在自己的缝纫机后。因为光线阴暗，每个女人头上方都吊着一只灯泡。正是酷暑炎夏，窗不能开，七八十个女人的身体和七八十只灯泡所散发的热量，使我感到犹如身在蒸笼。那些女人们热得只穿背心。有的背心肥大，有的背心瘦小，有的穿的还是男人的背心，暴露出相当一部分丰厚或者干瘪的胸脯，千奇百怪。毡絮如同褐色的重雾，如同漫漫的雪花，在女人们在母亲们之间纷纷扬扬地飘荡。而她们不得不一个个戴着口罩。女人们母亲们的口罩上，都有三个实心的褐色的圆。那是因为她们的鼻孔和嘴的呼吸将口罩濡湿了，毡絮附着在上面。女人们母亲们的头发、臂膀和背心也差不多都变成了褐色的，毛茸茸的褐色。我觉得自己恍如置身在山顶洞人时期的女人们母亲们之间。

我呆呆地将那些女人们母亲们扫视一遍，却发现不了我的母亲。

七八十台破缝纫机发出的噪声震耳欲聋。

"你找谁？"一个用竹篾子拍打毡絮的老头对我大声嚷，却没停止拍打。毛茸茸的褐色的那老头像一只老雄猿。

"找我妈！"

"你妈是谁？"

我大声说出了母亲的名字。

"那儿！"

老头朝最里边的一个角落一指。

我穿过一排排缝纫机，走到那个角落，看见一个极其瘦弱的毛茸茸的褐色的脊背弯曲着，头凑近在缝纫机板上。周围几只灯泡的热量烤着我的脸。

"妈……"

"妈……"

背直起来了，我的母亲。转过身来了，我的母亲。肮脏的毛茸茸的褐色的口罩上方，眼神儿疲竭的我熟悉的一双眼睛吃惊地望着我，我的母亲的眼睛……

母亲大声问："你来干什么？"

"我……"

"有事快说，别耽误妈干活！"

"我……要钱……"

我本已不想说出"要钱"两字，可是竟说出来了！

"要钱干什么？"

"买书……"

"多少钱？"

"一元五角就行……"

母亲掏衣兜。掏出一卷毛票，用指尖龟裂的手指点着。

旁边一个女人停止踏缝纫机，向母亲探过身，喊："大姐，别给！没你这么当妈的！供他们吃，供他们穿，供他们上学，还供他们看闲书哇！……"又对我喊："你看你妈这是在怎么挣钱？你忍心朝你妈要钱买书哇？"

母亲却已将钱塞在我手心里了，大声回答那个女人："谁叫我们是当妈的啊！我挺高兴他爱看书的！"

母亲说完，立刻又坐了下去，立刻又弯曲了背，立刻又将头俯在缝纫机板上了，立刻又陷入了手脚并用的机械忙碌状态……

那一天我第一次发现，我的母亲原来是那么瘦小，竟快是一个老女人了！那时刻我努力要回忆起一个年轻的母亲的形象，竟回忆不起母亲她何时年轻过。那一天我第一次觉得我长大了，应该是一个大人了。并因自己十五岁了才意识到自己应该是一个大人了而感到羞愧难当，无地自容。

我鼻子一酸，攥着钱跑了出去……

那天我用那一元五毛钱给母亲买了一听水果罐头。

"你这孩子，谁叫你给我买水果罐头的？！不是你说买书，妈才舍得给你钱的吗？"

那天母亲数落了我一顿。数落完了我，又给我凑足了够买《青年近卫军》的钱……我想我没有权利用那钱再买任何别的东西，无论为我自己还是为母亲。

从此，我有了第一本长篇小说……

我的小学

一

我永远忘不了这样一件事。

某年冬天，市里要来一个卫生检查团到我们学校检查卫生，班主任老师吩咐两名同学把守在教室门外，个人卫生不合格的学生，不准进入教室。我是不许进入教室的几个学生之一。我和两名把守在教室门外的学生吵了起来，结果他们从教员室请来了班主任老师。

班主任老师上下打量着我，冷起脸问："你为什么今天还要穿这么脏的衣服来上学？"

我说："我的衣服昨天刚刚洗过。"

"洗过了还这么脏？"老师指点着我衣襟上的污迹。

我说："那是油点子，洗不掉的。"

老师生气了："回家去换一件衣服。"

我说："我就这一件上学的衣服。"

我说的是实话。

老师认为我顶撞了她，更加生气了，又看我的双手，说："回家叫你妈把你两手的皴用砖头蹭干净了再来上学！"接着像扒乱草堆一样乱扒我的头发，"瞧你这满头虮子，像撒了一脑袋大米！叫人恶心！回家去吧！这几天别来上学了，检查过后再来上学！"

我的双手，上学前用肥皂反复洗过，用砖头蹭也未必能蹭干净。而手的生皴，不是我所愿意的。我每天要洗菜，淘米，刷锅，刷碗。家里的破屋子四处透风，连水缸在屋内都结冰，我的手上怎么不生皴？不卫生是很羞耻的，这我也懂，但卫生需要起码的"为了活着"的条件，这一点我的班主任老师便不懂了。阴暗的，夏天潮湿冬天寒冷的，像地窖一样的一间小屋，破炕上每晚拥挤着大小五口人，四壁和天棚每天起码要掉下三斤土，炉子每天起码要向狭窄的空间飞扬四两灰尘……母亲每天早起晚归去干临时工，根本没有精力照料我们几个孩子，如果我的衣服居然还干干净净，手上没皴头上没虮子，那倒真是咄咄怪事了！我当时没看过《西行漫记》，否则一定会顶撞一句："毛主席当年在延安住窑洞时还当着斯诺的面捉虱子呢！"

我认为，对于身为教师者，最不应该的，便是以贫富来区别对待学生。我的班主任老师嫌贫爱富。我同学中区长、公社书记、工厂厂长、医院院长们的儿女，他们都并非品学兼优的好学生，有的甚至经常上课吃零食、打架，班主任老师却从未严肃地批评过他们一次。

对班主任老师尖酸刻薄的训斥，我只有含侮忍辱而已。

我两眼涌出泪水，转身就走。

这一幕却被语文老师看到了。

她说："梁绍生，你别走，跟我来。"扯住我的一只手，将我带到教员室。

她让我放下书包，坐在一把椅子上，又说："你的头发也够长了，该理一理了，我给你理吧！"说着就离开了办公室。

学校后勤科有一套理发工具，是专为男教师们互相理发用的。我知道她准是取那套理发工具去了。

可是我心里却不想再继续上学了。因为穷，太穷，我在学校里感到一点尊严也没有。而一个孩子需要尊严，正像需要母爱一样。我是全班唯一的一个免费生。免费对一个小学生来说是精神上的压力和心理上的负担。"你是免费生，你对得起党吗？"哪怕无意识地犯了算不得什么错误的错误，我也会遭到班主任老师这一类冷言冷语的训斥。我早听够了！

语文老师走出教员室，我便拿起书包逃离了学校。

我一直跑出校园，跑着回家。

"梁绍生，你别跑，别跑呀！小心被汽车撞了呀！"

我听到了语文老师的呼喊。她追出了校园，在人行道上跑着追我。

我还是跑，她紧追。

"梁绍生，你别跑了，你要把老师累坏呀！"

我终于不忍心地站住了。

她跑到我跟前，已气喘吁吁。

她说："你不想上学啦？"

我说："是的。"

她说："你才小学四年级，学这点文化将来够干什么用？"

我说："我宁肯和我爸爸一样将来靠力气吃饭，也不在学校里忍受委屈了！"

她说："你这种想法是错误的。小学四年级的文化，将来也当不了一个好工人！"

我说："那我就当一个不好的工人！"

她说："那你将来就会恨你的母校，恨母校所有的老师，尤其会恨我。因为我没能规劝你继续上学！"

我说："我不会恨您的。"

她说："那我自己也不会原谅我自己！"

我满心间自卑、委屈、羞耻和不平，哇的一声哭了。

她抚摸着我的头，低声说："别哭，跟老师回学校吧，啊？我知道你们家里生活很穷困，这不是你的过错，没有什么值得自卑和羞耻的。你要使同学们看得起你，每一位老师都喜爱你，今后就得努力学习才是啊！"

我只好顺从地跟她回到了学校。

二

如今想起这件事，我仍觉后怕。没有我这位小学语文老师，依着我从父亲的秉性中继承下来的那种九头牛拉不动的倔强劲儿，很可能连我母亲也奈何不得我，当真从小学四年级就弃学了。那么今天我既不可能成为作家，也必然像我的那位小学语文老师说的那样——当不了一个好工人。

一位会讲故事的母亲和从小的穷困生活，是造成我这样一个作家的先决因素。狄更斯说过——穷困对于一般人是种不幸，但对于作家也许是种幸运。的确，对我来说，穷困并不仅仅意味着童年生活的不遂人愿。它促使我早熟，促使我从童年起就开始怀疑生活，思考生活，认识生活，介入生活。虽然我曾千百次地诅咒过穷困，因穷困感到过极大的自卑和羞耻。

我发现自己也具有讲故事的"才能"，是在小学二年级。认识字了，语文课本成了我最早阅读的书籍，新课本发下来未过多久，我就先自通读一遍了。当时课文中的生字，标有拼音，读起来并不难。

一天，我坐在教室外的楼梯台阶上正聚精会神地看语文课本，教语文课的女老师走上楼，好奇地问："你在看什么书？"

我立刻站起，规规矩矩地回答："语文课本。"

老师又问："哪一课？"

我说："下堂您要讲的新课——《小山羊看家》。"

"这篇课文你觉得有意思吗？"

"有意思。"

"看过几遍了？"

"两遍。"

"能讲下来吗？"

我犹豫了一下，回答："能。"

上课后，老师把我叫起，对同学们说："这一堂讲第六课——《小山羊看家》。下面请梁绍生同学先把这一篇课文讲述给我们听。"

我的名字本叫梁绍生，梁晓声是我在"文革"中自己改的名字。"文革"中兴起过一阵改名的时髦风，我在一张辞去班级"勤务员"职务的声明中首次署了现在的名字——梁晓声。

我被老师叫起后，开始有些发慌，半天不敢开口。

老师鼓励我："别紧张，能讲述到哪里，就讲述到哪里。"

我在老师的鼓励下，终于开口讲了："山羊妈妈有四个孩子，一天，山羊的妈妈要离开家……"

当我讲完后，老师说："你讲得很好，坐下吧！"看得出，老师心里很高兴。

全班同学都很惊异，对我十分羡慕。

一个穷困人家的孩子，他没有任何值得自我炫耀的地方，当他的某一方面"才能"当众得以显示，并且被羡慕，并且受到夸奖，他心里自然充满骄傲。

以后，语文老师每讲新课，总是提前几天告诉我，嘱我认真阅读，到讲那一堂新课时，照例先把我叫起，让我首先讲述给同学们听。

我们的语文老师，是一位主张教学方法灵活的老师。她需要我这样一名学生，喜爱我这样一名学生。因为我的存在，使她在我们这个班讲的语文课生动活泼了许多。而我也同样需要这样一位老师，因为是她给予了我在全班同学面前显示自己讲故事"才能"的机会。而这样的机会当时对我是重要的，使我幼小的意识中也有一种骄傲存在着，满足着我匮乏的虚荣心。后来，老师的这一语文教学方法，在全校推广开来，引起区和市教育局领导同志的兴趣，先后到我们班听过课。从小学二年级至小学六年级，我和我的语文老师一直配合得很默契。她喜爱我，我尊敬她。小学毕业后，我还回母校看望过她几次。"文革"开始，她因是市的教育标兵，受到了批斗。记得有一次我回母校去看她，她刚刚被批斗完，握着扫帚扫校园，剃了"鬼头"，脸上的墨迹也不许她洗去。

我见她那样子，很难过，流泪了。

她问："梁绍生，你还认为我是一个好老师吗？"

我回答："是的，您在我心中永远是一位好老师。"

她惨然地苦笑了，说："有你这样一个学生，有你这样一句话，我挨批挨斗也心甘情愿了！走吧，以后别再来看老师了，记住老师曾多么喜爱你就行！"

那是最后一次见到她。

不久，她跳楼自杀了。

她不但是我的小学语文老师，还是我小学母校的少先队辅导员老师。她在同学们中组织起了全市小学校的第一个"故事小组"和第一个"小记者委员会"。我小学时不是个好学生，经常逃学，不参加校外学习小组，除了语文成绩较好，算术、音乐、体育都仅是个"中等"生，直到五年级才入队。还是在我这位语文老师的多次力争下有幸戴上了红领巾，也是在我这位语文老师的力争下才成为"故事小组"和"小记者委员会"的成员。对此我的班主任老师很有意见，认为她所偏爱的是一个坏学生。我逃学并非因为我不爱学习。那时母亲天不亮就上班去了，哥哥已上中学，是校团委副书记兼学生会主席，也跟母亲一样，早晨离家，晚上才归，全日制，就苦了我。家里还有两个弟弟一个妹妹，我得给他们做饭吃，收拾屋子和担水，他们还常常哭着哀求我在家陪他们。将六岁、四岁、两岁的小弟小妹撇在家里，我常常于心不忍，便逃学，不参加校外学习小组。班主任老师从来也没有到我家进行过家访，因而不体谅我也就情有可原，认为我是一个坏学生更理所当然。班主任老师不喜欢我，还因为穿在我身上的衣服一向很不体面，不是过于肥大就是过于短小，不仅破，而且脏，衣襟几乎天天带着锅底灰和做饭时弄上的油污。在小学没有一个和我要好过的同学。

语文老师是我小学时期在学校里的唯一的一个朋友。

我至今不忘她，永远都难忘。

不仅因为她是我小学时期唯一关心过我喜爱过我的一位老师，不仅因为她给予了我唯一的树立起自豪感的机会和方式，还因她将我向文学的道路上推进了一步——由听故事到讲故事。

三

语文老师牵着我的手，重新把我带回了学校，重新带到教员室，让我重新坐在那把椅子上，开始给我理发。

语文教员室里的几位老师百思不得其解地望着她。

一位男老师对她说："你何苦呢？你又不是他的班主任。曲老师因为这个学生都对你有意见了，你一点不知道？"

她笑笑，什么也未回答。

她一会儿用剪刀剪，一会儿用推子推，将我的头发剪剪推推摆弄了半天，总算"大功告成"。

她歉意地说："老师没理过发，手太笨，使不好推子也使不好剪刀，大冬天的给你理了个小平头，你可别生老师的气呀！"

教员室没面镜子。我用手一摸，平倒是很平，头发却短得不能再短了。哪里是"小平头"，分明是被剃了一个不彻底的秃头。虮子肯定不存在了，我的自尊心也被剪掉剃平。

我并未生她的气。

随后她又拿起她的脸盆，领我到锅炉房，接了半盆冷水再接半盆热水，兑成一盆温水，给我洗头，洗了三遍。

只有母亲才如此认真地给我洗过头。

我的眼泪一滴滴落在脸盆里。

她给我洗好头，再次把我领回教员室，脱下自己的毛坎肩，套在我身上，遮住了我衣服前襟那片无法洗掉的污迹。她身材娇小，毛坎肩是绿色的，套在我身上尽管不伦不类，却并不显得肥大。

教员室里的另外几位老师，瞅着我和她，一个个摇头不止，忍俊不禁。

她说："走吧，现在我可以送你回到你们班级去了！"

她带我走进我们班级的教室后，同学们顿时哄笑起来。大冬天的，我竟剃了个秃头，棉衣外还罩了件绿坎肩，模样肯定是太古怪太滑稽了！

她生气了，严厉地喝问我的同学们："你们笑什么？有什么可笑的？哄笑一个同学迫不得已的做法是可耻的行为！如果我是你们的班主任，谁再敢哄笑我就把谁赶出教室！"

这话她一定是随口而出的，绝不会有任何针对我的班主任老师的意思。

我看到班主任老师的脸一下子拉长。

班主任老师也对同学们呵斥："不许笑！这又不是耍猴！"

班主任老师的话，更加使我感到被当众侮辱，而且我听出来了，班主任老师的话中，分明包含着针对语文老师的不满成分。

语文老师听没听出来，我无法知道。我未看出她脸上的表情有什么变化。

她对班主任老师说："曲老师，就让梁绍生上课吧！"

班主任老师拖长语调回答："你对他这么尽心尽意，我还有什么话可说？"

市教育局卫生检查团到我们班检查卫生时，没因为我们班有我这样一个剃了秃头，棉袄外套件绿色毛坎肩的学生而贴在我们教室门上一面黄旗或黑旗。他们只是觉得我滑稽古怪，惹他们发笑而已……

从那时起直至我小学毕业，我们班主任老师和语文老师的关系一直不融洽。我知道这一点，我们班级的所有同学也都知道这一点，而这一点似乎完全是由于我这个学生导致的。几年来，我在一位关心我的老师和一位讨厌我的老师之间，处处谨小慎微，循规蹈矩，力不胜任地扮演一架天平上的小砝码的角色。扮演这种角色，对于一个小学生的心理，无异于扭曲，对我以后的性格形成不良影响，使我如今不可救药地成了一个忧郁型的人。

我心中暗暗铭记语文老师对我的教诲，学习努力起来，成绩渐好。

班主任老师却不知为什么对我愈发冷漠无情了。

四

四年级上学期期末考试，我的语文和算术破天荒地拿了"双百"，而且《中国少年报》选登了我的一篇作文，市广播电台"红领巾"节目也广播了我的一篇作文，还有一篇作文用油墨抄写在儿童电影院的宣传栏上。同学对我刮目相待了，许多老师也对我和蔼可亲了。

校长在全校师生大会上表扬了我的语文老师，充分肯定了在我这个一度被视为坏学生的转变和进步过程中，她所付出的种种心血，号召全校老师向她那样对每一个学生树立起高度的责任感。

受到表扬有时对一个人不是好事。

在她没有受到校长的表扬之前，许多师生都公认，我的"转变和进步"，与她对我的教育是分不开的。而在她受到校长的表扬之后，某些老师竟认为她是一个"机会主义者"了。"文革"期间，有一张攻击她的大字报，赫赫醒目的标题即是——"看机会主义者××是怎样在教育战线进行投机和沽名钓誉的！"

而我们班的几乎所有同学，都不知掌握了什么证据，断定我那三篇给自己带来荣誉的作文，是语文老师替我写的。于是流言传播，闹得全校沸沸扬扬。

四年级二班的梁绍生，

是个逃学精，

老师替他写作文，

《少年报》上登，

真该用屁崩！

……

一些男同学，还编了这样的顺口溜，在我上学和放学的路上，包围着我讥骂。

班主任老师亲眼目睹过我被凌辱的情形，没制止。

班主任老师对我冷漠无情到视而不见的地步。她教算术。在她讲课时，连扫也不扫我一眼了。她提问或者叫同学在黑板上解答算术题时，无论我将手举得多高，都无法引起她的注意。

一天，在她的课堂上，同学们做题，她坐在讲课桌前批改作业本。教室里静悄悄的。

"梁绍生！"她突然大声叫我的名字。

我吓了一跳，立刻怯怯地站了起来。

全体同学都停了笔。

"到前边来！"班主任老师的语调中隐含着一股火气。

我惴惴不安地走到讲桌前。

"作业为什么没写完？"

"写完了。"

"当面撒谎！你明明没写完！"

"我写完了，中间空了一页。"

我的作业本中夹着印废了的一页，破了许多小洞，我写作业时随手翻过去了，写完作业后却忘了扯下来。

我低声下气地向她承认是我的过错。

她不说什么，翻过那一页，下一页竟仍是空页。

我万没想到我写作业时翻得匆忙，会连空两页。

她拍了一下桌子："撒谎！撒谎！当面撒谎！你明明是没有完成作业！"

我默默地翻过了第二页空页，作业本上展现出了我接着做完了的作业。

她的脸倏地红了："你为什么连空两页？！想要捉弄我一下是不是？！"

我垂下头，讷讷地回答："不是。"

她又拍了一下桌子："不是？！我看你就是这个用意！你别以为你现在是个出了名的学生了，还有一位在学校里红得发紫的老师护着你，托着你，拼命往高处抬举你，我就不敢批评你了！我是你的班主任，你的小学鉴定还得我写呢！"

我被彻底激怒了！我不能容忍任何人在我面前侮辱我的语文老师！我爱她！她是全校唯一使我感到亲近的人！我觉得她像我的母亲一样，我内心里是视她为我的第二个母亲的！

我突然抓起了讲台桌上的红墨水瓶。班主任以为我要打在她脸上，吃惊地远远躲开我，喝道："梁绍生，你要干什么？！"

我并不想将墨水瓶打在她脸上，我只是想让她知道，我是一个人，在忍无可忍的情况下我是会愤怒的！

我将墨水瓶使劲摔到墙上。墨水瓶粉碎了，雪白的教室墙壁上出现了一片"血"迹！

我接着又将粉笔盒摔到了地上。一盒粉笔尽断，四处滚去。

教室里长久的一阵鸦雀无声，直至下课铃响。

那天放学后，我在学校大门外守候着语文老师回家。她走出学校时，我叫了她一声。

她奇怪地问："你怎么不回家？在这里干什么？"

我垂下头去，低声说："我要跟您走一段路。"

她沉思地瞧了我片刻，一笑，说："好吧，我们一块儿走。"

我们便默默地向前走。她忽然问："你有什么事要告诉我吧？"

我说："老师，我想转学。"

她站住，看着我，又问："为什么？"

我说："我不喜欢我们班级！在我们班级我没有朋友，曲老师讨厌我！要不请求您把我调到您当班主任的四班吧！"我说着想哭。

"那怎么行？不行！"她语气非常坚决，"以后你再也不许提这样的请求！"

我也非常坚决地说："那我就只有转学了！"眼泪涌出了眼眶。

她说："我不许你转学。"

我觉得她不理解我，心中很委屈，想跑掉。

她一把扯住我，说："别跑。你感到孤独是不是？老师也常常感到孤独啊！你的孤独是穷困带来的，老师的孤独……是另外的原因带来的。你转到其他学校也许照样会感到孤独的。我们一个孤独的老师和一个孤独的学生不是更应该在一所学校里吗？转学后你肯定会想念老师，老师也肯定会想念你的。孤独对一个人不见得是坏事……这一点你以后会明白的。再说你如果想有朋友，你就应该主动去接近同学们，而不应该对所有的同学都充满敌意，怀疑所有的同学心里都想欺负你……"

我的小学语文老师她已成泉下之人近二十年了。我只有在这篇纪实性的文字中，表达我对她虔诚的怀念。

教育的社会使命之一，就是应首先在学校中扫除嫌贫谄富媚权的心态！

而嫌贫谄富，在我们这个国家，在我们这个国家的小学、中学乃至大学，在21世纪的今天，依然不乏其例。

因为我小学毕业后，接着进入了中学，而后又进入过大学，所以我有理由这么认为。

我诅咒这种现象！鄙视这种现象！

第一支钢笔

它是黑色的，笔身粗大，外观笨拙。全裸的笔尖、旋拧的笔帽。胶皮笔囊内没有夹管，吸墨水时，捏一下，缓慢鼓起。墨水吸得太足，写字常常"呕吐"，弄脏纸和手。我使用它，已经二十多年了。笔尖劈过，断过，被我磨齐了，也磨短了。笔道很粗，写一个笔画多的字，大稿纸的两个格子也容不下。已不能再用它写作，只能写便笺或信封。

它是我使用的第一支钢笔，母亲给我买的。那一年，我升入小学五年级。学校规定，每星期有两堂钢笔字课。某些作业，要求学生必须用钢笔完成。全班每一个同学，都有了一支崭新的钢笔。有的同学甚至有两支。我却没有钢笔可用，连支旧的也没有。我只有蘸水钢笔，每次完成钢笔作业，右手总被墨水染蓝。染蓝了的手又将作业本弄脏。我常因此而感到委屈，做梦都想得到一支崭新的钢笔。

一天，我终于哭闹起来，折断了那支蘸水笔，逼着母亲非立刻给买一支吸水笔不可。

母亲对我说："孩子，妈妈不是答应过你，等你爸爸寄回钱来，一定给你买支吸水笔吗？"

我不停地哭闹，喊叫："不，不，我今天就要。你去给我借钱买。"

母亲叹了口气，为难地说："你这孩子，真不懂事。这月买粮的钱，是向邻居借的；交房费的钱，也是向邻居借的；给你妹妹看病，还是向邻居借的钱。为了今天给你买一支吸水笔，你就非逼着妈妈再去向邻居借钱吗？叫妈妈怎么张得开口啊？"

我却不管母亲好不好意思再向邻居张口借钱，哭闹得更凶。母亲心烦了，打了我两巴掌。我赌气哭着跑出了家门……

那天下雨，我在雨中游荡了大半日不回家，衣服淋湿了，头脑也淋得平静了，心中不免后悔自责起来。是啊，家里生活困难，仅靠在外地工作的父亲每月寄回几十元钱过日子，母亲不得不经常向邻居开口借钱。母亲是个很顾脸面的人，每次向邻居借钱，都需鼓起一番勇气。

我怎么能为了买一支吸水笔，就那样为难母亲呢？我觉得自己真是太对不起母亲了。

于是我产生了一个念头，要靠自己挣钱买一支钢笔。这个念头一产生，我就冒雨朝火车站走去。火车站附近有座坡度很陡的桥，一些大孩子常等在坡下，帮拉货的手推车夫们推上坡，可讨得五分钱或一角钱。

我走到那座大桥下，等待许久，不见有推车来。雨越下越大，我只好站到一棵树下躲雨。雨点劈劈啪啪地抽打着肥大的杨树叶，冲刷着马路。马路上不见一个行人的影子，只有公共汽车偶尔驶来驶去。几根电线杆子远处，就迷迷蒙蒙地看不清楚什么了。

我正感到沮丧，想离开，雨又太大，等下去，肚子又饿，忽然发现了一辆手推车，装载着几层高高的木箱子，遮盖着雨布。拉车人在大雨中缓慢地、一步步地朝这里拉来。看得出，那人拉得非常吃力，腰弯得很低，上身几乎俯得与地面平行了，两条裤腿都挽到膝盖以上，双臂拼力压住车把，每迈一步，似乎都使出了浑身的劲儿。那人没穿雨衣，头上戴顶草帽。由于他上身俯得太低，无法看见他的脸，也不知他是个老头儿，还是个小伙儿。

他刚将车拉到大桥坡下，我便从树下一跃而出，大声问："要帮一把吗？"

他应了一声。我没听清他应的是什么，明白是正需要我"帮一把"的意思，就赶快绕到车后，一点也不隐藏力气地推起来。车上不知拉的何物，非常沉重。还未推到半坡，我便一点力气也没有了，双腿发软，气喘吁吁。那时我才知道，对于有些人来说，钱并非容易挣到的。即使一角钱，也是并非容易挣到的。我还空着肚子呢。又推了几步，实在推不动了，产生了"偷劲"的念头。反正拉车人是看不见我的。我刚刚松懈了一点力气，就觉得车轮顺坡倒转。不行，不容我"偷劲"。那拉车人，也肯定是凭着最后一点力气在坚持，在顽强地向坡上拉。我不忍心"偷劲"了。我咬紧牙关，憋足一股力气，发出一个孩子用力时的哼唷声，一步接一步，机械地向前迈动步子。

车轮忽然转动得迅速起来。我这才知道，已经将车推上了坡，开始下坡了。手推车飞快朝坡下冲，那拉车人身子太轻，压不住车把，反被车把将身子悬起来，腿离了地面，控制不住车的方向。幸亏车的方向并未偏往马路中间，始终贴着人行道边，一直滑到坡底才缓缓停下。

我一直跟在车后跑，车停了，我也站住了。那拉车人刚转过身，我便向他伸出一只手，大声说："给钱。"

那拉车人呆呆地望着我，一动不动，也不掏钱，也不说话。

我仰起脸看他，不由得愣住了。"他"……原来是母亲。

雨水，混合着汗水，从母亲憔悴的脸上直往下淌。母亲的衣服完全淋透了，像从水里捞出来的一样，湿漉漉地贴在身上，显出了她那瘦削的两肩的轮廓。她胸口剧烈地起伏着，脸色苍白，大口大口地喘着气。

我望着母亲，母亲望着我，我们母子完全怔住了。

就在那一天，我得到了那支钢笔，梦寐以求的钢笔。

母亲将它放在我手中时，满怀期望地说："孩子，你要用功读书啊。你要是不用功读书，就太对不起妈妈了……"

在我的学生时代，我一刻都没有忘记过母亲满怀期望对我说的这番话。

如今，二十多年过去了，我已经是个成年人了，母亲变成老太婆了。那支笔，也可以说早已完成它的历史使命了。但我，却要永远保存它，永远珍视它，永远不抛弃它。

如何面对困境？

小蕙：

你来信命我谈谈对人生"逆境"所持的态度，这就迫使我不得不回顾自己匆匆活到四十七岁的半截人生。结果，我竟没把握判断，自己是否真的遭遇过什么所谓人生的"逆境"？

我曾不止一次被请到大学去，对大学生谈"人生"，仿佛我是一位相当有资格大谈此命题的作家。而我总是一再地推托，声明我的人生至今为止，实在是平淡得很，平常得很，既无浪漫，也无苦难，更无任何传奇色彩。对方却往往会说，你经历过"三年自然灾害"时期，经历过"文革"，经历过"上山下乡"，怎可说没什么谈的呢？其实这是几乎整整一代人的大致相同的人生经历，个体的我，摆放在总体中看，真是丝毫也不足为奇的。

比如我小的时候家里很穷，从懂事起至下乡为止，没穿过几次新衣服。小学六年，年年是"免费生"。初中三年，每个学期都享受二级"助学金"。初三了，自尊心很强了，却常从收破烂的邻居的破烂筐里翻找鞋穿，哪怕颜色不同，样式不同，都是左脚鞋或都是右脚鞋，在买不起鞋穿的无奈情况下，也就只好胡乱穿了去上学……

有时我自己回想起来，以为便是"逆境"了。后来我推翻了自己的以为，因在当年，我周围皆是一片贫困。

倘说贫困毫无疑问是一种人生"逆境"，那么我倒可以大言不惭地说，我对贫困，自小便有一种积极主动的、努力使自己和家人在贫困之中也尽量生活得好一点儿的本能。我小学五六年级就开始粉刷房屋了。初中的我，已不但是一个出色的粉刷工，而且是一个很棒的泥瓦匠了。炉子、火墙、火炕，都是我率领着弟弟们每年拆了砌，砌了拆，越砌越好。没有砖，就推着小车到建筑工地去捡碎砖。我家住的，在"大跃进"年代由临时女工们几天内突击盖起来的房子，幸亏有我当年从里到外地一年多次的维修，才一年年仍可住下去。我家几乎每年粉刷一次，甚至两次，而且要喷出花儿或图案，你知道一种水纹式的墙围图案如何产生么？说来简单——将石灰浆兑好了颜色，再将一条抹布拧成麻花状，沾了灰浆往墙上依序列滚动，那是我当年的发明。每次，双手被灰浆所烧，几个月后方能蜕尽皮。在哈尔滨那一条当年极脏的小街上，在我们那个大杂院里，我家门上，却常贴着"卫生红旗"。每年春节，同院儿的大人孩子，都羡慕我家屋子粉刷得那么白，有那么不可思议的图案。那不是欢乐是什么呢？不是幸福感又是什么呢？

下乡后，我从未产生跑回城里的念头。跑回城里又怎样呢？没工作，让父母和弟弟妹妹也替自己发愁么？自从我当上了小学教师，我曾想，如果我将来落户了，我家的小泥房是盖在村东头还是村西头呢？哪一个女知青愿意爱我这个全没了返城门路打算落户于北大荒的穷家小子呢？如果连不漂亮的女知青竟也没有肯做我妻子的，那么就让我去追求一个当地人的女儿吧！

面对所谓命运，我从少年时起，就是一个极冷静的现实主义者。我对人生的憧憬，目标从来定得很近很近，很低很低，很现实很现实。想象有时也是爱想象的，但那也只不过是一种早期的精神上的"创作活动"，一扭头就会面对现实，做好自己在现实中首先最该做好的事，哪怕是在别人看来最乏味最不值得认真对待的事。

后来我调到了团宣传股。这是我人生中的第一次"上升阶段"。再后来我又被从团机关"精简"了，实际上是一种惩罚，因为我对某些团首长缺乏敬意，还因为我同情一个在看病期间跑回城市探家的知青。于是我被贬到木材加工厂抬大木。

那是一次从"上升阶段"的直接"沦落"，连原先的小学教师都当不成了，于是似乎真的体会到了身处"逆境"的滋味儿，于是也就只有咬紧牙关忍。如今想来，那似乎也不能算是"逆境"，因为在我之前，许多男知青，已然在木材厂抬着木头了，抬了好几年了。别的知青抬得，我为什么抬不得？为什么我抬了，就一定是"逆境"呢？

后来我被推荐上了大学。我的人生不但又"上升"了，而且"飞跃"了，成了几十万知青中的幸运者。

在大学我因议论"四人帮"，成为上了"另册"的学生。又因一张汇单，遭几名同学合谋陷害，几乎被视为变相的贼。那些日子，当然也是谈不上"逆境"的，只不过不顺遂罢了。而我的态度是该硬就硬，毕不了业就毕不了业，回北大荒就回北大荒。一次，因我说了一句对"四人帮"不敬的话，一名同学指着我道："你再重复一遍！"我就当众又重复了一遍，并将从兵团带去的一柄匕首往桌上一插，大声说："你他妈的可以去汇报！不会判我死刑吧？只要我活着，我出狱那一天，你的不安定的日子就来了！无论你分配到哪儿，我都会去找到你，杀了你！看清楚了，就用这把匕首！"

那事儿竟无人敢去汇报。

毕业时我的鉴定中多了一条别的同学所没有的——"与'四人帮'作过斗争"。想想怪可笑的，也不过就是一名青年学生对"四人帮"的倒行逆施说了些激愤的话罢了。但当年我更主要的策略是逃，一有机会，就离开学校，暂时摆脱心理上的压迫，甚至在一个上海知青的姨妈家，在上海郊区一个叫朱家桥的小镇上，一住就是几个星期……

这些都是一个幸运者当年的不顺遂，尽管也埋伏着人生的凶险，但都非大凶险，可以凭了自己的策略对付的小凶险而已。

一名高干子弟，我的一名知青战友，曾将他当年的日记给我看，他下乡第二年就参军去了，在北戴河当后勤兵，喂猪。他的日记中，满是"逆境"中人如坠无边苦海的"磨难经"——而当年在别的同代人看来，成了一名光荣的解放军战士，又是何等幸运何等梦寐以求的事啊！

鲁迅先生曾经说过家道中落之人更能体会世态炎凉的话。我以为，于所谓的"逆境"而言，也似乎只有某些曾万般顺遂、仿佛前程锦绣之人，一朝突然跌落在厄运中，于懵懂后所深深体会的感受，以及所调整的人生态度，才更是经验吧？好比公子一旦落难，便有了戏有了书。而一个诞生于穷乡僻壤的人，于贫困之中呱呱坠地，直至于贫困之中死去，在他临死之前问他关于"逆境"的体会及思想，他倒极可能困惑不知所答呢！

至于我，回顾过去，的确仅有些人生路上的小小不顺遂而已。实在是不敢妄谈"逆境"。而如今对于人生的态度，是比青少年时期更现实主义了。若我患病，就会想，许多人都患病的，凭什么我例外？若我生癌，也会想，不少杰出的人都不幸生了癌，凭什么上帝非呵护于我？若我惨遭车祸，会想，车祸几乎是每天发生的。总之我以后的生命，无论这样或那样了，都不再会认为自己是多么地不幸了。知道了许许多多别人命运的大跌宕，大苦难，大绝望，大抗争，我常想，若将不顺遂也当成"逆境"去谈，只怕是活得太矫情了呢！……

"过年"的断想

我曾问儿子："是不是经常盼着自己快快长大？"

他摇头断然地回答："不！"

我也曾郑重地问过他的小朋友们同样的话，他们都摇头断然地回答并不盼着自己快快长大，说长大了多没意思哇。现在才是小学生，每天上学就够累了。长大了每天上班岂不更累了？连过年过节都会变成一件累事儿。多没劲啊！瞧你们大人，年节前忙忙碌碌的。年节还没过完往往就开始抱怨——仿佛是为别人忙碌为别人过的……

是的，生活在无忧无虑环境之中的孩子是不会盼着自己快快长大的。他们本能地推迟对任何一种责任的承担。而一个穷人家庭里的孩子，却会像盼着穿上一件新衣服似的，盼着自己早一天长大。他们或她们，本能地企盼能早一天为家庭承担起某种责任。《红灯记》里的李玉和，不是曾这么夸奖过女儿么——提篮小卖拾煤渣，担水劈柴也靠她，里里外外一把手，穷人的孩子早当家。

我从童年起，就是一个早当家的穷人的孩子。

有时我瞧着自己的儿子，在心里默默地问我自己——我十二岁的时候，真的每天要和比我小两岁的弟弟到很远的地方去抬水么？真的每天要做两顿饭么？真的每个月要拉着小板车买一次煤和烧柴么？那加在一起可是五六百斤啊！在做饭时，真的能将北方熬粥的直径两尺的大铁锅端起来么？在买了粮后，真的能扛着二三十斤重的粮袋子，走一站多路回到家里么？……

连我自己也不敢相信，残存在记忆之中的童年和少年时期的生活情形都是真的。而又当然是真的，不是梦……

由于家里穷，我小时候顶不愿过年过节。因为年节一定要过，总得有过年过节的一份儿钱。不管多少，不比平时的月份多点儿钱，那年那节可怎么个过法呢？但远在万里之外的四川工作的父亲，每个月寄回家里的钱，仅够维持最贫寒的生活。我从很小的时候就懂得体恤父亲。他是一名建筑工人。他这位父亲活得太累太累，一个人挣钱，要养活包括他自己在内一大家子七口人。他何尝不愿每年都让我们——他的子女，过年过节时都穿上新衣裳，吃上年节的饭菜呢？我们的身体年年长，他的工资却并不年年涨。他总不能将自己的肉割下来，血灌起来，逢年过节寄回家啊。如果他是可以那样的，我想他一定会那样。而实际上，我们也等于是靠他的血汗哺养着……

穷孩子们的母亲，逢年过节时是尤其令人怜悯的。这时候，人与鸟兽相比，便显出了人的无奈。鸟兽的生活是无年节之分的，故它们的母亲也就无须在某些日子将来临时，惶惶不安地日夜想着自己格外应尽什么义务似的。

我讨厌过年过节完全是因为看不得母亲不得不向邻居借钱时必须鼓起勇气又实在鼓不起多大勇气的样子。那时母亲的样子最使我心里暗暗难过，我们的邻居也都是些穷人家。穷人家向穷人家借钱，尤其逢年过节，大概是最不情愿的事之一。但年节客观地横现在日子里，不借钱则打发不过去。当然，不将年节当成年节，也是可以的。但那样一来，母亲又会觉得太对不起她的儿女们。借钱之前也是愁，借钱之后仍是愁，借了总得还的。总不能等我们都长大了，都挣钱了再还。母亲不敢多借。即或是过春节，一般总借二十元。有时邻居们会善良地问够不够，母亲总说："够！够！……"许多年的春节，我们家都是靠母亲借的二十元过的。二十元过春节，在今天看来仿佛是不可思议之事。当年也真难为了母亲……

记得有一年过春节，大约是我上初中一年级十四岁那一年，我坚决地对母亲说："妈，今年春节，你不要再向邻居们借钱了！"

母亲叹口气说："不借可怎么过呢？"

我说："像平常日子一样过呗！"

母亲说："那怎么行？你想得开，还有你弟弟妹妹们呢！"

我将家中环视一遍，又说："那就把咱家这对破箱子卖了吧！"

那是母亲和父亲结婚时买的一对箱子。

见母亲犹豫，我又补充了一句："等我长大了，能挣钱了，买更新的，更好的！"

母亲同意了。

第二天，母亲帮我将那一对破箱子捆在一只小爬犁上，拉到街市去卖。从下午等到天黑，没人买。我浑身冻透了，双脚冻僵了。后来终于冻哭了，哭着喊："谁买这一对儿箱子啊……"

我将两只没人买的破箱子又拖回了家。一进家门，我扑入母亲怀中，失声大哭……

母亲也落泪了。母亲安慰我："没人买更好，妈还舍不得卖呢……"

母亲告诉我——她估计我卖不掉，已借了十元钱。不过不是向同院儿的邻居借的。而是从城市这一端走到那一端，向从前的老邻居借的，向我出生以前的一家老邻居借的……

如今，我真想哪一年的春节，和父母弟弟妹妹聚在一起，过一次春节。而父亲已经去世了。母亲牙全掉光了，什么好吃的东西也嚼不动了，只有看着的份儿。弟弟妹妹们已都成家了，做了父母了。往往针对我的想法说——"哥你又何必分什么年节呢！你什么时候高兴团聚，什么时候便当是咱们的年节呗！"

是啊，毕竟，生活都好过些，年节的意义，对大人也就不那么重要了。

所以，我现在也就不太把年当年，把节当节了，正如从来不为自己过生日。便是有所准备地过年过节，多半也是为了儿女高兴……

丢失的香柚

"大串联"时期，我从哈尔滨到了成都，住气象学校，那一年我才十七岁。头一次孤独离家远行，全凭"红卫兵"袖章做"护身符"。我第二天病倒了。接连多日，和衣裹着一床破棉絮，蜷在铺了一张席子的水泥地的一角发高烧。

高烧初退那天，我睁眼看到一张忧郁而文秀的姑娘的脸，她正俯视我。我知道，她就是在我病中服侍过我的人，又见她戴着"红卫兵"袖章，愈觉她可亲。

我说："谢谢你，大姐。"看去她比我大二三岁。一丝怅然的淡淡的微笑浮现在她脸上。她问："你为什么一个人从大北方串联到大南方来呀？"我告诉她，我并不想到这里来和什么人串联，我父亲在乐山工作，我几年没见他的面了，想他。并委托她替我给父亲拍一封电报，要父亲来接我。隔日，我能挣扎着起身了，她又来看望我，交给了我父亲的回电——写着"速回哈"三个字。我失望到顶点，哭了。她劝慰我："你应该听你父亲的话，别叫他替你担心，乐山正武斗，乱极了！"我这时才发现，她戴的不是"红卫兵"袖章，是黑纱。我说："怎么回去呢？我只剩几毛钱了！"虽然乘火车是免费的，可千里迢迢，身上总需要带点钱啊！

她沉吟片刻，一只手缓缓地伸进衣兜，掏出五元钱来，惭愧地说："我是这所学校的学生，'黑五类'。我父亲刚去世，每月只给我九元生活费，就剩这五元钱了，你收下吧！"她将钱塞在我手里，拿起笤帚，打扫厕所去了。

我第二天临行时，她又来送我。走到气象学校大门口，她站住了，低声说："我只能送你到这儿，他们不许我迈出大门。"她从书包里掏出一个柚子给了我："路上带着，顶一壶水。"空气里弥漫着柚香。我说："大姐，你给我留个通信地址吧！"她注视了我一会儿，低声问："你会给我写信吗？"我说："会的。"她那么高兴，便从她的小笔记本上扯下一页纸，认认真真给我写下了一个地址，交给我时，她说："你们哈尔滨不是有座天鹅雕塑么？你在它前边照张相寄给我好吗？"我默默点了一下头。我走出很远，转身看，见她仍呆呆地站在那里，目送着我。路途中缺水，我嘴唇干裂了，却舍不得吃那个柚子。在北京转车时，它被偷走了。

回到哈尔滨的第二天，我就到松花江畔去照相。天鹅雕塑已被砸毁了。满地碎片。一片片仿佛都有生命，淌着血。我不愿让她知道天鹅雕塑砸毁了，就没给她写信……

去年，听说哈尔滨的天鹅雕塑又复雕了，我专程回了一次哈尔滨，在天鹅雕塑旁照了一张相，彩色的。按照那页发黄的小纸片上的地址，给那位铭记在我心中的大姐写了一封信，信中夹着照片。信退回来了。信封上，粗硬的圆珠笔字写的是——"查无此人"。她哪里去了？想到有那么多我的同龄人"消失"在十年动乱之中了，我的心便不由得悲哀起来。

初恋

我的初恋发生在北大荒。

许多读者总以为我小说中的某个女性，是我恋人的影子，那就大错特错了。她们仅是一些文学加工了的知青形象而已。是很理想化了的女性。她们的存在，只证明作为一个男人，我喜爱温柔的、善良的、性格内向的、情感纯真的女性。

有位青年评论家曾著文，专门研究和探讨一批男性知青作家笔底下的女性形象，发现他们（当然包括我）倾注感情着力刻画的年轻女性，尽管千差万别，但大抵如是。我认为这是表现在一代人的情爱史上惨淡的文化现象和倾向。开朗活泼的性格，对于年轻的女性，当年太容易成为指责与批评的目标。在和时代的对抗中，最终妥协的大抵是她们自己。

文章又进一步论证，纵观大多数男性作家笔下缱绻呼出的女性，似乎足以得出结论——在情爱方面，一代知青是失落了的。

我认为这个结论是大致正确的。

我那个连队，有一排宿舍——破仓库改建的，东倒西歪。中间是过廊，将它一分为二，左面住男知青，右面住女知青，除了开会，互不往来。

幸而知青少，不得不混合编排。劳动还往往在一块儿。既一块儿劳动，便少不了说说笑笑，却极有分寸，任谁也不敢超越。男女知青打打闹闹，要是违反行为规范和道德准则，是要受批评的。

但毕竟都是少男少女，情萌心动，在所难免。却都抑制着。对于当年的我们，政治荣誉是第一位的。情爱不知排在第几位。

星期日，倘到别人的连队去看同学，男知青可以与男知青结伴而行，不可与女知青结伴而行。为防止半路汇合，偷偷结伴，实行了"批条制"——离开连队，由连长或指导员批条，到了某一连队，由某一连队的连长或指导员签字。路上时间过长，便遭讯问——哪里去了？刚刚批准了男知青，那么随后请求批条的女知青必定在两小时后才能获准。堵住一切"可乘之机"。

如上所述，我的初恋于我实在是种"幸运"，也实在是偶然降临的。

那时我是位尽职尽责的小学教师，二十三岁，已当过班长、排长，获得过"五好战士"证书，参加过"学习毛主席著作积极分子代表大会"。但没爱过。

我探家回到连队，正是九月，大宿舍修火炕，我那二尺宽的炕面被扒了，还没抹泥。我正愁无处睡，卫生所的戴医生来找我——她是黑河医校毕业的，二十七岁，在我眼中是老大姐。我的成人意识确立得很晚。

她说她回黑河结婚。她说她走之后，卫生所只剩卫生员小董一人，守着四间屋子，她有点不放心。卫生所后面就是麦场。麦场后面就是山了。她说小董自己觉得挺害怕的。最后她问我愿不愿在卫生所暂住一段日子，住到她回来。

我犹豫。顾虑重重。

她说："第一，你是男的，比女的更能给小董壮壮胆。第二，你是教师，我信任。第三，这件事已跟连里请求过，连里同意。"

我便打消了重重顾虑，表示愿意。

那时我还没跟小董说过话。

卫生所一个房间是药房（兼作戴医生和小董的卧室），一个房间是门诊室，一个房间是临时看护室（只有两个床位），第四个房间是注射室消毒室蒸馏室。四个房间都不大。我住临时看护室，每晚与小董之间隔着门诊室。

除了第一天和小董之间说过几句话，在头一个星期内，我们几乎就没交谈过。甚至没打过几次照面。因为她起得比我早，我去上课时，她已坐在药房兼她的卧室里看医药书籍了。她很爱她的工作，很有上进心，巴望着轮到她参加团卫生员集训班，毕业后由卫生员转为医生。下午，我大部分时间仍回大宿舍备课——除了病号，知青都出工去了，大宿舍里很安静。往往是晚上十点以后回卫生所睡觉。

"梁老师，回来没有？"

小董照例在她的房间里大声问。

"回来了！"

我照例在我的房间里如此回答。

"还出去么？"

"不出去了。"

"那我插门啦？"

"插门吧。"

于是门一插上，卫生所自成一统。她不到我的房间里来，我也不到她的房间里去。

"梁老师！"

"什么事？"

"我的手表停了。现在几点了？"

"差五分十一点。你还没睡？"

"没睡。"

"干什么呐？"

"织毛衣呢！"

我清清楚楚地记得，只有那一次，我们隔着一个房间，在晚上差五分十一点的时候，大声交谈了一次。

我们似乎谁也不会主动接近谁。我的存在，不过是为她壮胆，好比一条警觉的野狗——仅仅是为她壮胆。仿佛有谁暗中监视着我们的一举一动，使我们不得接近，亦不敢贸然接近。但正是这种主要由我们双方拘谨心理营造成的并不自然的情况，反倒使我们彼此暗暗产生了最初的好感。因为那种拘谨心理，最是特定年代中一代人的特定心理。一种荒谬的道德原则规范了的行为。如果我对她表现得过于主动亲近，她则大有可能猜疑我"居心不良"。如果她对我表现得过于主动亲近，我则大有可能视她为一个轻浮的姑娘。其实我们都想接近,想交谈,想彼此了解。

小董是牡丹江市知青，在她眼里，我也属于大城市知青，在我眼里，她并不美丽，也谈不上漂亮。我并不被她的外貌吸引。

每天我起来时，炉上总是有一盆她为我热的洗脸水。接连几天，我便很过意不去。于是有天我也早早起身，想照样为她热盆洗脸水。结果我们同时走出各自的住室。她让我先洗，我让她先洗，我们都有点不好意思。

那一天中午我回到住室，见早晨没来得及叠的被子叠得整整齐齐，房间打扫过了，枕巾有人替我洗了，晾在衣绳上。窗上，还有人替我做了半截纱布窗帘。放了一瓶野花。桌上，多了一只暖瓶，两只带盖的瓷杯，都是带大红喜字的那一种。我们连队供销社只有两种暖瓶和瓷杯可卖。一种是带"语录"的，一种是带大红喜字的。

我顿觉那临时栖身的看护室，有了某种温馨的家庭气氛。甚至由于三个耀眼的大红喜字，有了某种新房的气氛。

我在地上发现了一截姑娘们用来扎短辫的曲卷着的红色塑料绳。那无疑是小董的。至今我仍不知道，那是不是她故意丢在地上的。我从没问过她。

我捡起那截塑料绳，萌生起一股年轻人的柔情。

受一种莫名其妙的心理支配，我走到她的房间，当面还给她那截塑料绳。

那是我第一次走入她的房间。

我腼腆之极地说："是你丢的吧？"

她说："是。"

我又说："谢谢你替我叠了被子，还替我洗了枕巾……"

她低下头说："那有什么可谢的……"

我发现她穿了一身草绿色的女军装——当年在知青中，那是很时髦的。还发现她穿的是一双半新的有跟的黑色皮鞋。

我心如鹿撞，感到正受着一种诱惑。

她轻声说："你坐会儿吧。"

我说："不……"立刻转身逃走。

回到自己的房间，心仍直跳，久久难以平复。

晚上，卫生所关了门以后，我借口胃疼，向她讨药。趁机留下纸条，写的是——我希望和你谈一谈，在门诊室。

我都没有勇气写"在我的房间"。

一会儿，她悄悄地出现在我面前。

我们也不敢开着灯谈，怕突然有人来找她看病，从外面一眼发现我们深更半夜地还待在一个房间里……

黑暗中，她坐在桌子这一端，我坐在桌子那一端，东一句，西一句，不着边际地谈。从那一天起,我算多少了解了她一些：她自幼失去父母，是哥哥抚养大的。我告诉她我也是在穷困的生活环境中长大的。她说她看得出来，因为我很少穿件新衣服。她说她脚上那双皮鞋，是下乡前她嫂子给她的，平时舍不得穿……

我给她背我平时写的一首首小诗，给她背我记在日记中的某些思想和情感片断——那本日记是从不敢被任何人发现的……

她是我的第一个"读者"。

从那一天起，我们都觉得我们之间建立了一种亲密的关系。

她到别的连队去出夜诊，我暗暗送她，暗暗接她。如果在白天，我接到她，我们就双双爬上一座山，在山坡上坐一会儿，算是"幽会"。却不能太久。还得分路回连队。

我们相爱了。拥抱过，亲吻过，海誓山盟过。都稚气地认为，各自的心灵从此有了可靠的依托。我们都是那样地被自己所感动，亦被对方所感动。觉得在这个大千世界之中，能够爱一个人并被一个人所爱，是多么幸福多么美好！但我们都没有想到过没有谈起过结婚以及做妻子做丈夫那么遥远的事。那仿佛的确是太遥远的未来的事。连爱都是"大逆不道"的，那种原本合情合理的想法，却好像是童话……

爱是遮掩不住的。

后来就有了流言蜚语，我想提前搬回大宿舍。但那等于"此地无银三百两"。继续住在卫生所，我们便都得继续承受种种投射到我们身上的幸灾乐祸的目光。舆论往往更沉重地落在女性一方。

后来领导找我谈话，我矢口否认——我无论如何不能承认我爱她，更不能声明她爱我。

不久她被调到了另一个连队。

我因有着我们小学校长的庇护，除了那次含蓄的谈话，并未受到怎样的伤害。

你连替你所爱的人承受伤害的能力都没有，这真是令人难堪的事！

后来，我乞求一个朋友帮忙，在两个连队间的一片树林里，又见到了她一面。那一天淅淅沥沥地下着雨，我们的衣服都湿透了。我们拥抱在一起流泪不止……

后来我调到了团宣传股。离她的连队一百多里，再见一面更难了……

我曾托人给她捎过信，却没有收到过她的回信。我以为她是想要忘掉我……

一年后我被推荐上了大学。

据说我离开团里的那一天，她赶到了团里，想见我一面，因为拖拉机半路出了故障，没见着我……

1983年，《这是一片神奇的土地》获奖，在读者来信中，有一封竟是她写给我的！

算起来，我们相爱已是十年前的事了。

我当即给她写了封很长的信，装信封时，即发现她的信封上，根本没写地址。我奇怪了，反复看那封信。信中只写着她如今在一座矿山当医生，丈夫病故了，给她留下了两个孩子……最后发现，信纸背面还有一行字，写的是——想来你已经结婚了，所以请原谅我不给你留下通讯地址。一切已经过去，保留在记忆中吧！接受我的衷心的祝福！

信已写就，不寄心不甘。细辨邮戳，有"桦川县"字样，便将信寄往黑龙江桦川县卫生局。请代查卫生局可有这个人，然而空谷无音。

初恋所以令人难忘，盖因纯情耳！

纯情原本与青春为伴。青春已逝，纯情也就不复存在了。

如今人们都说我成熟了，自己也常这么觉得。

近读青年评论家吴亮的《冥想与独白》，有一段话使我震慑——"大概我们已痛感成熟的衰老和污秽……事实上纯真早已不可复得，唯一可以自慰的是我们还未泯灭向往纯真的天性。我们丢失的何止纯真一项？我们大大地亵渎了纯真，还感慨纯真的丧失，怕的是遭受天谴——我们想得如此周到，足见我们将永远地远离纯真了。嚎啕大哭吧，不再纯真又渴望纯真的人！"

 他正是写的我这类人。

16 路公共汽车

1977 年我从上海复旦大学中文系分配到北京电影制片厂，于是和 16 路公共汽车结下了不解之缘。

同今天一样，它的起点和终点，自然都是在北太平庄。

当年北太平庄一带，远没有今天这么热闹。没有远望楼饭店，没有专利局大厦，没有它旁边的电影学院新址，没有电影学院旁边的中国儿童电影制片厂。北影门前的马路，也没有今天这么宽，而且主行线两侧路面是沙土的。春季秋季，大风一起，沙土飞扬，天地玄黄。当年春秋两季里，骑自行车从北影门前驶过的女士，脸面常罩纱巾。望着她们，你竟会觉得自己仿佛是在神秘而落后的异国。左方，自然没有什么立交桥。右方，不消说也没有。不进市区，北太平庄一带，一点儿也不能使你感到，生活在北京与生活在一个荒蛮的小县城究竟有什么区别。北太平庄的"庄"字，最意味着它当年的情景。在我的印象中，伫立北影门前，放眼向右眺去，燕山起伏的脉脊依稀可见。虽身在京都一隅，却能使人不禁地联想到鲍照的诗句"疾风冲塞起，沙砾自飘扬"，或联想到于鹄的诗"碛冷唯逢雁，天春不见花"。

我在复旦大学读书时的外国留学生朋友一次到北影访我，见面时他浑身灰土，仿佛刚从水泥搬运工地赶来。他是个大胡子，灰土似乎使他的每一根胡子都变粗了。我给他换了两盆水他才洗尽他的脸和胡子。我问他对北京有何印象？他委婉地回答："我已经去过长安街和东单西单了……"又问："如果尚未去呢？"他坦言道："那就太像一个大农村了！而且是你们黑龙江那'嘎塔'的。"我曾不免地有些后悔过——毕业时没听从老师的劝说留在上海，义无反顾地就到北京来了是否很理智？如果不是后来我爱上了北影的一位姑娘的话……

她是道具车间的服装员。

当年主动而又热情地关心我之婚姻大事的"老师"们"阿姨"们真不少。我想我活到二十八岁还没自己做主过什么事。我总得试试自己替自己做主的能力。于是我就爱上了她。

某一天晚上，她终于接受了我的虔诚来晤我。月光下的男人还不及月光下的女人一半动人。我当时觉得我是一个丑陋又真挚的朝圣者，而她是一位女神。那个晚上在月光下我觉得她那么地动人。她并非通常所说的什么"佳丽"。我也并不专爱漂亮的脸庞。"动人"是另一个层面的对女性的修饰词，也许还更是男人的主观心态的写照。

可是，她很歉意地低垂着头轻声说："可是……我已经有朋友了……"
我注视着她，一时呆住了。

不知过了多久，我也轻声说："对不起……"
之后我便再也找不到适当的话说。
不知又过了多久，我抬起手腕看了看表。
她说："我们走吧？……"
我说："是啊，你走吧……"

当时二十八岁的我只想哭。二十八岁的我当年不啻是一个大男孩儿，书生气十足且单纯得要命，在恋爱方面几乎还是白纸一张，没有预习过，也没有谁告诉过我"谁按规定去爱，谁就得不到爱"或"爱情和战争都需要有必胜的信心"之类格言。我在北大荒的初恋没给我留下什么经验，留下的不过是长久氤氲内心的忧伤……

我想她是领悟了我的暗示才离去的。

望着她的背影我忽然意识到自己太迂腐。

我想追上她。我想我当时是在发呆之后又寻找到了一些可对她说的话的。

并且我确实已在快步赶上她。

然而迟了——返程的 16 路公共汽车在马路对面停了片刻又开走。

它开走后我已不见她的身影。

当年 16 路公共汽车站的行车路线是从北太平庄到动物园。往返途中在北影门前都有站。她是乘往北太平庄方向，我骑上自行车追至北太平庄，追至 22 路的起点站。末班车刚刚开走，站上已无一人。

几天后她随摄制组出外拍景。半年内我再没见过她。又过了半年我还没见过她——据说她接着又上了一部戏。

如今北影周围已经楼群林立了。如今北影门前的马路又宽又直，路上已架起了几座立交桥。如今一条人工环城河漾澜而来漾澜而去。河上的小桥，两岸的草地、园圃，为京都的这一带增添了许多风景。春季里路两旁的桃花和秋季里的菊花开得烂漫一片。到我家做过客的"老外"们，再也没谁说北京像一个大农村了，倒是几乎都说过——"你住的这一带环境真美啊！"

当然，如今 16 路的行车路线也改变了，往返途中不再各站交错了。立交桥使它的运行路线更通畅自由了。

有时我乘 16 路公共汽车，不禁地想——如果当年的那个夜晚是今天的某一个夜晚，我怎么竟会追不上她？……

妻早已了解了我的 16 路公共汽车情结。每每地调侃我——"当年的 16 路是你'心口永远的痛'吧？……"

如今，当年的她已不再变化发型。奥斯丁说过："假如哪个女人不再变化发式，证明她已迈入了人生的安稳阶段。"

我衷心祝福她。

如今妻也不再变化发型了，任劳任怨地做着贤妻良母。

我，也不经常刮胡子。男人不经常刮胡子证明些什么，似乎还没有哪一位名人说过一句格言。

而我要说的是——"在城市里恋爱的青年男女，掌握附近公共汽车运行时刻的规律，是不无必要的啊！……"

姻缘

一

屈指算来，为人夫十三载矣。

人生真是匆匆得令人恐慌。

十七年前，我从上海复旦大学毕业，成为北京电影制片厂文学部最年轻的编辑之后，曾受到过许多关注的目光。十年"文革"在我的同代人中遗留下了一大批老姑娘，每几个家庭中便有一个。一名二十八岁的电影制片厂的编辑，还有"复旦"这样的名牌大学的文凭（尽管不是正宗的），看去还斯斯文文，书卷气浓，了解一下品德——不奸不诈，不纨绔不孟浪，行为检束，于是同事中热心的师长们和"阿姨"们，都觉得把我"推荐"给自己周围的某一位老姑娘简直就是一件义不容辞的历史责任……

然而当年我并不急着结婚。

我想将来成为我妻子的那个姑娘，必定是我自己在某种"缘"中结识的。

我期待着那奇迹，我想它总该多多少少有点儿浪漫色彩的吧？……

也觉得组建一个小家庭对我而言条件很不成熟。我毫无积蓄，基本上是一个穷光蛋。每月四十九元工资，寄给老父老母二十元，所剩也只够维持一个单身汉的最低生活水平。平均一天还不到一元钱。

结婚之前总得"进行"恋爱，恋爱就需要一些额外的消费。但我如果请女朋友或曰"对象"吃一顿饭，那一个月肯定就得借钱度日。而我自己穷得连一块手表都没有。兵团时期的手表大学毕业前卖了，分配到北影一年后还买不起一块新表。

当然，我不给老父老母寄钱，他们也能吃得上穿得上。他们也一而再、再而三地叮嘱我，为自己结婚积蓄点儿钱吧！但我每月照寄不误。我自幼家贫，二十八岁时家里仍很穷，还有一个生病的哥哥常年住在医院里。我觉得我可以三十八岁时再结婚，却不能不在二十八岁时以自己的方式报答父母的养育之恩。对老父亲老母亲我总有一种深深的负疚感——总认为二十八了才开始报答他们（也不过就是每月寄给他们二十元钱）已实在是太晚了，方式也太简单了……

在期待中我由二十八岁而三十二岁。奇迹并没有发生，"缘"也并没到来。我依然行为检束，单身汉生活没半点儿浪漫色彩。

四年中我难却师长们和"阿姨"们的好意，见过两三个姑娘，她们的家境都不错，有的甚至很好。但我那时忽然生出想调回哈尔滨市，能近在老父母身旁尽孝的念头，结果当然是没"进行"恋也没"进行"爱……

念头终于打消，我自己为自己"相中"了一个姑娘，缺乏"自由恋爱"的实践经验，开始和结束前后不到半个小时。人家考验我而我不能理解为什么对我还需要考验（又不是入党）。误会在半小时内打了一个结，后来我知道是误会，却已由痛苦而渐渐索然。这也足见"自由"是有代价的这话有理。

二

于是我现在的妻子某一天走入了我的生活。她单纯得很有点儿发傻，二十六岁了决然地不谙世故。说她是大姑娘未免"抬举"她，充其量只能说她是一个大女孩儿。也许与她在农村长到十四五岁不无关系……她是我们文学部当年的一位党支部副书记"推荐"给我的。那时我正写一部儿童电影剧本。我说悠悠万事唯此为大，待我写完了剧本再考虑。

一个月后我把这件事都淡忘了。可是"党"没有忘记，毅然地关心着我呢。

某天"党"郑重地对我说："晓声啊，你剧本写完了，也决定发表了，那件事儿，该提到日程上来了吧？"

倏忽地我觉得我以前真傻。"恋爱"不一定非要结婚嘛！既然我的单身汉生活里需要一些柔情和女性带给我的温馨，何必非拒绝"恋爱"的机会呢！……

这一闪念其实很自私，甚至也可以说挺坏。

于是我的单身汉宿舍里，隔三日岔五日的，便有一个剪短发的、大眼睛的大女孩儿"轰轰烈烈"而至，"轰轰烈烈"而辞。我的意思是——当年的她生气勃勃，走起路来快得我跟不上。我的单身宿舍在筒子楼，家家户户走廊里做饭。她来来往往于晚上——下班回家绕个弯儿路过。一听那上楼的很响的脚步声，我在宿舍里就知道是她来了。没多久，左邻右舍也熟悉了她的脚步声，往往就向我通报——哎，你的那位来啦！

我想，"你的那位"不就是人们所谓"对象"的别一种说法吗？我还不打算承认这个事实呢！

于是我向人们解释——那是我"表妹"，亲戚。人们觉得不像是"表妹"，不信。我又说是我一位兵团战友的妹妹，只不过到我这儿来玩的。人们说凡是"搞对象"的，最初都强调对方不过是来自己这儿玩玩的……

而她自己却俨然以我的"对象"自居了。邻居跟她聊天儿，说以后木材要涨价了，家具该贵了。她听了真往心里去，当着邻居的面儿对我说——那咱们凑钱先买一个大衣柜吧！

搞得我这位"表哥"没法儿再窘。

于是，似乎从第一面之后，她已是我的"对象"了。非但已是我的"对象"了，简直就是我的未婚妻了。

有次她又来，我去食堂打饭的一会儿工夫，回到宿舍发现，我压在铺桌玻璃板下的几位女知青战友、大学女同学的照片，竟一张都不见了。

我问那些照片呢？

她说她替我"处理"了。说下次她会替我带几张她自己的照片来……

而纸篓里多了些"处理"的碎片……

她吃着我买回的饺子，坦然又天真。显然地，她丝毫也没有恶意，仿佛只不过认为，一个未来家庭的女主人，已到了该在玻璃板下预告她的理所当然的地位的时候了……

我想，我得跟她好好地谈一谈了。

于是我向她讲我小时候是一个怎样的穷孩子，如今仍是一个怎样的穷光蛋，以及身体多么不好，有胃病，肝病，早期心脏病等等。并且，我的家庭包袱实在是重哇！而以为这样的一个男人也是将就着可以做丈夫的，意味着在犯一种多么糟糕多么严重的大错误啊。一个女孩子在这种事上是绝对将就不得、凑合不得、马虎不得的。但是嘛，如果做一个一般意义上的好朋友，我还是很有情义的。当时的情形恰如一首歌里唱的——

我向她讲起了我的童年

她瞪着大而黑的眼睛

痴痴地呆呆地望着我……

我曾以这种颇虚伪也颇狡猾的方式成功地吓退过几个我认为与我没"缘"的姑娘。

然而事与愿违。她被深深地感动了，哭了。仿佛一个善良的姑娘被一个穷牧羊人的命运感动了——就像童话里所常常描写的那样……

她说："那你就更需要一个人爱护你了啊！……"

于是我明白——她正是从那一时刻开始真正爱上了我。

我一向期待的所谓"缘"，也正是从那一时刻显现了面目，促狭地向我眨眼的……

三个月后到了年底。

某天晚上她问我："你的棉花票呢？"

我反问："怎么，你家需要？"

翻出来全给了她。

而她说："得买新被子啦。"

我说："我的被子还能盖几年。"

她说："结婚后就盖你那床旧被呀？再怎么不讲究，也该做两床新被吧？"

我瞪着她一时发愣。

我暗想——梁晓声你还有什么好说的？看来这个大女孩儿，似乎注定了就是那个叫上帝的古怪老头赐给你的妻子。在她该出现于你生活中的时候，她最适时地出现了……

十个月后我们结婚了。我陪我的新娘拎着大包小包乘公共汽车光临我们的家。那年在下三十二岁。没请她下过一次"馆子"。

她在我十一平方米的单身宿舍里生下了我们的儿子。三年后我们的居住条件有所改善，转移到了同一幢筒子楼的一间十三平方米的住室里……

三

妻子曾如实对我说——当年完全是在一种人道精神的感召下才决定了爱我。当年她想——我若不嫁给这个忧郁的男人还有哪一个傻女孩儿肯嫁给他呢？如果他一辈子讨不上老婆，不成了社会问题？

我相信她的话。相信她当年肯定是这么想的。细思忖之，完全可能像她说的那样。当年肯真心爱这样的一个穷光蛋，并且准备同时能做到真心地视我的老父老母弟弟妹妹为自己亲人的，除了她，我还没碰着。

她是唯一没被我的"自白"吓退的姑娘……

十三年间我的工资由四十九元而五十几元而七十几元而八十几元、九十几元……

1992年底，我的基本工资升至一百二十五元……

十三年间她的工资由五十几元而六十几元、七十几元、八十几元渐次升至一百多元……

1992年以前她的工资始终高于我的工资十几元。

1992年我们的工资一度接近，但她有奖金，我没有奖金，实际工资仍比我高。

现在，她的单位经济效益不错，实际工资则比我高得多了。

我有稿费贴补，生活还算小康。而我们的起点，却是从一穷二白开始的。着实过了五六年拮据日子呢！

十三年内，我几乎整个儿影响了她——我不喜欢娱乐，尤其不喜欢户外娱乐，故我们这三口之家，是从来也不曾出现在娱乐场所的。最传统的消遣方式，也不过就是于周末晚上，借一盘或租一盘大人孩子都适合看的录像带，聚一处看个小半通宵。我对豪奢有本能的反感——所以我的家是一个俭约的家，从大到小，没一样东西是所谓名牌。我们结婚时的一张木床，当年五十七元凭结婚证买的，直至去年才送给了乡下来的传达室师傅。我不能容忍一日三餐浪费太多的时间精细操作，一向强调快、简、淡的原则。而她是喜欢烹饪的，为我放弃爱好，练就了一种能在十几分钟内做成一顿饭的本事。她常抱怨自己变成了急行军中的炊事员。我还不许她给我买衣服，买了也不穿。我的衣服鞋子，大抵是散步时自己从早市上买的。看着自己能穿，绝不砍价，一手钱，一手货，买了就走。仿佛自己买的，穿起来才舒适。大上其当的时候，也无悔。不在乎。有时她见我穿得不土不洋，不伦不类，枉自叹息，却无可奈何。而在这一点上至今我决不让步。我偏执地认为，一个男人为买一件自己穿的衣服而逛商场是荒诞不经的。他的老婆为他穿的衣服逛商场也是不可原谅的毛病。因为那时间从某种意义讲已不完全属于她，而属于他们。现代人的闲暇已极有限，为一件衣服值得吗！她当然也因她当妻子的这一种"特权"被粗暴取消与我争执过，但最终还是屈从于我，彻底放弃了"特权"，不得不对我这个偏执的丈夫实行"无为而治"……

儿子一天天长大了，渐渐地我觉得自己老之将至了，精力早已大不如前。每每看妻子，似乎才于不经意间发现似的——她也早已不是十三年前的大女孩儿，脸上有了些许女人的岁月沧桑的痕迹……

我最感激的，是我老父亲老母亲住在北京的日子里，她对他们的孝心。我老父亲生病时期，我买了一辆三轮车，专为带老父亲去医院。但实际上，因为我那时在厂里挂着行政职务，倒是她经常蹬着三轮车带我老父亲去医院。不知道老人家是我父亲的，还以为是她父亲呢。知道了却原来是我的父亲，无不感慨多多。如今，将公公当自己的父亲一样孝顺的儿媳，尤其年轻的儿媳们，不是很多的……

我最感到安慰的，是我打算周济弟弟妹妹们的生活时，她一向是理解的，支持的。我的稿费的一半左右有计划地用于周济弟弟妹妹们的生活。我总执拗地认为我有这一义务，能尽好这一义务便感到高兴。在各种社会捐助中，尤其对穷人，对穷人孩子的捐助，倘我哪一次错过，下一次定加倍补上。不这么做，我就良心不安。贫困在我身上留下的印痕太深，使我成为一个本能的毫无怨言的低消费者。旧的家具、旧的电视机，不一定非要换成新的，换成名牌。几千元我拿得出来的情况下，倘我无动于衷，我便会觉得自己未免"为富不仁"了，尽管我不是"大款"，几千元不知凝聚着我多少"爬格子"的心血。没有一个在此方面充分理解我对穷人的思想感情并支持我的妻子，那么家里肯定经常吵闹无疑……

好丈夫是各式各样的。除了吸烟我没有别的坏毛病。除了受过两次婚外情感的渗透我没什么"过失"。我非是"登徒子"式的男人，从不"拈花惹草"、"招蜂惹蝶"。事实上，在男女情感关系中我很虚伪。如果我不想，即或与女性经年相处，同行十万八千里，她们也是难以判断我究竟喜爱不喜爱她们的。我自认为，我在这一方面常显得冷漠无情。并且，我不认为这多么好。虚伪怎么会反而好呢？其实我内心里对女性是充满温爱的。一个女性如果认为我的友爱对她在某一时期某种情况之下极为重要，我今后将不再自私。

最重要的，我的妻子赞同我对友爱与情爱的理解。在这一前提下，我才能学做一个坦荡男人。我不认为婚外恋是可耻之事，但我也不喜欢总在婚外恋情中游戏的一切男人和女人。爱过我的都是好女孩儿和好女人，我对她们的感激是永远的。真的，我永远在内心里为她们的幸福祈祝着……

我对妻子坦坦荡荡毫无隐私。我想这正是她爱我的主要之点。我对她的坦荡理应获得她对我的婚外情感的尊重。实际上她也做到了。她对我"无为而治"，而我从她的"家庭政策"中领悟到了一个已婚男人怎样自重和自爱……

好妻子也是各式各样的。十三年前的那个大女孩儿，用十三年的时间充分证明了她是一个好妻子——最适合于我的"那一个"。

我给未婚男人们的忠告是——如果你选择妻子，最适合你的那一个，才是和你最有"缘"的那一个。好的并不都适合。适合的大抵便是对你最好的了……

信不信由你！

父亲与茶

父亲是从不饮茶的。

我想，他年轻时大约也在什么场合饮过几次茶的吧。当然，那天他肯定被失眠所折磨了，结果再就畏茶如畏虎。

正如酒于父亲也是如此。

一

1963年冬季，春节前，父亲从四川辗转数千公里回到了家。四川是他支援大三线建设的最后停驻地，他背回了一个自己缝做的特大的帆布袋，里边剩有二十几个冻得很硬的大米面馒头、三双从工地上捡的劳保鞋、十几双线的劳保手套、四顶兔毛帽子、几件毛线背心、五十来斤四川大米。父亲背着这些东西，首先要从山岭间搭来往于工地的运输卡车去到乐山；再从乐山乘长途公共汽车到成都；从成都乘列车到北京；从北京转乘列车到哈尔滨。

当年的中国列车，最快时速也就80公里，而通常的时速是60公里。从四川到哈尔滨，父亲经历了五个整天。一名建筑工人的探亲假是不能享受卧铺的。当年一名乘客即使买的是有座票，在长途列车上其实无座可坐也是司空见惯之事。因为当年列车超载很正常，有时超载人数甚至过半，而有些城市的列车站干脆售的就是无座票。

春节前是客运高峰时期，许多要赶回家过春节的人能买到一张无座票已觉相当幸运。正是列车经常严重超载的时期，列车上往往这么广播："各位乘客，本次列车由于超载，决定取消座号，请乘客们发扬社会主义风格，互相谦让，轮流而坐。男同志应该照顾女同志，成年人应该照顾老弱病残及儿童……"

父亲不但是成年人，而且是穿工作服的受人尊敬的工人阶级之一员，他一路上当然会自觉发扬社会主义风格。换一种说法那就是，五个整天里他肯定经常是站在列车里的。

父亲回到家里时，双腿浮肿得一按一个坑，却那么高兴。二十几个冻得很硬的馒头中，有半个上边留下了父亲的牙印。三双劳保鞋是翻毛水牛皮的，每一只都有磨破处，也都被父亲用皮片儿补好了，那是他从工地上捡的，带回来给我、哥哥和三弟穿。三双由父亲补过的劳保鞋，对于我们兄弟三人的脚都未免太大了。线手套也是父亲从工地上捡的，也都由父亲补过了。而毛线背心，则是父亲将捡到的但破得没法补的手套拆成了线，再用染料染了，一针针织成的。有母亲一件，还有妹妹一件。四顶兔毛帽子却是新的，是列车经过西北某站时父亲在站台上买的，我们兄弟四人一人一顶。父亲最后从大帆布袋里取出的是一个牛皮纸包，有包一斤蛋糕的纸包那么大。

他将纸包递给母亲，叮嘱说："这是茶，在咱们东北是稀罕东西，哪天要分给邻居，放好，千万别沾水。"

1963年我已经十四岁了，还没见过茶。但从读过的小说里知道，茶是南方有身份人家待客的饮料。

第二天，父亲和母亲一块儿将茶分成十多份，一一用红纸包好。红纸是我替母亲买的，五分钱一张，母亲让我买了两张。母亲本是要用红纸亲手做拉花的，而父亲坚决主张用红纸包茶，说那才显得心诚。我在一旁裁红纸时，母亲一味絮叨些舍不得的话。母亲陪着父亲，挨家挨户将茶送给邻居，回家时都满脸高兴，我想那足以证明，收到茶的邻居们也都很高兴的。初一上午，全院孩子们大串门儿。在我们那个大院儿，拜年首先是由小字辈开始的。

一户邻居家的大婶问我："除了茶，你爸还带回了什么好东西呀？"随口一问的话。

我说："还带回了五十多斤大米呢！"也是随口一答的话。

就见大婶和大叔交换了一次意味深长的眼神。那是一户和我家关系最好的邻居。

我当时觉得大叔大婶的眼神很奇怪。

初二晚上，和我家关系最好的邻居家的女孩来到了我家，将用红纸包着的茶原封不动退送给我家了。女孩代她爹妈说，她家没人喜欢饮茶，好东西别白瞎了。

在我看来，那是一件挺正常的事。几年也见不着一次茶的哈尔滨人，对待并不留下吃饭的客人的礼节分为三个等级——白开水、白糖水、红糖水。至于茶，其实并不比红糖水的规格更高。所以既然不喜欢饮，再给我家送回来挺自然的。女孩走后，父亲和母亲满脸困惑了。

父亲说："别是因为有什么事使人家不高兴了吧？"

母亲说："一向处得很好啊！"想了想，问我初一去拜年时说了什么不得体的话没有。我就将我在邻居家说过的话又说了一遍，因母亲之问感到冤枉。

父亲一拍脑门说："错！错！怎么没想到也送些大米给人家？"

1963年中国许多省份发生旱情，水稻严重减产。全哈尔滨市的居民，由每人每月二斤大米减少到了一斤。那女孩的姥姥姥爷都是南方人，他家的大米从来不曾为过春节攒下过。

母亲此时也想到了这一点，后悔极了，而父亲已搬出米袋子往一只盆里倒米了。

母亲说"行了"，父亲嫌太少，但母亲接着说出一句话，使父亲犹豫不决了。

母亲说："只送给一家，其他几家不送，邻里间还不分出远近来了？再者，是人家把茶送回来了在先，咱们又送米过去在后，不是反而闹得双方都不尴不尬的？"

如果给每户邻居都送些米，哪怕一户二三斤，那父亲千里迢迢背回的米也就只剩一小半了。别说母亲多么舍不得了，连父亲也觉得像割肉，而我们几个儿女更舍不得。尽管，大米只不过是四川糙米！

米最终没送。

那包茶，母亲后来送给了别人家。

我们两家邻居的关系，并没因而出现裂痕，但两家的大人孩子，心里都留下了隐隐的不悦，只不过都尽量掩饰。

父亲临走时还埋怨我："你说那么一句干什么啊？!"

从此，我与父亲天各一方，每隔多年才能同时与家人团圆，仅两个星期，并且通信也少，因为父亲只不过在"扫盲"运动中识过不多的字，我的信他若不请人读，自己是看不明了的。而父亲又必亲笔回信，仅一页纸而已，字体大且歪歪扭扭，夹杂着错别字。这使我每次给父亲写信，总是难免犹豫不决。

1971年，也是春节前，我从兵团回哈尔滨探家。那个冬季多雪而寒冷，父亲原本是准备与我同时探家的，却没成行——他在家信中写的原因是："建设任务紧张，请不下假来。"

自从1963年我与父亲一别，我们父子二人已八年没见过面了。而母亲在八年中，已苍老成一个老太婆了。

母亲告诉我，父亲从四川寄回了一斤茶叶，信上说是花八元钱买的头季芽茶，要我在春节前按地址送给某人。那一年我已二十二岁，还没饮过一口茶水呢！父亲每月最多才能往家里寄四十元，自己又节俭得要命，都舍不得花几分钱买食堂的菜吃，一块腐乳下三天的饭，却居然用八元钱买一斤茶，千里迢迢地寄回来送人，我想父亲一定是欠了对方极大的人情。

那天，哥哥疯着，母亲关节炎很重，三弟也下乡了，四弟小妹没办过重要之事，那一斤珍贵的茶只有我去送了。在当年的哈尔滨，整整一斤四川的好茶，确乎算得上珍贵了。

"动力之乡"在郊区，我家离那儿有三十多里，且交通不便。当年是没有什么出租车的。我先乘公共汽车到了郊区某站，下车后开始步行。由于那一段公路来往车辆少，一尺多深的积雪尚未被压平，我一脚一个雪坑走了二十来里，才终于到达"动力之乡"。在那一带，样式一律的平房和楼群左一片右一片，此片彼片相距挺远。父亲寄给家中的地址上仅写了第几工人宿舍区第几排第几号，而那是根本不能将茶送到的。因为当年的"动力之乡"，是由三个大厂组成的。每个厂又分干部宿舍区和工人宿舍区；多数干部住楼房，多数工人住平房。这些父亲都没写清楚，我忽东忽西奔走了一个多小时，也没打听出个结果，最后只有气喘吁吁地站立在冰天雪地之中，望着一栋栋高楼、一排排平房，沮丧极了。

到家时，天已黑了。而我将一斤好茶丢在公共汽车上了。

当母亲听我说非但没将茶送到，还将茶丢了，眼神呆呆地望着我，整个人被定身法定住了似的。

许久，母亲才缓过神来，惴惴不安地说："这可咋办？这可咋办？我猜你爸肯定是遭遇到了特别为难的事，急着求人帮忙化解，不然会舍得花八元钱买一斤茶送人？你知道的，你爸他可是万事不求人的性格啊！这可咋办？儿子这可咋办啊？由谁写信告诉你爸实情呢？咱们总不该撒谎骗他吧？"

父亲的性格我当然清楚，母亲的猜想也正是我的猜想，当然告诉父亲实情才是唯一正确的做法。

我对母亲内疚地说："妈，别急成这样。急也没用，由我写信告诉我爸。"

因为那一斤茶的丢失，1971年的春节，我们全家谁都过得高兴不起来。八元钱一斤的四川好茶也只不过是茶，我们和母亲高兴不起来的主要原因是一种大的担忧——父亲他究竟遭遇到了什么事，使他这个从不求人的人非求人不可？

回到连队，我才给父亲写信。我在信中实话实说，承认那包茶被我丢失了，接着用一大段文字细写我寻找地址上的人家多么多么不容易，我认为那种客观原因也是必须让父亲了解的。再接着，批评父亲粗心大意，自己应该将地址搞详细了嘛。最后，询问父亲究竟遇到了什么为难的事，是否超出了自己克服不了，非求人相助不可的程度？如果并没超出，那么还不如自己迎难而上克服过去为好。那些话，反倒有一种儿子教训父亲的意味。

1971年整整一年内，父亲没回信。我明白，我伤了父亲的自尊心，他生我气了。

转眼到了1973年夏季，我又一次探家。而父亲，也终于与我同时探了一次家。那一年是我下乡的第五个年头，屈指算来，我与父亲整整十年没相见了。

父亲已秃顶。我印象中那个身体强健的父亲，变成了形销骨立的老父亲，两眼却还是那么炯炯有神。也唯有此点，仍能显出他倔强又正直的老工人的性格。

父亲又带回了一斤好茶。

他要亲自将茶送给据他所说的"一个好人"。但他出示的地址，还是两年前使我白辛苦了一次的地址。

我说按照那个地址他肯定也会白辛苦一次，他却一意孤行，没法子，我只得相陪而往。

一路上，我和父亲都矢口不提两年前被我丢失了的那一斤好茶。我也没因两年前写给父亲那封信而向父亲认错，因那么一来，就会提到那一斤被我丢失的好茶。而父亲也没解释什么，更没训我，仿佛两年前我们父子之间根本没发生过什么不愉快的事。

我和父亲用了更长的时间寻找"一个好人"的家，却没找到。那天很热，我和父亲心里同样着急，我们父子俩的衣服都被汗湿透了。回家的路上，我忍不住埋怨了父亲几句，惹得父亲光火起来，站在路旁冲我吼："我是你父亲！我做什么事自有我的道理！你不埋怨我不行啊？"

我也冒火了，大声顶撞："我哥哥生病了，我已经是家里实际上的长子，你究竟遇到了什么事不必也不应该瞒我！我有权知道！"父亲气得举起了巴掌，几乎就要扇我一耳光。

团圆的日子里，父亲一直生我的气。到他回四川的前一天，他的气才终于消了些。我往列车站送他时，他没头没脑地说了一句："到该告诉你知道的时候，当然就会告诉你。但也许，一辈子都不告诉你，也不告诉你妈，更不告诉你弟弟妹妹！"

父亲将他带回的一斤茶又带回了四川，怕留在家里，母亲收藏得不好，糟蹋了。

他的话，使我心怀不安地离开了家。

1977 年春节前，我从北京回到了哈尔滨。当时，我已经是北京电影制片厂的一名编辑，而父亲已经退休了。父亲是六十三岁才退休的，因为家中生活困难，单位照顾他晚退休三年。

雪后的一天，父亲命我陪他将他再次从四川带回的那斤茶给他所言的"一个好人"送去。那斤茶，第一次带回哈尔滨时是绿的，再次被父亲带回时，已是褐色的了。父亲舍不得一次次花钱买，请四川茶厂里的茶工将那斤茶焙成了干茶，那样就容易保存了。我提醒父亲："如果还是原先那地址，不去也罢。明明找不到却非去，何必呢？"

父亲表情深沉地说："有新地址了。现在的地址确切无误，今天咱们一定会找到他。"

路上，父亲告诉我，"文革"开始不久，他这名获得过许多奖状的老建筑工人，竟被不知何人写的一封信揭发成了"伪满时期"的"汉奸特务"。因为父亲会说几句日本话，档案里又有在日本药店当过小伙计的记载，所以造反派们对揭发深信不疑。

"他们将我两条胳膊反吊起来拷打我，像当年的日本人拷打咱们抗日的中国人一样，不但逼我承认是汉奸特务，还逼我揭发别的汉奸特务。我横下一条心，诬陷我的事，打死我也不承认……"父亲讲得很平静，我却听得惊心动魄——那是我这个"红五类"的儿子根本想不到的事。

我心疼地低声说："爸，其实你当时承认了也没什么。好汉不吃眼前亏啊！"

父亲说："那不行。我如果承认了，你1974年还能上大学吗？我如果承认了，咱们家不就一下子变成'黑五类'家庭了？你们能一下子承受得住日后的种种歧视吗？我如果承认了，继续逼我揭发别人，那我又该怎么办？所以当年我只能横下一条心，诬陷在我头上的事，打死也不承认。"

父亲的话使我的眼泪顿时夺眶而出。

我和父亲并没再去"动力之乡"，父亲引领我来到了近郊的一处公墓。在一块木牌上，刻着"一个好人"的姓名。父亲说："就是他，咱们山东的一个人。也是我十七岁那年到东北以后，给过我许多爱护的人。当年是他介绍我到一家挺大的日本药店去做小伙计的，而我经常向他汇报日本人尤其日本军人到药店去开药的情况。当年我就猜到了他是抗联的人，解放后他当上了一个县的武装部部长。'文革'中，四川的造反派来到哈尔滨向他搞外调，巴不得由他证明我千真万确曾是'汉奸特务'。那时他自己也进了'牛棚'，但他将那些造反派顶得一愣一愣的。他说，你们想要从我这儿得到证言的事，完全是胡说八道！所以，造反派们才不得不结束对我的隔离审查，你才能够顺利地上了大学，咱们家才没成为'黑五类'家庭。其实，我也不知道他有没有喝茶的习惯，但我总得表达一种心意吧！除了茶，我也再没什么更好的东西值得从四川带回来送给他啊！"

父亲将那包从四川带回来又带回去退休后再带回来的茶和一瓶白酒，恭恭敬敬地放在坟前。

我说："爸，这么放这儿不行，会被看到的人拿走的。"

不由自主地，我跪下了。

我将白酒浇在茶包上，用打火机将茶包点燃了。我和父亲一样，既是一个不喜欢喝酒的人，也是一个不喜欢饮茶的人。

父亲已于十几年前去世了。

如今，茶已成了中国人之间普遍送来送去的见面礼，而且包装越来越考究，甚至到了不必要的极其奢华的程度。

而今天，我时常回忆起父亲与茶、我们全家与茶的那一段往事……

父亲的演员生涯

一

父亲去世已经一个月了。

我仍为我的父亲戴着黑纱。

有几次出门前，我将黑纱摘了下来，但倏忽间，内心里涌起一种怅然若失的情感，戚戚地，我便又戴上了。我不可能永不摘下，我想。这是一种纯粹的个人情感，尽管这一种个人情感在我有不可弹言的虔意。我必得从伤绪之中解脱，也是无须别人劝慰我自己明白的。然而怀念是一种相会的形式，我们人人的情感都曾一度依赖于它……

这一个月里，又有电影或电视剧制片人员，到我家来请父亲去当群众演员。他们走后，我就独自静坐，回想起父亲当群众演员的一些微事……

1984 年至 1986 年，父亲栖居北京的两年，曾在五六部电影和电视剧中当过群众演员。在北影院内，甚至范围缩小到我当年居住的十九号楼内，这是司空见惯的事。

父亲被选去当群众演员，毫无疑问地最初是由于他那十分惹人注目的胡子。父亲的胡子留得很长，长及上衣第二颗纽扣，总体银白，须梢金黄。谁见了谁都对我说：梁晓声，你老父亲的一把大胡子真帅！

父亲生前极爱惜他的胡子。兜里常揣着一柄木质小梳。闲来无事，就梳理。

记得有一次，我的儿子梁爽，天真发问："爷爷，你睡觉的时候，胡子是在被窝里，还是在被窝外呀？"

父亲一时答不上来。

那天晚上，父亲竟至于因为他的胡子而几乎彻夜失眠。竟至于捅醒我的母亲，问自己一向睡觉的时候，胡子究竟是在被窝里还是在被窝外。无论他将胡子放在被窝里还是放在被窝外，总觉得不那么对劲……

父亲第一次当群众演员，在《泥人常传奇》剧组。导演是李文化。副导演先找了父亲。父亲说得征求我的意见。父亲大概将当群众演员这回事看得太重，以为便等于投身了艺术，所以希望我替他做主，判断他到底能不能胜任。父亲从来不做自己胜任不了之事。他一生不喜欢那种滥竽充数的人。

我替父亲拒绝了。那时群众演员的酬金才两元。我之所以拒绝不是因为酬金低，而是因为我不愿我的老父亲在摄影机前被人呼来唤去的。

李文化亲自来找我——说他这部影片的群众演员中，少了一位长胡子老头儿。

"放心，我吩咐对老人家要格外尊重，要像尊重老演员们一样还不行么？"——他这么保证。

无奈我只好违心同意。

从此，父亲便开始了他的"演员"生涯——更准确地说，是"群众演员"生涯——在他七十四岁的时候……

父亲演的尽是迎着镜头走过来或背着镜头走过去的"角色"。说那也算"角色"，是太夸大其词了。不同的服装，使我的老父亲在镜头前成为老绅士、老乞丐，摆烟摊的或挑菜行卖的……

不久，便常有人对我说："哎呀晓声，你父亲真好，演戏认真极了！"

父亲做什么事都认真极了。

但那也算"演戏"么？

我每每一笑置之。然而听到别人夸奖自己的父亲，内心总是高兴的。

一次，我从办公室回家，经过北影一条街——就是那条旧北京假影街，见父亲端端地坐在台阶上。而导演们在摄影机前指手画脚地议论什么，不像再有群众场面要拍的样子。

时已中午，我走到父亲跟前，说："爸爸，你还坐在这儿干什么呀？回家吃饭！"

父亲说："不行。我不能离开。"

我问："为什么？"

父亲回答："我们导演说了——别的群众演员没事儿了，可以打发走了。但这位老人不能走，我还用得着他！"

父亲的语调中，很有一种自豪感似的。

父亲坐得很特别。那是一种正襟危坐。他身上的演员服，是一件褐色绸质长袍。他将长袍的后摆，掀起来搭在背上，而将长袍的前摆，卷起来放在膝上。他不依墙，也不靠什么，就那样子端端地坐着，也不知已经坐了多久。分明的，他唯恐使那长袍沾了灰土或弄褶皱了……

父亲不肯离开，我只好去问导演。

导演却已经把我的老父亲忘在脑后了，一个劲儿地向我道歉……

中国之电影电视剧，群众演员的问题，对任何一位导演，都是很沮丧的事。往往地，需要十个群众演员，预先得组织十五六个，真开拍了，剩下一半就算不错。有些群众演员，钱一到手，人也便脚底板抹油，溜了。群众演员，在这一点上，倒可谓相当出色地演着我们现实中的些个

"群众"、些个中国人。

难得有父亲这样的群众演员。

我细思忖，都愿请我的老父亲当群众演员，当然并不完全因为他的胡子……

二

那两年内，父亲睡在我的办公室。有时我因写作到深夜，常和父亲一块儿睡在办公室。

有一天夜里，下起了大雨。我被雷声惊醒，翻了个身，黑暗中，恍恍地，发现父亲披着衣服坐在折叠床上吸烟。

我好生奇怪，不安地询问："爸，你怎了？为什么夜里不睡吸烟？爸你是不是有什么心事啊？"

黑暗之中，但闻父亲叹了口气。许久，才听他说："唉，我为我们导演发愁哇！他就怕这几天下雨……"

父亲不论在哪一个剧组当群众演员，都一概地称导演为"我们导演"。从这种称谓中我听得出来，他是把他自己——一个迎着镜头走过来或背着镜头走过去的群众演员，与一位导演之间联得太紧密了。或者反过来说，他是把一位导演，与一个迎着镜头走过来或背着镜头走过去的群众演员联得太紧密了。

而我认为这是荒唐的。

而我认为这实实在在是很犯不上的。

我嘟哝地说："爸，你替他操这份心干吗？下雨不下雨的，与你有什么关系？睡吧睡吧！"

"有你这么说话的么？"父亲教训我道，"全厂两千来人，等着这一部电影早拍完，才好发工资，发奖金！你不明白？你一点不关心？"

我佯装没听到，不吭声。

父亲刚来时，对于北影的事，常以"你们厂"如何如何而发议论，而发感慨。不知从什么时候开始，他不说"你们厂"了，只说"厂里"了。倒好像，他就是北影的一员。甚至倒好像，他就是北影的厂长……

天亮后，我起来，见父亲站在窗前发怔。

我也不说什么，怕一说，使他觉得听了逆耳，惹他不高兴。

后来父亲东找西找的。我问找什么。他说找雨具。他说要亲自到拍摄现场去，看看今天究竟是能拍还是不能拍。

他自言自语："雨小多了嘛！万一能拍呐？万一能拍，我们导演找不到我，我们导演岂不是要发急么？……"

听他那口气，仿佛他是主角。

我说："爸，我替你打个电话，向你们剧组问问不就行了么？"

父亲不语，算是默许了。

于是我就到走廊去打电话。其实是给我自己打电话。

回到办公室，我对父亲说："电话打过了。你们组里今天不拍戏。"——我明知今天准拍不成。

父亲火了，冲我吼："你怎么骗我？！你明明不是给我剧组打电话！我听得清清楚楚。你当我耳聋么？"

父亲怒冲冲地就走出去了。

我站在办公室窗口，见父亲在雨中大步疾行，不免羞愧。

对于这样一位太认真的老父亲，我一筹莫展……

父亲还在朝鲜民主主义人民共和国选景于中国的一个什么影片中担当过群众演员。当父亲穿上一身朝鲜民族服装后，别提多么像一位朝鲜老人了。那位朝鲜导演也一直把他视为一位朝鲜老人。后来得知他不是，表示了很大的惊讶。也对父亲表示了很大的谢意。并单独同父亲合影留念。

那一天父亲特别高兴，对我说："我们中国的古人，主张干什么事都认真。要当群众演员，咱们就认认真真地当群众演员。咱们这样的中国人，外国人能不看重你么？"

记得有天晚上，是一个星期六的晚上。我和妻子和老父母一块儿包饺子。父亲擀皮儿。

忽然父亲长叹一声，喃喃地说："唉，人啊，活着活着，就老了……"一句话，使我、妻、母亲面面相觑。

母亲说："人，谁没老的时候？老了就老了呗！"

父亲说："你不懂。"

妻煮饺子时，小声对我说："爸今天是怎么了？你问问他。一句话说得全家怪纳闷怪伤感的……"

吃过晚饭，我和父亲一同去办公室休息。睡前，我试探地问："爸，你今天又不高兴了么？"

父亲说："高兴啊。有什么不高兴的！"

我说："那么包饺子的时候叹气，还自言自语老了老了的？"

父亲笑了，说："昨天，我们导演指示——给这老爷子一句台词！连台词都让我说了，那不真算是演员了么？我那么说你听着可以么？……"

我恍然大悟——原来父亲是在背台词。

我就说："爸，我的话，也许你又不爱听。其实你愿怎么说都行！反正到时候，不会让你自己配音，得找个人替你再说一遍这句话。……"

父亲果然又不高兴了。

父亲又以教训的口吻说："要是都像你这种态度，那电影，能拍好么？老百姓当然不愿意看！一句台词，光是说说的事么？脸上的模样要是不对劲，不就成了嘴里说阴，脸上作晴了么？"

父亲的一番话，倒使我哑口无言。

惭愧的是，我连父亲不但在其中当群众演员，而且说过一句台词的这部电影，究竟是哪个厂拍的，片名是什么，至今一无所知。

我说得出片名的，仅仅三部电影——《泥人常传奇》、《四世同堂》、《白龙剑》。

前几天，电视里重播电影《白龙剑》，妻忽指着屏幕说："梁爽你看你爷爷！"

我正在看书，目光立刻从书上移开，投向屏幕——哪里有父亲的影子……

我急问："在哪儿在哪儿？"

妻说："走过去了。"

是啊，父亲所"演"，不过就是些迎着镜头走过来或背着镜头走过去的群众角色。走得时间最长的，也不过就十几秒钟。然而父亲的确是一位极认真极投入的群众演员——与父亲"合作"过的导演们都这么说……

三

在我写这篇文字时，又有人打来电话——

"梁晓声？……"

"是我。"

"我们想请你父亲演个群众角色啊！……"

"这……我父亲已经去世了……"

"去世了？……对不起……"

对方的失望大大多于对方的歉意。

如今之中国人，认真做事认真做人的，实在不是太多了。如今之中国人，仿佛对一切事都没了责任感。连当着官的人，都不大愿意认真地当官了。

有些事，在我，也渐渐地开始不很认真了。似乎认真首先对自己是很吃亏的事。

父亲一生认真做人，认真做事，连当群众演员，也认真到可爱的程度。这大概首先与他愿意是分不开的。一个退了休的老建筑工人，忽然在摄影机前走来走去，肯定的是他的一份儿愉悦。人对自己极反感之事，想要认真也是认真不起来的。这样解释，是完全解释得通的。但是我——他的儿子，如果仅仅得出这样的解释，则证明我对自己的父亲太缺乏了解了！

我想——"认真"二字，之所以成为父亲性格的主要特点，也许更因为他是一位建筑工人。几乎一辈子都是一位建筑工人。而且是一位优秀的获得过无数次奖状的建筑工人。

一种几乎终生的行业，必然铸成一个人明显的性格特点。建筑师们，是不会将他们设计的蓝图给予建筑工人——也即那些砖瓦灰泥匠们过目的。然而哪一座伟大的宏伟建筑，不是建筑工人们一砖一瓦盖起来的呢？正是那每一砖每一瓦，日复一日、月复一月、年复一年地，十几年、几十年地，培养成了一种认认真真的责任感。一种对未来之大厦矗立的高度的可敬的责任感。他们虽然明知，他们所参与的，不过一砖一瓦之劳，却甘愿通过他们的一砖一瓦之劳，促成别人的冠环之功。

他们的认真乃因为这正是他们的愉悦！

愿我们的生活中，对他人之事的认真，并能从中油然引出自己之愉悦的品格，发扬光大起来吧！

父亲是一个普通得不能再普通的人。父亲曾是一个认真的群众演员。或者说，父亲是一个"本色"的群众演员。

以我的父亲为镜，我常不免问我自己——在生活这大舞台上，我也是演员么？我是一个什么样的演员呢？就表演艺术而言，我崇敬性格演员，就现实中人而言，恰恰相反，我崇敬每一个"本色"的人，而十分警惕"性格演员"……

母亲养蜗牛

母亲是住惯了大杂院的。

大杂院自有大杂院的温馨。邻里处得好，仿佛一个大家庭。故母亲初住在北京我这里时，被寂寞所围的情形简直令我感到凄楚。单位只有一幢宿舍楼，大部分职工是中青年，当然不是母亲聊天的对象。由于年龄、经历、所关注事物之不同，除了工作方面的话题，甚至也不是我的聊天对象。我是早已习惯了寂寞的人，视清静为一天的好运气，一种特殊享受。而且我也早已习惯了自己和自己诉说，习惯了心灵的独白。那最佳方式便是写作。稿债多多，默默地落笔自语，成了我无法改变的生活定律了。

我们住的这幢楼，大多数日子，几乎是一幢空楼。白天是，晚上仿佛也是。人们在更多的时候不属于家，而属于摄制组。于是母亲几乎便是一位被"软禁"的老人了……

为了排遣母亲的寂寞，我向北影借了一只鹦鹉。就是电影《红楼梦》中黛玉养在"潇湘馆"的那一只。一个时期内，它成了母亲的伴友，常与母亲对望着，听母亲诉说不休。偶尔发一声叫，或嘎唔一阵，似乎就是"对话"了。但它有"工作"，是"明星"，不久又被"请"去拍电影了。母亲便又陷入寂寞和孤独的苦闷之中……

幸而住在我们楼上的人家"雪中送炭"，赠与母亲几只小蜗牛，并传授饲养方法，交待注意事项。那几个小东西，只有小指甲的一半儿那么大，呈粉红色，半透明，隐约可见内中居住着不轻易外出的胎儿似的小生命。其壳看上去极薄极脆，似乎不小心用指头一碰，便会碎了。

母亲非常喜欢它们，视若宝贝，将它们安置在一个漂亮的装过茶叶的铁盒儿里，还预先垫了潮湿的细沙。有了那么几个小生命，母亲似乎又有了需精心照料和养育的儿女了。七十多岁的老太太，仿佛又变成一位责任感很强的年轻的母亲。她要经常将那小铁盒儿放在窗台上，盒盖儿敞开一半，使那些小东西能够晒晒太阳。并且，要很久很久地守着，看着，怕它们爬到盒子外边，爬丢了。就好比一位母亲守在床边儿，看着婴儿在床上爬，满面洋溢母爱，一步不敢离开，唯恐一转身之际，婴儿会摔在地下似的。连雨天，母亲担心那些小生命着凉，就将茶叶盒儿放在温水中，使沙子能被温水焙暖些。它们爱吃的是白菜心儿、苦瓜冬瓜之类，母亲便将这些蔬菜最好的部分，细细剁了，撒在盒儿内。一次不能撒多，多了，它们吃不完，腐烂在盒儿内，则必会影响"环境卫生"，有损它们健康。它们是些很胆怯的小生命，盒子微微一动，立即缩回壳里。它们又是些天生的"居士"，更多的时候，足不出"户"，深钻在沙子里，如同专执一念打算成仙得道之人，早已将红尘看破，排除一切凡间滋扰，"猫"在深山古洞内苦苦修行。它们又是那么的羞涩，宛如大门不出二门不迈的名门闺秀。正应了那句话，真人不露相，露相不真人。偶尔潜出"闺阁"，总是缓移"莲步"，像提防好色之徒攀墙缘树偷窥芳容玉貌似的。觉得安全，便与它们的"总角之好"在小小的"后花园"比肩而行。或一对对，隐于一隅，用细微微的触角互相爱抚、表达亲昵……

母亲日渐一日地对它们有了特殊的感情。那种感情，是与小生命的一种无言的心灵之倾诉和心灵之交流。而那些甘于寂寞，与世无争、与同类无争的小生命，也向母亲奉献了愉悦的观赏的乐趣。有时，我为了讨母亲的欢心，常停止写作，与母亲共同观赏……

八岁的儿子也对它们产生了浓厚的兴趣，也开始经常捧着那漂亮的小蜗牛们的"城堡"观赏。那一种观赏的眼神儿，闪烁着希望之光。都是希望之光，但与母亲观赏时的眼神儿，有着质的区别……

"奶奶，它们怎么还不长大啊？"

"快了，不是已经长大一些了么？"

"奶奶，它们能长多大呀？"

"能长到你的拳头那么大呢！"

"奶奶，你吃过蜗牛么？"

"吃？……"

"我们同学就吃过，说可好吃了！"

"哦……兴许吧……"

"奶奶，我也要吃蜗牛！我要吃辣味儿蜗牛！我还要喝蜗牛汤！我同学的妈妈说，可有营养了！小孩儿常喝蜗牛汤聪明……"

"这……"

"奶奶，你答应我嘛！"

"它们现在还小哇……"

"我有耐性等它们长大了再吃它们。不，我要等它们生出小蜗牛以后再吃它们。这样我不就永远可以吃下去了么？奶奶你说是不是？……"

母亲愕然。

我阻止他："不许你存这份念头！不许你再跟奶奶说这种话！难道缺你肉吃了么？馋鬼，你是一头食肉动物哇？"

儿子眨巴眨巴眼睛，受了天大委屈似的，一副要哭的模样……

母亲便哄："好，好，等它们长大了，奶奶一定做了给你吃。"

我说："不能什么事儿都依他！由我替奶奶保护它们，看谁敢再提要吃它们！"

儿子理直气壮地说："吃猪肉、羊肉、牛肉可以，吃鸡肉可以，吃烤鸭可以，为什么吃蜗牛就不行？"

我晓之以理："我们吃的是肉……"

儿子说："我想吃的也是蜗牛肉呀，我说吃它们的壳了么？"

我说："你得明白，人自己养的东西，是舍不得弄死了吃的。这个道理，是尊重生命的道理……"

儿子顶撞我："你骗小孩儿！你尊重生命了么？上次别人送给你的蚕茧儿，活着的，还在动呢，你就给用油炸了！奶奶不吃，妈妈不吃，我也不吃，全被你一个人吃了！我看你吃得可香呢！……"

我无言以对。

从此，儿子似乎更认为，首先在理论上，有极其充分的、天经地义的、无可辩驳的吃蜗牛的根据了……

从此，母亲观看那些小生命的时候，儿子肯定也凑过去观看……

先是，儿子问它们为什么还没长大，而母亲肯定地回答——它们分明已经长大了……

后来是，儿子确定地说，它们分明已经长大了。不是长大了些，而是长大了许多，而母亲总是摇头——根本就没长……

然而，不管母亲怎么想，怎么说，也不管儿子怎么想，怎么说，那些小小的生命，的的确确是天天长大着。在母亲的精心饲养下，长得很迅速。壳儿开始变黑了，变硬了，不再是些仿佛不经意地用指头轻轻一碰就易破碎的小东西了。它们的头和它们的柔软的身躯，从它们背着的"房屋"内探出时，也有形有状了，憨态可掬，很有妙趣了。它们的触角，也变粗变长了，俩俩一对儿，在盒之一隅卿卿我我，"耳鬓厮磨"之际，更显得情意缱绻，斯文百种了……

那漂亮的茶叶盒儿，对它们来说未免显得小了。

于是母亲将它们移入另一个盒子里，一个装过饼干的更漂亮的盒子。

"奶奶，它们就是长大了吧？"

"嗯，就是长大了呢……"

"奶奶，它们再长大一倍，就该吃它们了吧？"

"不行。得长到和你拳头一般儿大。你不是说要等它们生出小蜗牛之后再吃它们么？"

"奶奶，我不想等到那时候，我只吃一次，尝尝什么味儿就行了……"

母亲默不作答。

我认为有必要和儿子进行一次更郑重更严肃些的谈话。

一天，趁母亲不在家，我将儿子扯至跟前，言衷词切，对他讲奶奶抚养爸爸、叔叔和姑姑成人，一生含辛茹苦，忍辱负重，是多么地不容易。自爷爷去世后，奶奶的一半，其实也已随着爷爷而去了。爸爸的活法又是写作，有心挤出更多的时间陪奶奶，也往往心恳而做不到。爸爸的时间，常被某些不相干的人不相干的事侵占了去，这是爸爸对奶奶十分内疚而无奈的。奶奶内心的孤独和寂寞，是爸爸虽理解也难以帮助排遣的。为此爸爸曾买过花，买过鱼。可养花养鱼，需要些专门的常识。奶奶养不好，花死了，鱼也死了。那些小小的蜗牛，奶奶倒是养得不错，而你还天天盼着吃了它们，你对么？……

儿子低下头说："爸爸。我明白了……"

我问："你明白什么了？"

儿子说："如果我吃了蜗牛，便是吃了奶奶的那一点儿欢悦……"

我说："既然你明白了，以后再也不许对奶奶说吃不吃蜗牛的话了！"

儿子一副信誓旦旦的模样，诺诺连声。果然再不盼着吃辣味儿蜗牛、喝蜗牛汤了。甚至，再不关注那更漂亮的蜗牛们的新居了……

一天，我下班回到了家里，母亲已做好晚饭，一一摆上桌子。母亲最后端的是一盆儿汤，对儿子说："你不是要喝蜗牛汤么？我给你做了，可够喝吧！"

我愕然。

儿子也愕然。

我狠狠瞪儿子。

儿子辩白："不是我让奶奶做的！……"

母亲也说："是我自己想做给我孙子喝的……"

母亲说着，朝我使眼色……

我困惑。首先拿起小勺，舀了一勺，慢呷一口，鲜极了！但我品出，那绝不是什么蜗牛汤，而是蛤蜊汤。

我对儿子说："奶奶是为你做的，你就喝喝吧！"

儿子迟疑地拿起小勺，喝了起来。

我问："好喝么？"

儿子说："好喝。"

又问："奶奶对你好不好？"

儿子说："好……奶奶，等我长大了，能挣钱了，挣的钱都给你花！……"

八岁的儿子动了小孩儿的感情，眼泪吧嗒吧嗒落入汤里。母亲欣慰地笑了……

其实母亲将那些长大了的，她认为完全能够独立生活了的蜗牛放了。放于楼下花园里的一棵老树下。那儿土质松软，潮湿，很适于它们生存。

而且，老树还有一深深的树洞。大概是可供它们避寒的……

母亲依然每日将蜗牛们爱吃的菜蔬之最鲜嫩的部分，细细剁碎，撒于那棵树下……

一天，母亲喜笑颜开地对我说："我又看到它们了！"我问："谁们呀？"

母亲说："那些蜗牛呗。都好像认识我似的，往我手上爬……"

我望着母亲，见母亲满面异彩。

那一刻，我觉得老人们心灵深处情感交流的渴望，真真的令我肃然，令我震颤，令我沉思……

而长大成人的儿子们和女儿们，做了父母的儿子们和女儿们，四十多岁五十多岁的儿子们和女儿们，我们还能够细致地经常洞察到这一点么？

冬天来了。

树叶落光了。

大地冻硬了。

母亲孑然一身地走了。我给母亲的信中写道："妈，来年春天，我会像您一样，天天剁了细碎的蔬菜，去撒在那一棵老树下……"

那些甘于寂寞的，惯于离群索居的，羞涩的，斯文的，与世无争与同类无争的蜗牛们啊，谁知它们是否会挨过寒冷的冬天呢？谁知它们明年春天是否会出现在那一棵老树之下呢？

它们真的会认识饲养过它们的我的老母亲么？居然也会认识那样一位老母亲的儿子么？……

愿上帝保佑它们！

母亲播种过什么？

预感竟是真的有过的。似乎父亲和母亲逝前，总是会传达给我一些心灵的讯息。

十月中旬，我和毕淑敏见过一面。她告诉我她在师大进修心理学，我便向她请教——我说今年以来，无论白天还是夜晚，无论睡着还是醒着，我眼前常有这样一幅画面移动着——在冬季，在北方小村外的雪路上，一只羊拉着一架爬犁，谨慎又从容地向村里走着。爬犁上是一桶井水，不时微少地荡出，在桶外和爬犁上结了一层晶莹的冰。爬犁后同样步态谨慎而又从容地跟随着一位少女，扎红头巾，脸蛋儿亦冻得通红，袖着双手。而漫天飘着清冽的小雪花儿……

并且，我向毕淑敏强调，此电影似的画面，绝非我从任何一本书中读到过的情节，也绝非我头脑中产生的构思片断。事实上一年多以来，尽管此画面一次比一次清晰地向我浮现，但我却从未打算将这画面用文字写出来……

毕淑敏沉吟片刻，答出一句话令我暗讶不已。

她说："你不妨问问你母亲。"

我母亲属羊。母亲的母亲也属羊。而这都是毕淑敏所不知道的。

而母亲于昏迷中入院的第二天，哈尔滨降下了入冬的第一场雪……

我的思想是相当唯物的，但受情感的左右，难免也会变得有点儿唯心起来——莫非母亲的母亲，注定了要在这一年的冬季，将她的女儿领走？我没见过外祖母。但知外祖母去世时，母亲尚是少女……

那么那一桶清澈的井水意味些什么呢？

在医院里，在母亲的病床前，以及在母亲出殡的过程中，我见到了母亲的一些干儿女。

我早知母亲有些干儿女，究竟有多少，并不很清楚。凡三十余年间，有的见过几面，有的竟不曾见过。但我清楚，在漫长的三十余年间，他们对母亲怀着很深很深的感情。

他们当年皆是我弟弟那一辈的小青年。

话说当年，指的是"上山下乡"运动开始以后。许多家庭的长子长女和次子次女，和我以及我的三弟一样，都恋恋不舍地告别了家庭和城市。城市中留下的大抵是各个家庭的小儿女，年龄在十六七岁和十八九岁之间。那个年代，这些平民家庭的小儿女啊，似些孤独的羔羊，面对今天这样明天那样的政治风云，彷徨、迷惘、无奈、亲情失落不知所依。他们中，有人当年便是丧父或失母的小儿女。

既都是平民家的小儿女，所分配的工作也就注定了不能与愿望相符。或做街头小食杂店的售货员，或做挖管道沟的临时工，或在生产环境破败的什么小厂里学徒……

某一年夏天，是知青的我回哈探家，曾去酱油厂看过我四弟的劳动情形。斯时他们几名小工友，刚刚挥板锹出完几吨酱渣，一个个只着短裤，通体大汗淋漓，坐在车间的窗台上，任穿堂凉风阵阵扑吹，唱印度电影《流浪者》中的《拉兹之歌》——

我和任何人都没来往，

命运啊，我的星辰，

你把我引向何方引向何方……

　　他们心中的苦闷种种，是不愿对自己的家庭成员吐诉的。但是这些城市中的小儿女，又是多么需要一个耐心倾听他们吐诉的人啊！那倾听者，不仅应有耐心，还应有充满心间的爱心，还应在他们渴望安慰和体恤之时，善于安慰，善于劝解，并且，由衷地予以体恤……

　　于是，他们后来都非常信赖也不无庆幸地选择了母亲。

　　于是，母亲也就以她母性的本能，义不容辞地将他们庇护在自己身边。像一只母鸡展开翅膀，不管自家的小鸡抑或别人家的小鸡，只要投奔过来，便一概地遮拢翅下……

　　那些城市中的小儿女啊，当年他们并没有什么可回报母亲的。只不过在年节或母亲生病时，拎上一包寻常点心或两瓶廉价罐头聚于贫寒的我家看望母亲。再就是，改叫"大娘"为叫"妈"了。有时混着叫，刚叫过"大娘"，紧接着又叫"妈"。与点心和罐头相比，一声"妈"，倒显得格外的凝重了。

　　既被叫"妈"，母亲自然便于母性的本能而外，心生出一份油然的责任感。母亲关心他们的许多方面——在单位和领导和工友的关系；在家中是否与亲人温馨相处；怎样珍惜友情，如何处理爱情；须恪守什么样的做人原则，交友应防哪些失误；不借政治运动之机伤害他人报复他人；不可歧视那些被政治打入另册的人；等等……

　　母亲以她一名普通家庭妇女善良宽厚的本色，经常像叮咛自己的亲儿女一样，叮咛她的干儿女们不学坏人做坏事，要学好人做好事。

　　此世间亲情，竟延续了三十年之久。我曾很不以为然过，但母亲对我的不以为然也同样不以为然。她不与我争辩,以一种心理非常满足的、默默的矜持,表明她所一贯主张的做人态度。直至她去世前三天,还希望能为她的一个干女儿和一个干儿子促成一次大媒……

而他们,一个帮着四弟将母亲送入医院,一个一小时后便闻讯匆匆赶到医院,三十几个小时不曾回家,不曾离开过医院!

母亲逝后,她的干儿女们都纷纷来到了弟弟家。

我说——不必在家中设灵位了吧!

他们说——要设。

我说——不必非轮守四十八小时灵了吧!

他们说——要守。

这些三十年前的城市平民家庭的小儿女啊,三十年前是小徒工们,如今仍是工人们。只不过,有的"下岗"了;只不过,都做了父母了。

他们都是些沉默寡言之人。

我离开哈市时,仍分不清他们中几个人的名字。

他们不与我多说什么,甚至根本就不主动与我说话。

他们完完全全是冲他们与母亲之间那一种三十年之久的亲情,而为母亲守灵,为母亲烧纸,为母亲送丧的。

三十年间,我下乡七年,上大学三年,居京二十年,我曾给予母亲的愉快时日,比他们给予的少得多。

回到北京,我常默想——从今后,我定当以胞弟胞妹视待他们和她们啊!

至于我自己的几名中学挚友与母亲之间的亲情,比三十年更长久,从我初一时就开始了。那是世间另一种亲情,心感受之,欲说还休……

每独坐呆想,似乎有了一种答案——那时时浮现于我眼前的画面中那一桶清澈的井水,是否便意味着是人世间的一种温馨亲情呢?母亲的母亲，给与在母亲心里了。而母亲只不过从内心里荡出了一些，便获得了多么长久又多么足以感到欣慰的回报啊！这么想很唯心，但请不要责怪儿子的痴思。

愿此亲情在我们中国老百姓间代代相传。

没了它，意味着是我们普通人的人生多么大的损失啊！

母亲我爱您。

母亲安息吧……

兄长 *

如果，谁面对自己的哥哥，心底油然冒出"兄长"二字的话，那么大抵，谁已老了。并且，谁的"兄长"肯定更老了。

这个"谁"，倘是女性，那时她眼里，几乎会漫出泪来；而若是男人，表面即使不动声色，内心里也往往百感交集。男人也罢，女人也罢，这种情况之下的他或她以及兄长，又往往早已是没了父母的人了。即使这个人曾有多位兄长，那时大概也只剩对面或身旁那唯一的一个了。于是同时觉得变成了老孤儿，便更加互生怜悯了。老人而有老孤儿的感觉，这一种忧伤最是别人难以理解和无法安慰的，儿女的孝心只能减轻它，冲淡它，却不能完全抵消它。

有哥的人的一生里，心底是不大会经常冒出"兄长"二字的。"兄长"二字太过文化了，它一旦从人的心底冒了出来，会使人觉得，所谓手足之情类似一种宗教情愫，于是几乎想要告解一番，仿佛只有那样才能驱散忧伤……

1997年母亲去世时，我坐在病床边，握着母亲的手，问母亲还有什么要嘱咐我的。

母亲望着我，眼角淌下泪来。

母亲说："我真希望你哥跟我一块儿死，那他就不会拖累你了……"

我心大恸，内疚极了，俯身对母亲耳语："妈妈放心，我一定照顾好哥哥，绝不会让他永远在精神病院里……"

当天午夜，母亲也"走了"……

办完母亲丧事的第二天，我住进一家宾馆，命四弟将哥哥从精神病院接回来。

哥哥一见我，高兴得像小孩似的笑了，他说："二弟，我好想你。"

算来，我竟二十余年没见过哥哥了，而他却一眼就认出了我！

我不禁拥抱住他，一时泪如泉涌，心里连说：哥哥，哥哥，实在是对不起！对不起……

我帮哥哥洗了澡，陪他吃了饭，与他在宾馆住了一夜。哥哥以为他从此自由了。而我只能实话实说：现在还不行，但我一定尽快将你接到北京去！

一返回北京，我动用轻易不敢用的存款，在北京郊区买了房子。简易装修，添置家具。半年后，我将哥哥接到了北京，并动员邻家的一个弟弟"二小"一块儿来了。"二小"也是返城知青，常年无稳定工作、稳定住处。我给他开一份工资，由他来照顾哥哥，可谓一举两得。他对哥哥很有感情，由他来替我照顾哥哥，我放心。

于是哥哥的人生，终于接近是一种人生了。

那三年里，哥哥生活得挺幸福，"二小"也挺知足，他们居然都渐胖了。我每星期去看他们，一块儿做饭、吃饭、散步、下棋，有时还一块儿唱歌……

却好景不长，"二小"回哈尔滨探望他自己的哥哥及妹妹时，某日不慎从高处跌下，不幸身亡。这噩耗使我伤心了好多天，我只好向单位请了假，亲自照看哥哥。

我对哥哥说：哥，二小不能回来照顾你了，他成家了……

哥哥怔愣良久，竟说：好事。他也该成家了，咱们应该祝贺他，你寄一份礼给他吧。

我说：照办。但是，看来你又得住院了。

哥哥说：我明白。

那年，哥哥快六十岁了。他除了头脑，话语和行动都变得迟钝了，其实没有任何可能具有暴力倾向的表现。相反，倒是每每流露出次等人的自卑来。

我说：哥，你放心，等我退休了，咱俩一块儿生活。

哥哥说：我听你的。

哥哥在北京先后住过了几家精神病院，有私立的，也有公立的。现在住的这一所医院，据说是北京市各方面条件最好的。每月费用四千元左右。幸而我还有稿费收入，否则，即或身为教授，只怕也还是难以承担。

前几天，我又去医院看他。天气晴好，我俩坐在院子里的长椅上，我看着他喝酸奶，一边和他聊天。在我们眼前，几只野猫慵懒大方地横倒竖卧。而在我们对面，另一张长椅上坐着一对老伴儿，他们中间是一名五十来岁的健壮患者，专心致志、大快朵颐地吃烧鸡。那一对老伴儿，看去是从农村赶来的，都七十五六岁了。二老腿旁，也都斜立着树权削成的拐棍。他们身上落了一些尘土，一脸疲惫。

我问哥：你当年为什么非上大学不可？

哥哥说：那是一个童话。

我又问：为什么是童话？

哥哥说：妈妈认为只有那样，才能更好地改变咱们家的穷日子。妈妈编那个童话，我努力实现那个童话。当年我曾下过一种决心，不看着你们几个弟弟妹妹都成家立业了，我自己是绝不会结婚的……

他看着我苦笑。原来哥哥也有过和我一样的想法！我心一疼，黯然无语，呆望着他，像呆望着另一个自己的化身。哥哥起身将塑料盒扔入垃圾桶，复坐下后，看着一只猫反问：

"你跟我说的那件事，也是童话吧？"

"什么事？"我的心还在疼着。

"就是，你保证过的，退休了要把我接出去，和我一起生活……"

想来，那一种保证，已是六七年前的事了，不料哥哥始终记着。他显然也一直在盼着。

哥哥已老得很丑了。头发几乎掉光了，牙也不剩几颗了，背驼了，走路极慢了，比许多六十八九岁的人老多了。而他当年，可是一个一身书卷气、儒雅清秀的青年，从高中到大学，追求他的女生多多。

我心又是一疼。

我早已能淡定地正视自己的老了，对哥哥的迅速老去，却是不怎么容易接受的，甚至有几分慌恐、恓惶，正如当年从心理上排斥父亲和母亲无可奈何地老去一样。

"你忘了吗？"哥哥又问，目光迟滞地望着我。

我赶紧说："没忘，哥，你还要再耐心等上两三年……"

"我有耐心。"他信赖地笑了，话说得极自信。随后，眼望向了远处。

其实，我晚年的打算从不曾改变——更老的我，与老态龙钟的哥哥相伴着走向人生的终点，在我看来，倒也别有一种圆满滋味在心头。对于绝大多数的人，人生本就是一堆责任而已。参透此谛，爱情是缘，友情是缘，亲情尤其是缘，不论怎样，皆当润砾成珠。

对面的大娘问："是你什么人呀？"我回答："兄长。"话一出口，自窘起来。现实生活中，谁还说"兄长"二字啊！大娘耳背，转脸问大爷："是他什么人？"大爷大声冲她耳朵说："是他老哥！"我问大娘："你们看望的是什么人啊？"

她说："我儿子。"看儿子一眼，她又说，"儿子，慢点儿吃，别噎着。"

大爷说："为了给他续上住院费，我们把房子卖了。没家了，住女婿家去了……"

他们的儿子津津有味地吃着，似乎老父亲老母亲的话，他一句也没听到。

我心接着一疼。这一次，疼得格外锐利。

我联想到了电视新闻报道的那件事——一位崩溃了毅忍力的母亲，绝望之下毒死了两个一出生便严重智障的女儿；也联想到了电影前辈秦怡在接受采访时讲述的实情——她的患精神病的儿子一犯病往往劈头盖脸地打她……

中国境内，不是所有精神病患者的家里，都有一个有稿费收入的小说家，或一位著名的电影演员啊！

我又暗自祈祷了：上帝啊，人间有些责任，哪怕是最理所当然之亲情责任，亦绝非每一个家庭只靠伦理情怀便承担得了的！您眷顾他们吧，您拯救他们吧……

这一次，在我意识中，上帝不是任何神明，而是——我们的国……

*本文节选自《兄长》，收入本书有删节。

当爸的感觉

尽管我的儿子早已不是儿童，而是初二的学生了。尽管我已经纯粹为了自己得以从稿债中解脱，根本不睬他的抗议，拿他做过两次文章了。我常想我若有五个六个儿子就好了，便可轮番地写来。甚至可以在几个儿子之间采取小小的"重点政策"，使儿子们相互嫉妒，认为当老子的写了谁，乃是谁的殊荣。那我不就变被动为主动了么？无奈我只有这么一个儿子。无奈他对我的容忍度，已然放宽到连自己都十分难为情的地步了……

儿子刚刚背着行李，参加军训去了，临走前见我铺开稿纸，煞有介事地思考，犹犹豫豫地写下题目，凑过来瞟了一眼，嘲讽地说："爸，你真天才。从我这么一个平庸的儿子身上，你竟能发现那么多可写的素材！"

我说："儿子，向你保证，这是最后一次！"

儿子说："别保证。用不着保证。你发誓我都不会相信！说相声的常拿自己的'二大爷'逗哏儿，你跟相声演员们犯的是同一种职业病。我充分理解！"

我说："好儿子，谢谢。"

他说："不用谢。因为我也开始写你了，而且已经公开发表了一篇。"

我一惊，忙问："发在哪儿了？"

儿子说发在班级的墙报上了。

我这才稍稍心定，又严肃地问："都写了我些什么？为什么不先让我过过目？"

儿子说："你写我，也没先征得我的同意啊！咱俩彼此彼此。"

我一时很窘，无话可说……

半夜解题

儿子考试前的某一天，刚吃过晚饭就写作业。写到十点半，还有一道几何题没解出来。我几次主动"请缨"，说儿子你要不要我和你一块儿攻下这道难题啊？几次都遭到儿子颇不耐烦的拒绝。最后我不顾他的拒绝，粗暴参与。结果正如他所料，既干扰了他的思路，也浪费了他的时间，以己昏昏，使儿子昏昏。那时快十二点了。妻说你还让不让儿子睡觉了？他明天还得上一天课呀！不像你，可以在家里睡懒觉！于是我强行收起他的作业卷，以不容争辩的命令的口吻，催促他洗漱了躺到床上去。儿子也真是困到了极点，头一挨枕便酣然入眠。而我却再也睡不着。用冷水冲了头，强打精神，继续替儿子钻研那道几何难题。半个小时后，我对陪在一旁织毛衣的妻说——老爸出马，一个顶俩，我解出来了！

博得了妻对我羡佩的一笑。

第二天儿子刚起床，我便从自己枕下摸出作业卷，大言不惭地对儿子说："这么简单的题你都不开窍？这有何难的？站到床边儿来，听老爸给你讲讲——这两个直角三角形，有两个角相等，还都有一个角是直角。三角相等，故两个三角形全等。而三角形 A 又等于三角形 B，而三角形 B 又等于……"

儿子脸上便呈现出冷笑。

我生气了，说儿子你冷笑什么？你的态度怎么这样不谦虚？

儿子说："两个锐角相等的直角三角形就全等啊！直角三角形哪儿有这么一条定理？"——于是画图使我明白，它们也有可能仅仅是相似……

我愣了半天，讷讷地说："难道……是我想象出了这么一条定理？"

儿子说："反正书上没有，老师也没教过这么一条全等直角三角形的定理。"

我羞惭难当，无地自容，躺在床上挥挥手，大赦了儿子……

我明白——我再也辅导不了儿子数理化了。从那一天起，直至永远。当年我初三下乡。当年的初三数理化教材，比如今的初二教材只低不高。我太不自量力，太无自知之明了……

自己承认了这一点，使我内心里涌起一种难言的悲哀。以后，不管他写作业到多么晚，不管他看上去多么需要一个头脑聪明的人的指点和帮助，我是再也不往他跟前凑了……

给儿子写信

按照学校的要求，我得给儿子写一封信。而且此事不让学生知道。更不能让学生看到信。在某次活动中，信将由老师分发给每一名学生，希望以这种方式，在他们普遍十四周岁以后，带给他们每个人一份儿意外的欣喜。

于是我生平第一次给我的儿子写信。

我竟不知在这一封信里该写些什么。我不愿在信中流露出我对他的体恤，因为几乎每一个城市里的初二的儿女都如他一样的似箭在弦，他不应格外地得到体恤。我也不愿用信的方式鞭策他，因为他自己早已深知每次在分数竞争中失利，对自己都意味着一种严峻。我不愿在信中写入对他所寄的希望。我不望子成龙。事实上只祈祝他能有幸受到高等教育，而仅仅这一点已使他过早地成熟了。他的日渐成熟正是我倍感欣慰的，同时又是倍感悲哀的。刚刚十四岁就开始思考人生和忧患自己未来的命运，这太令我这个当父亲的替他感到沮丧了。我自己的少年时代就是从忧患之中度过来的，我真不愿他和当年的我一样。当年的我是因为家境的贫寒，如今的他是因为变成了中国高考制度的奴仆。我极端憎恶这一种现代八股式的高考制度，但我又十分冷静地明白——此一点最是我丝毫也不能流露在字里行间的……

"爸爸，你怎么想了这么久还不写？"

儿子忽然在我背后发问。显然，他站在我背后多时了。我赶紧用一只手捂住稿纸上端——捂住"给儿子的信"一行字。

良久，我听到坐在沙发上的他说："爸，对不起，给你添麻烦了……"

顿时的，我眼眶有些潮了……

儿子"采访"我

儿子上个星期的一项作业是——采访父母。妻上个星期几乎每天加班，不加班便上夜校，只得由我来接受"采访"。否则儿子就完不成作业。于是我和儿子之间，有了如下一次较为特别的谈话：

"你是哪一年下乡的？"

"这还用问？"

"不问我怎么清楚？"

"六八年。"

"哪一年上大学的？"

"七四年。"

"哪一年毕业的？"

"七七年。"

"你经历过坎坷么？"

"经历过。"

"说说。"

"这还用说？"

"你不说我怎么会知道。"

……

我凝视着儿子，觉得他是那样的陌生。或者反过来说，他怎么对我一无所知似的？他要了解他问的那一切，是多么的简单！书架上陈列的，几乎每一部书脊上印着我名字的书，都有我的简历。从我的许多篇小说中，都能看到他的老爸的身世。而他从来没有触摸过我的任何一部书一下。那些书对他仿佛根本就不存在。他从来也不曾扫视过那一格书架一眼。他甚至远不及别人家的，比如朋友或邻人的初二的儿女们对我的大致经历有所了解。

有一次我无意中偷听到他和他的几名男同学背地里如此谈论我的书：

"你爸爸可真写了不少书。"

"你别翻他的书！"

"你自己喜欢看么？"

"我为什么要喜欢看他写的书？"

"借我一本看行么？"

"不行！"听来他似乎生起气来了。

"你干嘛这样牛气呀？他这些书迟早会过时的！"

"他这些书已经过时了！以后我也不看他的书。世界上那么多经典还看不过来呢！"

没想到，我以近二十年的精力和心血所获得的创作成果，在他眼里似乎皆是些没有什么意义的，仿佛一文不值的东西。

"你对你至今的人生满意么？"儿子继续"采访"我。

我回答："谈不上满意不满意。我的人生已经这样了。我习惯了。"

"假如有一件最使你高兴的事，目前而言那可能是一件什么事？"

我几乎是恶狠狠地回答："你的学习成绩又前进了五名！"

儿子目不转睛地看了我一阵，淡淡地说："我的采访结束了，就到这儿吧！"

我意识到，我深深刺伤了儿子的自尊心。正如儿子也深深刺伤过我的自尊心一样。于是我联想到了王朔的小说《我是你爸爸》。进而又想，有一个多少具有点儿精神叛逆色彩的儿子，也好。这样的一个儿子，时刻提醒我明白，我只不过是一个初二男生的父亲。除此之外，也许再什么都不是，更没有任何可得意的资本。儿子在家里教我夹起尾巴做人。

读者，如果你的儿子已经初二了，如果你是一位父亲，我想你一定会同意我的看法——和你初二的儿子交朋友并非一件容易的事。有时他似乎将你当做朋友了，其实在他内心里，你仍然只不过是他的父亲。

当爸的感觉在现代是越来越变得粗糙而暧昧了啊！

体恤儿子

现在，儿子是一点儿良好的自我感觉也没有了。稍微的一点儿也没有了。起码我这个父亲是这么看他的。

由小学生到中学生，他已算颇经历了一些事，或直白曰是一些挫折。在学业竞争中呛了几次水，品咂了几次苦涩。

儿子自小就受到邻居的喜爱，"干妈"不少。"干妈"们认他这个"干儿子"，绝非冲着我认的。一个写作者的儿子没有什么稀罕的，在人际关系中对谁都不可能有实际的帮助，犯不着走"干儿子"路线迂回巴结。当然也绝非冲着他亲妈认的，他亲妈我的"内人"乃工人阶级之一员，更是谁都犯不着讨好的。别人喜爱他，纯粹是因为他自己有招人喜爱之处。长得招人喜爱，虎头虎脑，一副憨样儿。性情招人喜爱，不顽不闹，循规蹈矩，胆子还有些小，内向又文静。

在小学六年里，他由"一道杠"而"两道杠"，由小组长而班委，连续三年是"三好生"。这方面那方面，奖状获了不少。而优于我的一点是，"群众关系"极佳。同学们都乐于跟他交朋友。小学中的儿子，是班里的一个小"首领"，不是靠了争强好胜，而是靠了随和亲善。

六年级下学期，他顶在乎的一件事，便是能否评上"三好生"了。评上了，据他自己讲，就可以被"保送"了。然而儿子小学的最后一次考试，亦即毕业考试，却并没有考好。在我印象中，似乎数学九十六分，语文八十五分，平均九十点五分。结果可想而知，他在全班的名次排到了第二十几名。儿子终于意识到，"保送"是绝无希望了！

"但是我们老师说，一百二十三中也不错！以后可能升格为区重点中学呢！"

他这么安慰自己，也希望他的父亲能从这番话中获得安慰。

我当然有些沮丧，但主要是替他感到的。

我说："儿子，好学生不只出在重点中学里。你能自己往开了想，这一点爸爸赞成。"

在我印象中，一百二十三中是我们那一市区普通得不能再普通的一所中学。

然而儿子连这一所中学也没去成。

两天后他回到家里，表情从来没有过的那么抑郁。

他说："爸，老师说去一百二十三中的同学，名次必须在二十名以前。"

我说："那，你如果连一百二十三中也去不成的话，能去哪一所中学呢？"

"老师悄悄告诉我，推荐我去北医大附中。"听来倒好像老师们格外惠顾着他似的。而北医大附中，据我想来，已属"最后的退却"了。

我问："你们老师不是说，考卷要发给家长们看看的么？"——我这么问，是因为我凭着大人的社会经验，开始起了些疑心的。

"又不发了。"

"为什么？"

"不知道。"

"你自己怎么想？"

"我……怎么想也没用了……"

我说："儿子，听着。如果你希望进一所较好的中学，爸爸是可以试着办一办的，只不过太违反爸爸的性格。但爸爸从来没给你开过一次家长会，觉得很愧疚，也是肯在你感到需要时……"

"爸你别说了！我不怪你。我去北医大附中就是了。"

看得出，儿子是不愿使我这个"老爸"做什么违心求人之事的。

然而儿子连北医大附中也没去成。第二天他接到同学打来的一个电话后，伤心地哭了。

他被分到了一所仿佛是全市最差的中学。

我说："别哭，也许是不一定的事儿呢！"发榜那一天，结果却正是那么一回事儿。只不过他拿回了小学的最后一份"三好学生"证书。

于是该轮到我安慰他了。

我说："哪怕最差的中学，只要学生自己努力，也是有可能考上最好的高中的。你难道没有信心做一名这样的中学生？"

他流着泪说："有的……"

于是开学那一天，我亲自送他去报到……

但是他的"干妈"们，和一直关心着他升学去向的我的朋友们，获知消息后，一个个都感到十分意外了，纷纷登门了——有的严厉地批评我对子女之不负责任，有的"见义勇为"地向儿子保证着什么……

在正式开学的第三天，儿子转入了一所重点中学——这是我根本没有能力扭转，也不知究竟该怎么去办的事。全靠别人的热心……

如今，上了重点中学的儿子，仅仅一年，性情彻底变了，也成了家中最没有"业余时间"的成员——早晨我还在梦乡之中，他就已经离开家骑着自行车去上学了。晚上，妻子都已经下班了，儿子往往还没回到家里。一回到家里，就一头扎入他自己的小房间，将门关起来。吃过晚饭，搁下饭碗就又回到他的小房间……

有次我问他："在同学中有新朋友了么？"

他摇头。摇过头说："都只顾学习。谁跟谁都没时间建立友谊。"

倒是他小学的同学们，星期天还常一伙一伙地来找他玩儿。瞧着些小学的学友们在一起那股子亲密劲儿，我真从内心里替孩子们感到忧伤——缺乏友谊，缺少愉悦的时光，整天满脑子是分数、名次和来自于家长及学校双方的压力。这样的少年阶段，将来怕是连点儿值得回忆的内容都没了吧？几分之差，往往便意味着名次排列上前后的悬殊。所以为了几分乃至一分半分，他们彼此间的竞争态势，绝不比商人们在商场上的竞争性缓和……

由我的儿子，我也很是体恤中国当代的所有上了中学的孩子们。他们小小年纪，也许是活得最累的一部分中国人了……

心灵的花园

　　谁不希望拥有一个小小花园？哪怕是一丈之地呢！若有，当代人定会以木栅围起。那木栅，我想也定会以个人的条件和意愿，摆弄得尽可能的美观。然后在春季撒下花种，或者移栽花秧。于是，企盼着自己喜爱的花儿，日日地生长、吐蕾，在夏季里姹紫嫣红开成一片。虽在秋季里凋零却并不忧伤。仔细收下了花籽儿，待来年再种，相信花儿能开得更美⋯⋯

　　真的，谁不曾怀有过这样的梦想呢？

　　都市寸土千金，地价炒得越来越高。拥有一个小小花园的希望，对寻常之辈不啻是一种奢望，一种梦想。某些副部级以上的干部，而且是老资格的，才有可能把希望变成现实。于是令寻常之人羡眼乜斜。

　　我想，其实谁都有一个小小花园，谁都是有苗圃之地的，这便是我们的内心世界。人的智力需要开发，人的内心世界也是需要开发的。人和动物的区别，除了众所周知的诸多方面，恐怕还在于人有内心世界。心不过是人的一个重要脏器，而内心世界是一种景观，它是由外部世界不断地作用于内心渐渐形成的。每个人都无比关注自己及至亲至爱之人心脏的健损，以至于稍有微疾便惶惶不可终日。但并非每个人都关注自己及至亲至爱之人的内心世界的阴晴，己所无视，遑论他人？

我常"侍弄"我心灵的苗圃。身已不健，心倘尤秽，又岂能活得好些？职业的缘故，使我惯对自己和他人的心灵予以研究。结论是——心灵，亦即我所言内心世界，是与人的身体健康同样重要的。故保健专家和学者们开口必言的一句话，不仅仅是"身体健康"，而且是"身心健康"。

　　我爱我的儿子梁爽。他读小学，这正是一个人的内心世界开始形成的年龄。我也常教他学会如何"侍弄"他那小小心灵的苗圃。"侍弄"这个词，用在此处是很勉强的，不那么贴切，姑且借用之吧！意思无非是——人自己的内心世界如果自己惰于拂拭，是会浮尘厚积、杂草丛生的。也许有人联系到禅家的一桩"公案"——"时时勤拂拭，勿使惹尘埃"之说的"俗"和"本来无一物，何处惹尘埃"之说的"彻悟"。

　　我系俗人，仅能以俗人的观念和方式教子。至于禅家乃至禅祖们的某些玄言，我一向是抱大不恭的轻慢态度的。认为除了诡辩技巧的机智，没什么真的"深奥"。现代人中，我不曾结识过一个内心完全"虚空"的。满口"虚空"，实际上内心物欲充盈、名利不忘的，倒是大有人在。何况我又不想让我的儿子将来出家，做什么云游高僧。故我对儿子首先的教诲是——人的内心世界，或言人的心灵，大概是最容易招惹尘埃、沾染污垢的，"时时勤拂拭"也无济于事。心灵的清洁卫生只能是相对的，好比人的居处的清洁卫生只能是相对的。而根本不拂拭，甚至不高兴别人指出尘埃和污垢，则是大不可取的态度，好比病人讳疾忌医。

　　一次儿子放学回到家里，进屋就说："爸爸，今天同学的红领巾被老师收去了！"

　　我问为什么。

　　儿子回答："犯错误了呗！把老师气坏了！"

　　那同学是他好朋友，但却有些日子不到家里来玩儿了。我依稀记得他讲过，似乎老师要在他们两者之间选拔一名班干部。

我又问："你高兴？"

他怔怔地瞪着我。

我将他招至跟前，推心置腹地问："跟爸爸说实话，你是不是因此而高兴？"

他便诚实地回答："有点儿。"

我说："你学过一个词，叫'幸灾乐祸'，你能正确解释这个词吗？"

他说："别人遭到灾祸时自己心里高兴。"

我说："对。当然，红领巾被老师收去了，还算不得什么灾。但是，你心里已有了这种'幸灾乐祸'的根苗，那么你哪一天听说他生病了、住院了，甚至生命有危险了，说不定你内心里也会暗暗地高兴。"

儿子的目光告诉我，他不相信自己会那样。

我又说："为什么他的红领巾被老师收去了，你会高兴呢？让爸爸替你分析分析，你想一想对不对？——如果你们老师并不打算在你们两个之间选拔一名班干部，你倒未必幸灾乐祸。如果你心里清楚，老师最终选拔的肯定是你，你也未必幸灾乐祸。你之所以幸灾乐祸，是因为自己感到，他和你被选拔的可能性是相等的，甚至他被选拔的可能性更大些。于是你才因为他犯了错误，惹老师生气了而高兴。你觉得，这么一来，他被选拔的可能性变小，你自己被选拔的可能性就增大了。你内心里这一种幸灾乐祸的想法，完全是由嫉妒产生的。你看，嫉妒心理多丑恶呀，它竟使人对朋友也幸灾乐祸！"

儿子低下了头。

我接着说："如果他并没犯错误，而老师最终选拔他当了班干部，你现在的幸灾乐祸，就可能变成一种内心里的愤恨了。那就叫嫉妒的愤恨。人心里一旦怀有这一种嫉妒的愤恨，就会进一步干出不计后果、危害别人、危害社会的事，最后就只有自食恶果。一切怀有嫉妒的愤恨的人，最终只有那样一个下场……"

接着我给他讲了两件事——有两个女孩儿，她们原本是好朋友，又都是从小学芭蕾的。一次，老师要从她们两人中间选一个主角。其中一个，认为肯定是自己，应该是自己，可老师偏偏选了另一个。于是，她就在演出的头一天晚上，将她好朋友的舞裙，剪成了一片片。另外有两个女孩儿，是一对小杂技演员。一个是"尖子"，也就是被托举起来的。另一个是"底座"，也就是将对方托举起来的。她们的演出几乎场场获得热烈的掌声。可那个"底座"不知为什么，内心里怀上了嫉妒，总是莫名其妙地觉得，掌声是为"尖子"一个人鼓的。她觉得不公平。日复一日的，那一种暗暗的嫉妒，就变成了嫉妒的愤恨。她总是盼望着她的"尖子"出点儿什么不幸才好。终于有一天，她故意失手，制造了一场不幸，使她的"尖子"在演出时当场摔成重伤……

最后我对儿子讲，如果那两个因嫉妒而干伤害别人之事的女孩儿，不是小孩儿是大人，那么她们的行为就是犯罪行为了……

儿子问："大人也嫉妒吗？"

我说大人尤其嫉妒。一旦嫉妒起来尤其厉害，甚至会因嫉妒杀人放火干种种坏事。也有因嫉妒太久，又没机会对被嫉妒的人下手而自杀的……

我说，凡那样的大人，皆因从小的时候开始，就让嫉妒这颗种子，在心灵里深深扎了根。他们的内心世界，不是花园，不是苗圃，而是荆棘密布的乱石岗……

儿子问："爸爸你也嫉妒过吗？"

我说我当然也嫉妒过，直到现在还时常嫉妒比自己幸运比自己优越比自己强的人。我说人嫉妒人是没有办法的事。从伟大的人到普通的人，都有嫉妒之心。没产生过嫉妒心的人是根本没有的。

儿子问："那怎么办呢？"

我说，第一，要明白嫉妒是丑恶的，是邪恶的。嫉妒和羡慕还不一样。羡慕一般不产生危害性，而嫉妒是对他人和社会具有危害性和危险性的。第二，要明白不可能一切所谓好事，好的机会，都会理所当然地降临在你自己头上。当降临在别人头上时，你应对自己说，我的机会和幸运可能在下一次。而且，有些事情并不重要。比如对于一个小学生来说，当上当不上班干部，并不说明什么。好好儿学习，才是首要的……

儿子虽然只有十几岁，但我经常同他谈心灵。不是什么谈心，而是谈心灵问题。谈嫉妒、谈仇恨、谈自卑、谈虚荣、谈善良、谈友情、谈正直、谈宽容……

不要以为那都是些大人们的话题。十几岁的孩子能懂这些方面的道理了。该懂了。而且，从我儿子，我认为，他们也很希望懂。我认为，这一切和人的内心世界有关的现象，将来也必和一个人的幸福与否有关。我愿我的儿子将来幸福，所以我提前告诉他这些……

邻居们都很喜欢我的儿子，认为他是个"懂事"的好孩子。同学们跟他也都很友好，觉得和他在一起高兴，愉快。

我因此而高兴，而愉快。

我知道，一个心灵的小花园，"侍弄"得开始美好起来了……

感激

有一种情愫叫做感激。

有一句话是"谢谢"。

在年头临近年尾将终的日子里，最是人忙于做事的时候。仿佛有些事不加紧做完，便是一年的遗憾似的。

而在如此这般的日子里，我却往往心思难定，什么事也做不下去。什么事也做不下去我就索性什么事也不做。唯有一件事是不由自主的，那就是回忆。朋友们都说这可不好，这就是怀旧呀，怀旧更是老年人的心态呀！

我却总觉得自己的回忆与怀旧是不太一样的，总觉得自己的回忆中有某种重要的东西。它们影响着我的人生，决定着我的人生的方方面面是现在的形状，而不是另外的形状。

有一天我忽然明白了，我之所以频频回忆实在是因为我内心里渐渐充满了感激。这感激是人间的温情从前播在一个少年心田的种子。我由少年而青年而中年，那些种子就悄悄地如春草般在我心田上生长……

我感激父母给我以生命。在我将孝而未来得及更周到地尽孝的年龄，他们先后故去，在我内心里造成很大的两片空白。这是任什么别的事物都无法填补的空白。这使我那么忧伤。

我感激我少年记忆中的陈大娘。她常使我觉得自己的少年曾有两位母亲。在我们那个大院里我们两家住在最里边，是隔壁邻居。她年轻时就守寡，靠卖冰棍拉扯两个女儿一个儿子长大成人。童年的我甚至没有陈大娘家和我家是两户人家的意识区别。经常地，我闯入她家进门便说："大娘，我妈不在家，家里也没吃的，快，我还要去上学呢！"

于是大娘一声不响放下手里的活，掀开锅盖说："喏，就有俩窝窝头，你吃一个，给正子留一个。"——正子是他的儿子，比我大四五岁，饭量也比我大得多。那正是饥饿的年代，而我却每每吃得心安理得。

后来我们那个大院被动迁，我们两家分开了。那时我已是中学生，下午班。每提前上学，去大娘家。大娘一看我脸色，便主动说："又跟你妈赌气了是不是？准没在家吃饭！稍等会儿，我给你弄口吃的。"

仍是饥饿的年代。

我照例吃得心安理得。

少不更事，从不曾对大娘说过一个谢字。甚至，心中也从未生出过感激。

有次，在路口看见卖冰棍的陈大娘受恶青年的欺负，我像一条凶猛的狼狗似的扑上去和他们打，咬他们的手。我心中当时愤怒到极点，仿佛看见自己的母亲受到欺辱……

那便算是感激的另一种方式，也仅那么一次。

我下乡后再未见到过陈大娘。

我落户北京后她已去世。

我写过一篇小说《长相忆》——可我多愿我表达感激的方式不是小说，不是曾为她和力不能抵的恶青年们打架，而是执手当面地告诉她——大娘……

由陈大娘于是自然而然地忆起淑琴姐。她是大娘的二女儿，是我们那条街上顶漂亮的大姑娘,起码在我眼里是这样。我没姐姐,视她为姐姐。她关爱我,也像关爱一个弟弟。甚至,她谈恋爱,去公园幽会,最初几次也带上我,充当她的小伴郎。淑琴姐之于我的人生的意义,在于使我对于女性从小培养起了自认为良好的心理。我一向怀疑"男人越坏,女人越爱"这种男人的逻辑真的有什么道理。淑琴姐每对少年的我说:"不许学那些专爱在大姑娘面前说下流话的坏小子啊!你要变那样,我就不喜欢你了!"——男人对女人的终生的态度,据我想来,取决于他有没有在少年时代就幸运获得种种非血缘甚至也非亲缘的女人那一种长姐般的有益于感情质地形成的呵护和关爱,以及从她们那儿获得怎样的潜移默化的教育。我这个希望自己有姐姐而并没有的少年,从陈大娘的漂亮的二女儿那儿幸运地都获得过。似姐非姐的淑琴姐当年使我明白——男人对于女人,有时仅仅心怀爱意是不够的,而加入几分敬意是必要的。淑琴姐令我对女性的情感和心理从小是比较自然的,也几乎是完全自由的,这不仅是幸运,何尝不是幸福?

细细想来,我怎能不感激淑琴姐?

她使当年是少年的我对于女性情感呵护和关爱的需要,体会到温馨、饱满又健康的获得。

1962 年我的家加入了另一个区另一条街上的另一个大院。一个在 1958 年由女工们草草建成的大院。房屋的质量极其简陋。九户人家中七户是新邻居。

那是那一条街上邻里关系非常和睦的大院。

这一点不唯是少年的我的又一种幸运,也是我家的又一种幸运。邻里关系的和睦,即或在后来的"文革"时期,也丝毫不曾受外界骚乱的滋扰和破坏。我的家受众邻居们帮助多多。尤其在我的哥哥精神分裂以后,倘我的家不是处在那一种和睦的互帮互助的邻里关系中,日子就不堪设想了。

我永远感激我家当年的众邻居们!

后来,我下乡了。

我感激我的同班同学杨志松。他现在是《大众健康》的主编。在班里他不是和我关系最好的同学,只不过是关系比较好的同学。我们是全班下乡的第一批,而且这第一批只我二人。我没带褥子,与他合铺一条褥子半年之久。亲密的关系是在北大荒建立的。有他和我在一个连队,使我有了最能过心最可信赖的知青伙伴。当人明白自己有一个在任何情况之下都绝不会出卖自己的朋友的时候,他便会觉得自己有了一份特殊的财富。实际上他年龄比我小几个月,我那时是班长。我不习惯更不喜欢管理别人,小小的权力和职责反而使我变得似乎软弱可欺,因为我必须学会容忍制怒。故每当我受到挑衅,他便往往会挺身上前,厉喝一句是——"干什么?想打架么?!"

我也感激我另外的三名同班同学王嵩山、王志刚、张云河。他们是"文革"中的"散兵游勇",半点儿也不关心当年的"国家大事"。下乡前我为全班同学做政治鉴定,我力陈他们其实都是政治上多么"关心国家大事"的同学,唯恐一句半句不利于肯定他们"政治表现"的评语影响他们今后的人生。为此我和原则性极强的年轻的军宣队班长争执得面红耳赤。他们下乡时本可选择去离哈尔滨近些的师团,但他们专执一念,愿望只有一个——我和杨志松在哪儿,他们去哪儿。结果被卡车在深夜载到了兵团最偏远的山沟里。见了我和杨志松的面,还都欢天喜地得忘乎所以。

他们的到来,使我在知青的大群体中,拥有了感情的保险箱,而且,是绝对保险的。在我们之间,友情高于一切。时常,我脚上穿的是杨志松的鞋;头上戴的是王嵩山的帽子;棉袄可能是王志刚的;而裤子，真的，我曾将张云河的一条新棉裤和一条新单裤都穿成旧的了。当年我知道，在某些知青眼里，我也许是个喜欢占便宜的家伙。但我的好同学们明白，我根本不是那样的人。他们格外体恤我舍不得花钱买衣服的真正原因——为了治好哥哥的病，我每月尽量往家里多寄点儿钱……

后来杨志松调到团部去了。分别那一天他郑重嘱咐另外三名同学："多提醒晓声，不许他写日记，开会你们坐一块儿，限制他发言的冲动。"

再后来王嵩山和王志刚调到别的师去了。张云河调到别的连当卫生员去了。

一年后杨志松上大学去了……

我陷入了空前的孤独……

此时我有三个可以过心的朋友——一个叫吴志忠，是二班长；一个叫李鸿元，是司务长；还有一个叫王振东，是木匠。都是哈尔滨知青。

他们对我的友情，及时填补了由于同班同学先后离开我而对我的情感世界造成的严重塌方……

对于我，仅仅有友情是不够的。我是那类非常渴望思想交流的知青。思想交流在当年是很冒险的事。我要感激我们连队的某些高中知青，和他们的思想交流使我明白——我头脑中对当年现实的某些质疑，并不证明我思想反动，或疯了。如果他们中仅仅有一人出卖了我，我的人生将肯定是另外的样子。然而我不曾被出卖过。这是很特殊的一种人际关系，因为我与他们，并不像与我的四名同班同学一样，彼此有着极深的感情作为关系的前提和基础。在我，近乎人性的分裂——感情给我的同班同学，思想却大胆地仅向高中知青们坦言。他们起初都有些吃惊，也很谨慎。但是渐渐的，都不对我设防了。"九一三"事件以后，我和他们交流过许多对国家，当然也是对我们自身命运的看法。

真的，我很感激他们——他们使我在思想上不陷于封闭的苦闷……

我还感激我的另外两名好同学——一个叫刘树起，一个叫徐彦。刘树起在我下乡后去了黑龙江省的饶河县插队；徐彦因母亲去世，妹妹有病，受照顾留城。一般而言，再好的中学同学，一旦天南地北，城里农村，感情也就渐渐淡了。即或夫妻，两地分居久了，还会发生感情变异呢！

但我和他们二人之间的感情，却相当不可思议地，因了分离而感情越深。凡三十余年间，仿佛在感情上根本就不曾被分开过。故我每每形容，这是我人生的一份永不贬值的"不动产"。

我感激我们连队小学校的魏老师夫妻。魏老师是六六年转业北大荒的老战士，吉林人。他妻子也是吉林人。当年他们夫妻待我如兄嫂。说对我关怀备至丝毫也不夸大其词。离开北大荒后我再未见到过他们。魏老师九五年已经病故。我每年春节与嫂子通长途问安……

1971 年我调到了团部。

我感激宣传股的股长王喜楼。他是现役军人。十年前病故。他使宣传股像一个家，使我们一些知青报导员和干事如兄弟姐妹。在宣传股的一年半对我而言几乎每天都是愉快的。如果不是每每忧虑家事，简直可以说很幸福。宣传股的姑娘们个个都是品貌俱佳的好姑娘，对我也格外友好。友好中包含着几分真挚的友爱。不知为什么，股里的同志都拿我当大孩子。仿佛我年龄最小，仿佛我感情最脆弱，仿佛我最需要时时予以安慰。这可能由于我天性里的忧伤；还可能由于我在个人生活方面一向瞎凑合。实事求是地说，我受到几位姑娘更多的友爱。友爱不是爱，友爱是亲情之一种。当年，那亲情营养过我的心灵，教会我怎样善待他人……

我感激当年兵团宣传部的崔干事。他培养我成为兵团的文学创作员。他对改变我的人生轨迹起了重要的作用。他就是我的小说《又是中秋》

中的"老隋"。

他现因经济案被关押在哈尔滨市的监狱中。

虽然他是犯人，我是作家——但我对他的感激此生难忘。如果他的案件所涉及的仅是几万，或十几万，我一定替他还上。但据说二三百万，也许还要多，超出了我的能力。每忆起他，心为之怆然。

我感激木材加工厂的知青们——当我被惩处性地"精简"到那里，他们以友爱容纳了我，在劳动中尽可能地照顾我。仅半年内，就推荐我上大学，一年后，第二次推荐我，而且，两次推荐，选票居前。对于从团机关被"精简"到一个几乎陌生的知青群体的知青，这一般情况下是根本没指望的。若非他们对我如此关照，我后来上大学就没了前提。那时我已患了肝炎，自己不知道，只觉身体虚弱，但仍每天坚持在劳动最辛苦的出料流水线上。若非上大学及时解脱了我，我的身体某一天肯定会被超体能的强劳动压垮……

我感激复旦大学的陈老师。这位生物系抑或物理系的老师的名字我至今不知。实际上我只见过他两面。第一次在团招待所他住的房间，我们之间进行了一个多小时的谈话，算是"面试"。第二次在复旦大学，我一入学就住进了复旦医务室的临时肝炎病房。我站在二楼平台上，他站在楼下，仰脸安慰我……

任何一位招生老师，当年都有最简单干脆的原则和理由，取消一名公然嘲笑当年文艺现状知青的入学资格。陈老师没那么做。正因为他没那么做，我才有幸终于成了复旦大学的"工农兵学员"——而这个机会，对我的人生，对我的人生和文学的关系，几乎是决定性的。

如果说，我的母亲用讲故事的古老方式无意中影响了我对故事的爱好，那么——崔长勇，木材加工厂的知青们，复旦大学的陈老师，这三方面的综合因素，将我直接送到了与文学最近的人生路口。他们都是那么理解我爱文学的心。他们都是那么无私地成全我。如果说，在所谓人生的紧要处其实只有几步路这句话是正确的，那么他们是推我跨过那几步路的恩人。

我感激当年复旦大学创作专业的全体老师。七四年至七七年，是中国政治风云变幻莫测的三年。我在这样的三年里读大学，自然会觉压抑。但于今回想，创作专业的任何一位老师其实都是爱护我的。翁世荣老师，秦耕老师，袁越老师又简直可以说对我关怀备至。教导员徐天德老师在具体一两件事上对我曾有误解，但误解一经澄清，他对我们一如既往地友爱诚恳。这也是很令我感激的……

我感激我的大学同学杜静安、刘金鸣、周进祥。因为思想上的压抑，因为在某些事上受了点儿冤屈，我竟产生过打起行李一走了之的念头。他们当年都曾那么善意又那么耐心地劝慰过我，所谓"良言令人三月暖"，他们对我的友爱，当年确实使我倍感温暖。我和小周，又同时是入党的培养对象。而且，据说二取一。这样的两个人，往往容易离心离德，终成对头。但幸亏他是那么明事明理的人，从未视我为妨碍他重要利益的人。记得有一天傍晚，我们相约了在校园外散步，走了很久，谈了很多。从父母谈到兄弟姐妹谈到我们自己。最后我们达成了这样的共识——我们天南地北走到一起，实在是一种人生的缘分，我们都要珍惜这缘分，至于其他，那非是我们自己探臂以求的，我们才不在乎！从那以后到毕业，我们对入党之事超之度外，彼此真诚，友情倍深……

我感激北影。我在北影的十年，北影文学部对我任职于电影厂而埋头于文学创作，一向理解和支持，从未有过异议。

我感激北影十九号楼的众邻居。那是一幢走廊肮脏的筒子楼。我在那楼里只有十四平米的一间背阴住房。但邻居们的关系和睦又热闹，给我留下许多温馨的记忆……

我也感激童影。童影分配给了我宽敞的住房，这使我总觉为它做的工作太少太少……

我感激王姨——她是母亲的干姊妹。在我家生活最艰难的时日，她以女人对女人的同情和善良，给予过母亲许多世间温情，也给予过我家许多帮助……

我感激北影卫生所的张姐——在父亲患癌症的半年里，她次次亲自到我家为父亲打针，并细心嘱我怎样照料父亲……

我感激北影工会的鲍婶，老放映员金师傅，文学部的老主任高振河——父亲逝世后，我已调至童影，但他们却仍为父亲的丧事操了许多心……

我甚至要感激我所住的四号楼的几位老阿姨们。母亲在北京时，她们和母亲之间建立了很深的感情，给了母亲许多愉快的时光……

我还要感激我母亲的干儿女单雁文、迟淑珍、王辰锋、小李、秉坤等等。他们带给母亲的愉快，细细想来，只怕比我带给母亲的还多……

我还要感激我哥哥的初中班主任王鸣岐老师。她对哥哥像母亲对儿子一样。哥哥患精神病后，其母爱般的老师感情依然，凡三十余年间不变。每与人谈及我的哥哥，必大动容。王老师已于去年病逝……

我还要感激我的班主任孙佳珍老师，以及她的丈夫赵老师——当年她是我们的老师时才二十二三岁。她对我曾有所厚望，但哥哥生病后，我开始厌学，总想为家庭早日工作，这使她一度对我特别失望。然恰恰是在"文革"中，她开始认识到我是她最有独立思想的学生，因而我又成了她最为关心的几个学生之一……

我还要感激我哥哥的高中同学杨文超大哥。他现在是哈尔滨一所大学的教授。我给弟弟的一封信，家乡的报转载了。文超大哥看后说——"这肯定无疑是我最好的高中同学的弟弟！"于是主动四处探问我三弟的住址，亲自登门，为我三弟解决了工作问题——事实上，杨文超、张万林、滕宾生，加上我的哥哥，当年也确是最要好的四同学，曾使他们的学校和老师引以为荣——同学情深若此，不枉同学二字矣！

我甚至还要感激我家当年社区所属派出所的两名年轻警员——一姓龚，一姓童。说不清究竟由于什么原因，他们做片警时，一直对母亲操劳支撑的一个破家，给予着温暖的关怀……

还有许许多多许许多多我应该感激的人，真是不能细想，越忆越多。比如哈尔滨市委前宣传部长陈凤珲，比如已故东北作家林予，都既不但有恩德于我，也有恩德于我的家。

在 1998 年底，我回头向自己的人生望过去，不禁讶然，继而肃然，继而内心里充满一大片感动！——怎么，原来在我的人生中，竟有那么多那么多善良的好人帮助过我，关怀过我，给予过我持久的或终生难忘的世间友爱和温情么？

我此前怎么竟没意识到？

这一点怎么能被我漠视？

没有那些好人，我将是谁？我的人生将会怎样？我的家当年又会怎样？

我这个人的一生，却实际上是被众多的好人，是被种种的世间温情簇拥着走到今天的啊！

我凭什么获得着如此大幸运而长久以来麻木得似乎浑然不觉呢？

亏我今天还能顿悟到这一点！

这顿悟使我心田生长一派感激的茵绿草地！

生活，我感激你赐我如此这般的人生大幸运！

我向我人生中的一切好人深鞠躬！

让我借歌中唱的一句话，在 1998 年底祝好人一生平安！

我想——心有感激，心有感动，多好！因为这样一来，人生中的另外一面，比如嫌恶、憎怨、敌意、细碎芥蒂，就显得非常小器、浅薄和庸人自扰了……

再祝好人一生平安！

II.

暗夜里的微光

从前的事

马云龙先生是我朋友，长我几岁。"文革"时期，对"四人帮"祸国殃民的行径深恶痛绝，形成言论，于是罗罪。他曾向我讲过几桩牢狱中的人事，时隔久矣，我几乎全忘了。唯其二者，记忆深刻：农民和土地。

话说当年和马先生同牢的，有一个老农，沉默寡言，性极温良，一没偷过，二没抢过，三没奸过，更不曾杀人放火。什么政治观点，头脑里也是完全没有过的。

此老农之"犯罪"，纯粹因为土地，因为曾经属于过他的三亩几分地。

解放前，他是佃农，解放初，他是土改积极分子，后来，自然的，就分到了三亩几分地。土改工作组的同志较为偏心于他这个土改积极分子，分到他名下的是好地。

当一份盖有大红印章的土地证交给他了，当写有他名字的木桩砸入地界了，当他确信三亩几分地真的属于他了，这一个祖上几代都不曾拥有过土地的农民，跪在那三亩几分地上，哭了。

那情形如同某些早期革命题材电影中的片断。但他的眼泪，和演员的眼泪不是一样的眼泪。

老天似乎要成心捉弄这农民，分到土地后的两年，非涝即旱。土地枉好，劳作枉勤，那两年里，这农民并没能从一块属于自己的土地上收获到多少庄稼。接着，中国的农村就进入了初级社时期。所谓初级社，就是几户农民以自愿的原则，将他们的土地整合到一起，共同耕种，共同收获，按劳分配。这个农民哪一个互助组也不加入。他想，总算是有了一块属于自己的土地，而且是好地，还没靠自己的双手收割过一茬好庄稼呢，怎么舍得归了组呢？

是的，他是那么地舍不得。如同一个小女孩，才获得了属于自己的布娃娃没多久，稀罕劲儿没过去，舍不得把布娃娃入了别人的伙，和别人一起"过家家"。

既然是自愿的，他偏不入，别人也奈何不得他。

以后的两年里，仰仗着年景好，风调雨顺，他靠着他的勤劳，在属于他的土地上喜获过两年丰收。

他得意而且自负了。

不入初级社，我的土地不是也没亏待我吗？那我干嘛还要入呢？

而这时，中国的农村进入了高级社时期。

高级社也还是以自愿为原则的。但是不自愿的，在农村干部们看来，自然是没有社会主义觉悟的农民无疑了。结果，连高级社也不入的这个农民，这个土改时期的积极分子，成了社会主义时期农村里的思想落后分子。

落后就落后，他颇不在乎。拥有了属于自己的土地的他，已经没什么兴趣再去争取政治觉悟方面的那份儿积极了。他一心一意只想靠自己的勤劳种好那属于自己的三亩几分地了。

高级社时期只不过是中国农村一个特别短暂的过渡时期。转眼到了1958 年，"人民公社"时期开始了。

我们中国人都知道的，所谓"人民公社化"，即土地归集体所有，农民于是有了第二个称呼，叫"社员"——《社员都是向阳花》，这歌唱的便是人民公社社员。

人民公社而"化"，那就不再是自愿不自愿的事情了。

土改时期颁发的盖有大红印章的土地拥有证，或曰另一种地契，在有的农村里，重新收缴在一起，烧了，叫"二次革命"。第一次是革地主阶级的命，烧的是地主们的地契。这第二次是农民革自己头脑里的私有思想的命，烧的是土改时期政府颁发给他们的地契。有的农村里倒也没烧地契，但明摆着是已经没有了任何意义，除非本人想要留作纪念。情愿进行第二次革命的也罢，不情愿的也罢，反正都是得那么革的。

我们前边讲到的那个农民，他却偏不。

他说："政府发给我的土地证，政府没说作废，谁烧了是犯法的。谁要硬把它从我手里缴去，也是犯法的。"

依他想来，只要土地证还在自己手里，那三亩几分地就永远是自己的。

村干部们告诉他——政府已经下达了文件精神，土地归公了。

他反驳道："我不懂精神。文件又在哪儿？拿给我看看！"

村一级的干部拿不出那么高级的文件，他就认为理在他这一边，还说："如果承认老婆归自己好，那就得承认土地还是归农民好！"

连人民公社也不加入，已经不是什么思想落后不落后的问题了，而是对抗农村社会主义化的严重问题了。但他毕竟曾是佃农，村里阶级成分最低的一个人，村干部们仍奈何不了他。

奈何不了他也不能任由他一个人大行资本主义私有化之道啊！村干部们一商议，研究出了一条治他的高招。

他们当众向他宣布："你觉得你手里攥着地契，那三亩几分地就永远随你自己想怎么种就怎么种了？但是村里的条条村路可是集体化了。你偏要在私有道路上一条道跑到黑也可以，那你以后就不要走我们集体化的村路！”

他一听，傻眼了。

但是他也同时犯了倔劲儿——不是想让我没法儿走到我的土地那儿去种吗？那我离开这个村就是了！

当天晚上他背井离乡流浪到外地去了。

像他这么一个农民，流浪到哪儿也不是长久的办法啊！但他有力气，不怕脏，不怕累，不怕受歧视，居然在异地他乡活了好几年，并且积攒下了一笔钱。

那钱是怎么攒下的呢？

是与人合伙，在城市里掏大粪，晒成粪饼子，一车车卖了得来的钱。当年农村缺化肥，一车粪饼子能卖二三十元。但那实际上也是违法的勾当。因为粪既然值钱，城市里的公厕，就不是什么人随便都可以掏的。干那勾当，也是盗的行径，罪名是“盗粪”。盗粪者们，都是半夜三更偷偷地盗。

幸而他几年中一次也没被逮着过。

背井离乡之人大抵是这样的——一旦积攒下了点儿钱，惦记亲人思念家乡的心情就更深切了。

于是某一年的年根儿，他出现在村里，背着半扇猪，虽然衣着非锦，甚至还可以说有点儿褴褛，但他脸上的表情，却分明呈现着衣锦还乡的那么一种意味儿。

毕竟，背着半扇猪呢！

那一年已经是 1965 年，提醒人们千万不要忘记阶级斗争的一年。那一年队里的也就是村里的收成很不好，一半怪天，一半怨人。男女老少都愁眉不展的，不知即将到来的春节究竟该怎么过活，才能多少过出点儿快乐的气氛。

我们那一个农民弟兄的出现，使村人们感到愤慨。瞧他这个坚决走资本主义私有化道路的人！他行进在社会主义集体化道路上的步子是多么地意气风发趾高气扬啊！——趾高气扬个什么劲儿呢？

确切地说，村人们的愤慨，主要是由于他所背的那半扇猪引起的。

他们认为他是在公然挑衅，既是对他们，也是对农村集体化道路，对社会主义。

于是就有人拦住他，谴责他："你既然非要一个人走私有化的道路，为什么还双脚踩在我们社会主义集体化的道路上？"

他也恼火了，振振有词："你们想干什么？不过就是一条普普通通的农村土路，在解放前也不至于不许谁走！"

听听，这不明明是在攻击社会主义吗？

有的村人想，你背回来半扇猪有什么值得显摆的？没有水看你那猪肉怎么个吃法？

也不用谁下令，他们就轮流把村里的一口井看守住了——不许他家的人来汲社会主义的井里的水了。

事实是，他不在村里的几年中，不仅他家那三亩几分地早已归了集体，凡是他家能参加集体劳动的人，也早已成了人民公社的社员了。而且，和别的社员们的关系处得还都挺不错。

都是那半扇猪惹的祸，以及他那一种走资本主义私有化道路仿佛走得不屈不挠走得特来劲儿的模样。

至于那一口井，他很清楚——它不是社会主义以后才有的。那是一口老古井，解放前好几辈子的时候就有了。

不许他家的人汲水，他怒不可遏了，在社会主义的道路上蹦着高骂了起来。

骂些什么呢？无非骂村里的人连点儿乡情都不讲，变得彻底的没了人味而已。

这一骂就惊动了村干部们。

村干部们凑在一起统一思想，皆认为太应该好好教育教育他这个人了。

而在当年，对一个人的最行之有效的教育方式无非是召开批判会。

于是，他家里闯入了民兵，将他倒拧着两条胳膊押到小学校去了——全村人集合到那儿对他进行毫不留情的批判。批判会和批斗会，原本界线就不很分明，尤其在当年的农村里更是那样。结果批着批着，渐渐就变成了斗了。他被逼着站到一张桌子上去了。斗的非要使被斗的低头认罪不可，被斗的则你们越斗我越不服。结果，斗人的人都激眼了，被斗的也激眼了。人们一个没留神，他做出了一件冲动过火之事——他背后的墙上，贴着伟大领袖毛主席的像，他猝一转身，将毛主席像扯下来了，随之便撕，边撕还边说："叫你们说话不算话！叫你们说话不算话！早知今天这样，我当年才不那么积极！……"

一阵肃静，鸦雀无声。

他自然几分钟后就后悔了，然而后悔也晚了。

众目睽睽，都看到他做下了什么事了。

那在当年是犯死罪的事。谁敢把那样的事压下呢？没人敢。

村干部们连夜向公社汇报了；公社火速向县里汇报了；县里认为案情实属重大，汇报到了省里。

第二天从省城开来了警车，将他用亮锃锃的手铐铐走了。那一年他已经五十六七岁。

他千里迢迢背回到家里的那半扇猪，还没来得及吃上一口肉。不消说，他也没能在家里过上那一年的春节。

专政机关念他出身好，网开一面，从轻发落，判了他个无期。他这一个当年土改时期的积极分子，始料不及地成了"反革命"，而且是现行的。

村人们，包括村干部们，过后细细一想，偏又都忆起了他这个人以前为人处事的许多优点。比如心地善良，比如助人为乐，比如义气、正直什么什么的……

他最主要的缺点就是有时候看问题太死心眼，往往一条道走到黑，不撞南墙不回头，不见棺材不落泪。总而言之，太倔。

村人们都因了他的倔而替他喟叹不已，也都有点儿后悔——明知他的倔脾气，又何必那么较真地批斗他？

然而他们的后悔，也晚了。事情已经发生，已经结束，谁都再减轻不了像他那么重的罪了。

他的家人们明智地宣布和他脱离一切亲情关系。不明智怎么办呢？不明智那就只有等当"现行反革命家属"了。

我的朋友马云龙也被关投监时，他已在狱中被关押了十来年了。外面的世界发生了些什么翻天覆地的大事件，他不太知道。

他已经是快七十岁的一个老农民了。然而他一辈子都没能好好种过几年地，尽管他曾是一个种地的好把式。解放前，是因为没有属于自己的土地可种。解放后，是因为明明拥有了属于自己的土地却没有过几年在自己的土地上好好侍弄庄稼的时光。

快七十岁的他，已在监狱里被关押得有点儿痴呆了。他经常独向一隅，喃喃自语地嘟哝同一句话："老婆要是归自己好，那土地就归农民好。"至于那份地契，他不知把它藏于何处了，估计连他自己也忘了。

一天夜里，他喉间发出一阵古怪的响声之后，双目不瞑地死了。也许，他在生命的最后一瞬，仍想说那句他百说不厌的话？那话，对于他，似乎成了一句经典的台词。想来，他也太是一个悲剧角色了。是否够得上是一个经典的悲剧角色呢？我没什么依据妄作评论。呜呼！除了呜呼，关于他，我不复有话还要说。

我替这一个农民的地下之灵感到安慰的是——如今，在中国，土地耕种权又完完全全地属于农民们自己了，而且减免了一切农业方面的税……

一个青年和他的青春期

　　他是一个青年，一个"文革"年代的青年，小县城文艺团里年龄最小的一个成员，刚过十八岁。说是孩子已不是孩子，说是大人还不算大人，正处在青涩的年龄。

　　不管在任何年代，人类之青春期的特征都有相同之处——生理上开始分泌最初的荷尔蒙，而心理上思情慕美。

　　但是他极能压抑自己。

　　因为，他原本是一个农村青年，形象好而又嗓子好，才有幸被挑选到小县城的文艺团里。一个农村青年居然有如此好命运，这使他诚惶诚恐。

　　报到那一天，领导对他说："五年后你才二十三岁，五年内不许闹恋爱！五年后再恋爱也不迟。"

　　他诺诺连声。

　　领导又说："你现在已经是一名革命的文艺工作者了，怎么才算是一名革命的文艺工作者你懂不懂？"

　　他吞吐不能即答。

　　领导教诲道："第一政治思想要过硬。对于你，那就得积极参加一切政治学习活动。第二生活作风要过硬，千万不能小小年龄就搞出什么男女关系的花花事儿来。一旦出了花花事儿，那你就拎上你的行李走人吧！"

他连说："不敢，不敢……"

多亏有领导的教诲在先，两年内，这小青年时时处处言行紧束，中规中矩。尤其是对于周围的漂亮女性，回避得很，自拘得很，多一句话也不说，一说话就脸红。

那文艺团里的人，年龄最大的也不过三十几岁。再就都是二十五六、二十七八岁的已婚的未婚的男女。他们和她们，倒是不被太严格地加以要求的。平素里，打情骂俏，相互挑逗，寻常事也。蝶引蜂约，偷香窃玉，红杏出墙，投怀入抱，秘密幽欢，婚外云雨之类的勾当，不足为奇。连每一位领导本身，背地里也皆荷尔蒙过剩，不甘寂寞，闲不大住的。

那实际上是一个风气不良的文艺团，没几个人在男女关系上是清清白白干干净净的。要论那方面的清白，那方面的干净纯洁，真是非他莫属了。正因为风气不良，领导们才动辄大讲生活作风要过硬的话。讲归讲，领导们自己先就不过硬。硬也是硬在别的地方。

两年中，他是都看在眼里了。他已经二十岁了，自我压抑了两年了，越压抑，越敏感，越敏感，看在眼里的男女故事越多。团里的一男一女迎面走去，擦肩而过时彼此交换了一种什么样的眼波，只要是在他的视线里，其细节就逃不过他那敏感的目光。

然而他似乎依然是两年前那个青涩的他，似乎不曾有半点儿改变。因了他的不曾改变，领导们时常表扬他，同志们也都夸他小小年龄竟有难能可贵的作风操守。有的人还利用他的"无知"传情递意，以成好事。

在他二十岁就要过去那一年，全中国人都开始响应一种"伟大"的政治号召，叫做"斗私批修"，叫做"狠斗私字一闪念"，叫做"革自己的命"，叫做"灵魂深处，刺刀见红"。号召来号召去，学习来学习去，革来革去斗来斗去的，那"私"，已不再是字义上与"公"相对而言的利益层面的内容了，泛指一切"非无产阶级的，不符合革命道德"的思想意识了。

这青年对政治一向是特别虔诚的。

政治一号，他便赤心应召。

于是某日集体进行照例的政治学习的时候，一向少言寡语的他，展开了几页写着密密麻麻字迹的纸，作了他人生最郑重也最虔诚的一次学习发言。

用当年的话说，他对自己"动真格的"了。他果然自己跟自己"刺刀见红"了。

他说，其实他是根本不配领导表扬的。

他说，他留给同志们的老实印象，是他伪装出来的假相。

他说，他的灵魂深处，其实存在着许多肮脏的，可耻下流的，见不得人的丑陋的思想意识。

他说，他经过一夜失眠，决定将它们抖搂出来，暴露于同志们和领导们面前，暴露于光天化日之下。

他说，抖落了，暴露了，肮脏外排了，自己的灵魂深处不是从此就干净了吗？

他坦白地承认他多次梦到过样板戏中的某某女演员，在梦中还和她干过那种说不出口的事；承认自己多次偷看过本团的某某女演员冲澡；偷看过另外一名女演员换衣服；和第三个自己喜欢的女演员排练节目时，曾产生过希望能和她通奸的罪大恶极的念头。他还有根有据有时间有地点有情节有细节地指出，其实本团男女演员之间，领导们和女演员们之间通奸之事每每发生；因为那些情形也是他怀着很肮脏的思想意识偷看到的。

他希望领导们同志们，也能像他一样，自己对自己"动真格"的，自己跟自己"刺刀见红"，把自己们干过的那些见不得人的勾当，自己们彻底地抖落抖落，彻底地暴露暴露。

他说作为一次学习发言，他不愿太多地占用大家的时间。为了证明自己虔诚的认真的态度，他可以将自己的一本秘密日记交给领导；关于他自己的更多的下流意识，以及他所亲眼看到的别人们的种种可耻勾当，全都一一记在日记中了……

有一点显然需要指出——当年，他所偷窥到的事，却也并非皆属可耻，以欲给欲的勾当有之，而秘密的真情真爱，恐怕也是有的。

他桩桩件件"刺刀见红"地说时，会议室里一片死寂。似乎所有的人都屏住了呼吸，不再喘气了。当他终于闭上了他的嘴巴，那死寂又延续了几秒钟之后，凡是被他说到的人，不论男女，刹那间几乎全都扑向了他……

他们恨不得将他活活撕巴了……

而这是他决然没有料到的。

在他，那是忏悔，是以神圣的革命的名义当众进行的一次忏悔，无比虔诚的也是鼓足了从来不曾有过的大勇气所进行的一次忏悔。他原本以为自己忏悔了之后灵魂就会变得极其圣洁了，并且会感动别人的。

但是他遭到了咒骂和殴打。

如果事情到此为止倒还算他幸运。然而这并不是最终的结果，这只不过是另一情节的开始……

简单地说，他在领导们同志们的眼里，成了一个小流氓。不，岂止是小流氓，是小小年纪的大大的流氓呀！他的日记，遂成为他是"大"

流氓的物证。真是白纸黑字，铁证如山！凡是被他说到和在日记里写到的人，都极端愤慨地抗议他的造谣诽谤，诋毁了他们的人格。

是可忍，孰不可忍？！

那日记被交到了县公安机关——由于事件不仅涉及县文艺团里的人们，还涉及对革命样板戏中几位女演员的人格的文字侮辱，流氓行为的性质颇为严重；于是又被呈送到了省公安机关……

在"文革"的年代，公检法由造反派们控制，一切判处过程从简。他的流氓罪成立，诽谤罪成立，侮辱他人之人格罪成立。再加一条"文革"年代才有的罪名是——败坏革命样板戏罪——也成立。于是他像上篇写到的那个老农一样，也被戴上亮锃锃的手铐，推上呼啸而至的警车，拉到省城监狱去了……

他并不和我的朋友马云龙同一监号。但是马云龙入狱不久就听说有关他的事情了。在每天两次的放风时间，马云龙每次都能看到他。据马云龙讲，他确是一个形象挺不错的青年。用今天时尚的话说，是一个帅哥。然而，他的精神已经有些不正常了。他在狱中学会了吸烟。他的是农民的父母，嫌他犯的罪太丢人了，一次都没到监狱来看过他。根本没有一个人给他往监狱里送烟。在放风的时间里，他唯一必做的事情就是低三下四可怜兮兮地向别的犯人乞讨一支烟，或大睁着一双目光呆滞的眼，在监狱的院子里四处寻找烟头。倘乞讨不到烟，也捡不到烟头，那么他有时会抢别的犯人正吸着的烟。那时候他具有攻击性。结果可想而知，肯定会遭到一顿拳打脚踢。有时候是被抢去了烟的犯人打他，有时候是看管人员打他。

不管打他的是谁，都会同时这么骂他："臭流氓！"

马云龙可怜他，只要自己有烟，放风时总是会带着两三支，在院子里偷偷塞给他。

他，就会双臂肃垂，一脸虔诚，煞有介事地为马云龙背一段《纪念白求恩》中的语录，赞美马云龙是"一个高尚的人，一个纯粹的人，一个有道德的人，一个脱离了低级趣味的人……"

贪婪地过了几口烟瘾之后，往往又会以思想家般的口吻对马云龙说出一句话："其实，人是没有灵魂的……"

言罢，幽幽地，莫测高深地笑……

世上之事，往事便是往事。大抵，总是要成烟的。

所谓并不成烟的，无非那留给我们的思考——前事不忘，后世之师。

然老百姓们明摆着都是弱势的，能从荒诞中汲取的，只不过是明哲保身的狡黠而已。人世间狡黠太多，它就没什么意思了。

倒是那强势的人们，该从依稀的烟气中看到禁忌，和黑色的不幽默……

离乡

九月的这个夜晚，月亮好圆啊！

村子是静极了。那些在整个夏季里能吟善唱的鸣虫们，这会儿也仿佛集体地"谢幕"了。没有了它们的声音，九月的这个夜晚，静得似乎休克了。

偶尔的，只有一种声音，从村子的这个或那个方向传来——是狗们在打哈欠，并用它们的语言嘟哝着几句梦话。

姗姗的，一个身影从村子的那一端向这一端走来。村子的住家很分散，村路也不规则，那人影儿一倏被宅墙隐住了，一倏转现了，像幽灵，在寻认属于它的家门。

村子的这一端有一株柳树，树干很老很粗的一株柳树。然而枝杈却是那么的稀疏了，并且，树干弓似的弯曲着，看去宛若脱发而伛偻的老妪，在九月的这个夜晚，在夜晚的这个寂静悄悄的时分，呆立在那儿等着谁来领她回家……

身影儿走到树旁站住了。月亮从夜空上看出，身影儿是一个小女子，才十七八岁的样子，将将到可以被认为是小女子的年龄。她站住了和老柳树并没什么关系。她恰恰走到那儿站住，只不过是因为她的心思恰恰在那一时刻有了反复。

造物并不只将美好的身材和容貌赐给城市里的女子。它有时也和自己使性子，随心所欲地，甚至是故意地，一甩手就将女人的两种"黄金股"丢向了贫穷的农家。过几十年再看会有怎样富有戏剧性的人生演绎在人世间……

她幸运地有了美好的身材和美好的容貌。

这个夜晚她决定离家出走。

她站在那儿是在做最后的考虑——走，还是不走？

正如戏剧舞台上的哈姆雷特迷惘地问自己——生，还是死？

这个村子所拥有的年轻女子已经不多了，确切地说，只剩下叫小芹的这一个了。

如果谁有兴趣统计一下，定会在中国发现这一规律——叫什么什么"qin"的女子千千万万，但城里人家的父母给出生的女儿起名时，大抵是用另一个"qin"字的，亦即钢琴的琴，当然也是提琴或其他琴的琴，尽管那些城里人家的父母也许从不操弓弄弦。

小芹站在那儿想，她还是得离乡出走。而且呢，到了城里以后，找工作时要将她的"芹"字写成"琴"字才好。一有机会，也得将她身份证上的"芹"字改成"琴"字。她想，她得从名字上首先变成一个城里女子。

从她十来岁起，村里年轻又好看的女子便开始一年一个一年几个地离乡出走。后来连只年轻并不好看的女子也不心甘情愿地留在村里了。最后一个年轻女子离开村子也有两年多了。从那一年起，这个村子就像一个人没有了魂，起初男人们还欣慰于女人们从城市里寄回来的钱。他们高高兴兴地用女人们寄回来的钱盖砖瓦房。所以这个村子基本上实现了砖瓦化。住进了砖瓦房里的男人们，渐渐开始习惯于用女人们寄回来的钱聚赌。起初仅仅在夜晚赌，后来连白天也赌了。

于是村里的地荒芜着了。

荒芜就荒芜吧，反正辛辛苦苦一年，靠种粮食也不能从土地上把弄到手几个钱——男人们都这么想。

离乡的女人们起初年年回村，或在春节前；或在这个季节，回来过"重阳节"。如果是这个季节回来，那么往往会被男人们强留到第二年开春。男人们强留她们，是因为他们仍需要女人。男人们毕竟还是得放任她们返回到城市里去，是因为他们尤其需要她们继续寄钱给他们。在城市里被"洗礼"过的女人们，特别是年轻的颇为好看的她们，回村时都变得更年轻更好看了，也分明地更具有女人味儿了。这使她们的男人内心里也很舍不得放任她们走。她们带回来的钱，能给家里添令别人家羡慕的大件东西，能给男人们买体面的衣服和好酒喝，这使男人们最终仍是明智地放任她们走……

后来女人们不再寄钱给男人们了——砖瓦房盖起来了，偌大屏幕的彩电看上了，女人们离乡出走的当初使命已经基本完成了；后来女人们甚至也不太回村了，渐渐地与她们的男人断了音讯，走失的家禽似的消踪灭迹在城市里了。既然男人们又酗酒又赌博，她们还回来看她们那样的男人干什么呢？她们中有的最后一次回村，编一套男人们能信的话，将儿女接走了；有的寄回最后一封信附带最后一笔钱，便宣布和她们的家没任何关系了……

于是村里的青壮年男人们也纷纷打起行李卷，离乡而去，去往东西南北各大城市，寻找曾是他们的女人的女人。找到了的，他们的女人不肯跟他们回来，他们自己也便无脸回来；找不到的，不甘心不明不白地就没了曾属于自己的女人，继续在城市里一边打工一边找……

连青壮男人也几乎流失光了的这一个村，不但像人没了魂，而且像人没了骨。生气不复存在于那些新的和半新的砖瓦房里，连曾经从原先的泥草房里也传出过的男女调笑声和孩子的玩耍嬉闹声都听不到了。人气也不复存在于这个荒芜了它周围土地的村子里，连人锄牛耕的情形也看不到了。失去了天伦之乐的老太婆和老爷子们不再有心情凑在一起聊家常，渐渐习惯于自囚在砖砌的院墙内，与鸡犬为伴，熬冬混夏，寂寞候死……

这个在月夜里姗行于村间的叫小芹的小女子，从十二岁到十八岁的六年里，先是见惯了女人们离乡，后是见惯了男人们离乡，终于，在这个寂静的月亮好圆的夜晚，她自己也决定背井离乡了……

她没有生得好看的姐姐，因而她家住的仍是村里为数不多的泥草房之一。她的母亲已经四十多岁了，是麻脸，因而从未产生过离开她的父亲到城里去的念头。她的父亲也没指望过。她的父亲患过肺结核，人很瘦，经不起劳累。比她小三岁的妹妹患白内障。全家的生活担子，几乎全压在她母亲一人身上。她母亲也没别的能耐，起早贪黑养几头猪而已。近几年卖掉一口猪是比养肥一口猪还不容易的事了。母亲因而更加的沉默寡言了，父亲因而更经常地莫名其妙地发脾气摔东西了。父亲是全村唯一不酗酒的男人。也是全村唯一不好赌的男人。从前父亲因而受别的男人们的耻笑。他们认为她的父亲不酗酒也不好赌是由于没钱买酒喝没钱赌，这又基本上是一个事实。她的父亲对这个事实的态度是隐恨，觉得她的母亲对不起他。令她百思不得其解的是——母亲分明地也觉得特别对不起父亲……

芹开始意识到自己的身体价值和容貌价值，起初是从那些回村探家的年轻女人们的目光和话语里。其实她们中最年轻的只比她现在大一两岁。

"瞧这两条迷人的长腿！瞧这小腰儿细的！瞧这张瓜子脸儿俊俏的！"

"就是胸脯还没长好……"

"那用不着你替她惋惜呀，我看十七八后会长得高高的挺挺的……"

"那时要到城市里去，还不将城市里的男人们一片片地迷倒哇！"

"我说芹呀，快长大吧，快长大吧！长大了姐儿们一定带你到城市里去！城市可需求你这样的可爱人儿啦！"

她们嗑着瓜子，以骡马市上内行者相牲口那一种目光上上下下前后左右地打量她，端详她，仿佛她是一匹将来准能长成高头大马的小马驹。她们的目光充满了羡慕，甚至不无嫉妒的成分。她们的话语既使她飘飘然的，也使她害羞极了。六年前的她，还不大明白"需求"二字的意思。但是她们却使她明白了这样一点——将来如果到城市里去，她对城市有一定的征服性……

明白了这一点以后，那些她从来也没去过的大城市，似乎不再是梦里才能去到的地方了。有朝一日穿着时髦的衣裙，臂上搭着美观的小包包，小包包里装着厚厚的一叠钱，高跟鞋咯噔咯噔地走在城市最繁华的街上，似乎也不再是什么异想天开之事了。

于是她每天数次地照镜子自我欣赏了。

于是她偷了母亲十几元钱，买了香皂、洗发液和润肤霜，藏在只有自己知道的地方，为了保养她的头发她的皮肤而独自使用，虽然挨了母亲一顿打骂，却一点儿都不后悔，觉得很值得。

于是她再干活儿时，想到应该戴上一双破手套了。为了更具备将来征服城市的资本，她认为她的双手也应该白白的，细皮嫩肉的了。

于是城市对于她意味着这样一种地方了——那里有属于她的一大笔钱，有属于她的好房子，甚至有属于她的名牌小汽车，以及不少整天围着她转，处处讨她欢心的有身份有地位的男人。

于是她对自己的人生不再迷惘，也不再沮丧和苦闷，更不再委屈了。好比一个实际上是百万富翁的流浪汉，知道落魄只不过是眼前之事，几年后定当结束，而一旦结束了，人生的每一个日子便都是无比幸福的好日子了……

十五六岁那一年起，父母对她的态度也与以前不同了。

先是母亲看她的目光发生了变化。母亲的目光温柔了，流露着依依不舍的眷恋了，还流露着淡淡的忧郁。母亲似乎总在以那一种特殊的目光默默无言地问她：我的女儿呀，你是不是打算离开妈了？像别人家的女儿们一样？你一旦离开了家还稀罕回到这个破家吗？妈妈多怕你忘了这个家，多怕失去你呀……

父亲对她的态度也发生了变化。似乎，在父亲看来，他的女儿每长一岁，决定家庭命运的能力也便随之显示，因而必得他时不时地巴结着才对了。的确，父亲跟她说话时，都有那么点儿低三下四的样子了。仿佛他已不是她的父亲，而只不过是她的一名家仆。仿佛他如果不巴结着她一点儿，她的人生一朝富贵了，并且嫌恶他，那么他的人生就将一路滑向无法自拔的泥淖没任何指望了……

十七岁那一年起，父母对她的态度又发生了变化之后的变化。

母亲开始常在她面前叹着气说："不小了，明年就十八了，心里边究竟怎么想的，也该及早有个决定了……"

她从母亲的话中听出了这样的弦外之音——我是有点儿舍不得你离家远去，可是你也不能不考虑你对家庭的义务呀！

而父亲则越发地怨天咒地了："这破泥草房，住到哪一天是个头儿？我今年秋天是不收拾它了。塌了才好。塌了一家人一块儿砸死，穷日子倒也是个了断！"

她能听出父亲的话是冲她说的。仿佛家里至今还住泥草房，完全是由于她的不争和她的不语。

分明地，父母期待着她有一天主动说："爸，妈，我得到城市里去了！"

在期待的日子里，骨血亲情不显山不露水地变质着，转化为一种没有了耐性的，难以启齿言明的，因而特别屈辱又特别迫切的要求。

十七岁的芹一经感觉到了这一点，开始怀疑父母究竟是不是她最亲的人了。她心里对父母的爱减少到了最低的程度。她心里只剩下了对父母的可怜。与可怜某些不幸而又陌生的人没什么两样了。

有一天连双眼接近于全瞎的妹妹也突然大声问她："姐你还打算在家里待到哪一天是个头哇？你就忍心看着我没钱治眼一辈子是瞎女呀？"

听妹妹那话，好像她有很多钱却又极其吝啬似的。

她被问得一愣，随即扇了妹妹一耳光。

结果妹妹大哭大闹了一场。她在妹妹的哭闹声中，跑出家门，跑到村外，坐在河边也哭了一场……

月亮真大真圆啊！

在九月的这个夜晚，十八岁的芹决定离乡了。

父亲母亲和妹妹都在酣睡着。他们不知道明天早上将见不到她这个女儿和姐姐了。她没跟他们说，故意不跟他们说。她甚至也没留下一页纸，在纸上写几句话，连件换洗的衣服都没带。

这会儿，她离乡的决心稍微动摇了一下立刻又坚定了以后——不，事实上那非是动摇，她离乡的意念随着年龄一岁岁增长而明确为决心以后从未动摇过；也非是犹豫，而只不过是倏然间产生的一缕留恋之情，仅仅一缕而已。

她想，除了她兜里的二百多元钱，她没从家里没从村里带走任何东西，那么是不是应该留下什么呢？哪怕是留下别人对自己的某种回忆也好呀！不与父母和妹妹打声招呼，是否也应该与某一个和自己关系较为亲近的村人告别呢？自己可不是村外那条河里的水呀，淌过去就没谁牵挂地淌过去了。自己是一个人啊，自己决心一去不返了呀！那些消失在城市里的女人们，以及去寻找她们的男人们，就除了她们自囚在砖瓦房里不愿出门的老弱病残的家人，再不被任何别人牵挂了。仿佛她们只曾属于过她们的家，从未属于过这个村子似的。

而不知为什么，她却希望除了父母和妹妹外，起码被一个村人所牵挂。

这一希望对她有什么意义，她是不愿进一步多想的，但它一经萌生在她心里，她的脚步竟不能轻快地继续向前了，它也在她头脑中挥之不去了。

于是她的目光不禁地向那株老柳树的左前方望去。那儿，山坡下，有一幢孤零零的泥草房，比她一家住的泥草房还低矮，还破败，与村里那些举架很高的砖瓦房相距半里左右。那泥草房里住着三十来岁的叫"二憨"的本村男人。他是近年以来村里最年轻的男人了。他没到城市里去乃因城市里没有曾属于他的女人。确切地说他由于穷而未结过婚。他穷是由于他有一个从他十几岁起就全身瘫痪拖累着他的人生的哥哥。自从他二十岁那年父母先后去世了，他的人生就和他的哥哥系在一起无法解开了。有一年他的哥哥患了很重的胃病，一口饭都咽不下去了。许多村人都暗中替他庆幸，都私下里议论说这下可好了，他哥哥饿也活活饿死了。那么好端端的一个小伙子的拖累不就解脱了吗？然而他却用一辆手推车来回五六十里三天一次两天一次推着他的哥哥去县城里看病，并为了治好哥哥的病多次卖血。如今他哥哥的胃病治好了，看样子起码还会在他的照料之下活二三十年。故而村人们都认为他傻。哪家的女儿肯嫁给一个有兄长拖累的傻子呢？没有女人嫁给他，也就没有女人从城市里寄钱给他。因而他和他的哥哥一直住低矮破败的泥草房也就那么的自然而然。他们原先也是住在村里的，且曾与她家是近邻，后来他为了种甘蔗才住到山坡下的。住到山坡下引水灌地方便。

芹与村人们对他的看法不同。她一向认为他一点儿也不傻，恰恰相反，她认为他很善良，是个好男人。父亲每年修房子都找他帮工。在这个村子里，除了找他帮工还能找谁呢？并且，从未付过他报酬。只不过春节期间，母亲让芹请他到家里来吃顿饺子而已。近年芹是大姑娘了，他一见到芹脸就红，就低垂下他的头，抬了头目光也不知朝哪儿望才好。去年她家修房子，她从房顶上滚了下来，幸亏被他从房下张开双臂接抱住了，否则她一定会摔坏的。当时她的父母都不在眼前。他没立即将她放落于地。他双臂托着她，像托一件易碎的器皿。他俯视着她，目光竟是那么的温柔，并且，他在她眉心迅速地亲了一下……

她并没生他的气。

不过她以后再见到他，自己的脸也会红起来……

芹的目光一望向山坡下那幢低矮破败的泥草房，就再也不能转移向别处了。她对自己说，就让我去与那个亲过我一下的男人作别吧！让他代表这个村子记住我吧！在这个村子里，除了我的父亲母亲，还应该有另外的人记住我。她这么对自己说时，越发地在乎起这一点来，却不能明白自己为什么特别地在乎这一点。她如此思想着，抬头望月亮，仿佛月亮是她最知心的一个密友，仿佛要征求月亮的意见。斯时月亮升高了，似乎也在俯瞰着她，并以它温柔的沉默，向她传达着一种支持……

于是她信步向那幢低矮破败的泥草房走去。那一时刻，她看去像一个夜游者。在月辉下，泥草房的轮廓特别清晰。它完全地黑暗着，如一块长方形的巨石，没有一丝光线从门窗泄出来……

从老柳树到泥草房，芹不快不慢地大约走了六七分钟。当她走到泥草房门前，一个新的决定已在她心里一意孤行地形成了。它不复再是起先那种希望。它比起先那种希望强烈得多，而且充满了大胆放纵惊世骇俗的成分。她要留下她最宝贵的东西给那个被村人们认为傻，绰号叫"二憨"的男人。不因为什么特殊的缘故，仅仅因为他是本村目前唯一年轻强壮的男人，还因为她觉得他是一个好人。确信他喜欢自己，确信他做梦都不敢妄想自己肯给予他什么。她被自己的新的决定深深感动。她的决定里包含着对他的可怜，也包含着对城市的，某种性质不确定的……抵牾……

"是小芹吧？"——歪斜的木板门吱扭开了。叫"二憨"的，全村唯一没到城市里去的，也是唯一年轻强壮的男人，还没迈出门来，就已经在屋里很有把握地问着了。

她说："是我……"

声音悄悄地。

"有事？"

"嗯……"

"等会儿，我披件衣服……"

自然地，她并不想在外边等。她一步跨过门槛，进到屋里去了。借着从外边照进屋里的月光，看见他刚将一件上衣披在肩上。显然的，他不愿亦裸着上身面对她。见她已然进到屋里已然站在跟前了，他一时有点儿不知所措，后退一步，主动与她本能地离开着。她明白，在他，是为了避免瓜田李下之嫌。

他那样，使她不禁在心里嘲笑地对他说：你这个娶不起媳妇的男人啊，你可是装的什么样儿给我看呢？难道你就不想女人吗？难道你没亲过我一次吗？难道那还不能证明你喜欢我吗？

不待他开口再说什么，她问："你怎么知道是我？"

他低了头回答："深更半夜的，除了你家有事会来找我，村里还会有谁来敲我的门呢？你家出什么事儿了？"

"没出什么事儿。"

她低声答着，在他那张破床的床边儿坐下了。

分明地，她的话使他奇怪。他抬起头，见她竟坐着了，张张嘴想说什么，又不知说什么话好，一时地愣住了。

在二人无言对视的片刻间，里屋传出来鼾声。

"你愣在那儿干吗？把门关上呀！……"

他没动。

她抬起手臂指了指门。

他还没动。

"你聋啦？"

她的语调急躁了。

他这才走过去关门。

"插上。"

她没听到落闩声。

"我叫你把门插上！"

她的话近乎命令。

之后她听到落闩声了。

142

她扭头看他，借着从窗子照进屋里的月光，见他的影子呆呆地站立正门旁。

她的一只小手，轻轻在床沿上拍了两下，示意他坐过去，坐在她身旁。

他的影子仍呆呆地站立在门旁。

她不禁叹了口气，暗想也许村人们是对的，他果然傻。如果不傻，一个从未被女人亲近过的男人，难道此时此刻还不明白自己该怎么做吗？还要她怎样他才能明白呢？

她又叹了口气，以惆怅的语调说："我要走了。"

很久，才听到他低声问："到哪里去？"

在那段沉默中，她反复要求自己，不达目的，誓不罢休。"我要到城市里去了。"

"哪天？"

"今天。"

"今天？"

"对。一会儿，跨出你家门槛，就走了。"

"可你……什么都不带？"

"带了二百多元钱，三四年里我到镇上做小工积攒的……"

"深更半夜的，你爸妈知道？"

"不想让他们知道。你明天替我去告诉他们吧。就说我在城市里混得好，会给他们按月地寄钱。混不好，就永不回来了……"

"你不对……"

"我怎么不对？！"

她双眉一挑，嚷了一句。之后便后悔，怕惊醒里屋熟睡着的人。听鼾声依旧，才又定下心来。

"小芹，你听我说……"

143

"你别说，先听我说……"

"那，我就先听你说……"

于是她急急切切地说了起来，语无伦次，越说越快。她的话语所表达的心理相当芜杂，而且前后矛盾。她说她感激城市，因为城市使村里许多人家都住上了砖瓦房；她说她憎恨城市，因为城市将村里年轻的女子一个不剩地全都吸引了去，还迫使男人们也纷纷背井离乡；她说她多么多么地向往城市，确信属于她的好运气正在城市里期待着她；她说她多么多么地嫌恶城市，所以并不愿用干净完整的自己去与城市进行交易……她说呀说呀，直说得口干舌燥。

"明白了？"

"不明白……"

"你装傻！"

她几乎叫喊起来了。

接着，她开始不管不顾地脱衣服。顷刻将自己脱得赤身裸体一丝不挂。随即，她往他的破床上仰躺下去……

"我才上到小学五年级，没文化、没知识、没技能。城市需要我有什么用？城市里的男人纵使对我好，还不是由于我的年龄，我的身子，我的脸！我懂这个。所以我的身子首先要给咱们本村男人！也就是首先给你这个男人！我才不让城市里的男人第一次占有我呢！所以你得成全我的想法，要不，我会恨你。你成全了我，日后我在城市里混出了好光景，我会想着你，也寄些钱给你……"

她终于不再说话了，闭上了双眼。

斯时从窗子洒在破床上的月光，将她本就白皙的女儿身，照得像玉雕雪塑的一般。

她闭着双眼朝他伸出了一只手……

她又说："你不要我，我就不起来！"

一会儿，他的手握住了她的手。她感觉到了自己的手被男人的唇温柔地亲着，感觉到了男人的脸偎在了她胸脯上，感觉到了男人的嘴急切地吻住了她的嘴……

随后，她感觉到了男人的身子扑压在自己的身子上……

疼痛……

男人急促的喘息……

一连串被近乎粗暴地摆布的过程……

终于，男人精疲力竭地软在她身上，发出了压抑的哭声。

听着他的哭声，她的心里感到非常的满足。

她的双手怜悯地抚摸着他汗淋淋的肩、颈、脊背，回味着刚刚发生过的事，困惑男人和女人们一谈起那种事便津津乐道或讳莫如深，似乎那是足以使一切男人和女人在那一时刻都变成神仙的快活无比的事……

而她除了疼痛和被近乎粗暴地摆布的过程，再就什么美妙的体验都没享受到啊！

没有爱意在内心里弥漫……

甚至也没有纯粹的情欲一阵阵波涛般汹涌……

连官能的快感都没产生……

但是，她认为她毕竟达到了目的——她"破坏"了她自己。

这目的之实现，使她觉得自己暗中报复了她又向往又嫌恶的城市——替砖瓦房舍里那些没了年轻女人也没了壮实汉子的农家；替她的没了人气也没了生气的村子……

将以自己被"破坏"了的身子去满足某些城市里男人们的需求，让他们当她是玉洁冰清的，那么显得愚不可及的不就是他们了吗？

这一目的之实现，也使她心理上对城市的潜伏的嫌恶烟消云散了，仿佛互相扯平了种种恩怨，仿佛以后可以在完全友好的关系中彼此建立好感了……

一个小时以后，她又走在路上了。

低矮的破败的泥草房在她身后了；村子在她身后了；家在她身后了……

她大步朝前走，头也不再回一次。走得义无反顾，破釜沉舟。

她衣兜里少了二十元钱。离开他的家时，悄悄压在他那散发着汗味和烟味的枕下了……

她肩上多了一根甘蔗，又长又粗的一根甘蔗，扛在肩上，竟觉沉甸甸的。

他从他的甘蔗田里替她砍下了那一棵甘蔗。

他对她说："带着。渴了解渴，饿了充饥，遇到狗拦路打狗，走累了当手杖拄着，就是碰上坏人了，也可用来防一会儿身啊……"

那是他唯一能送给她的东西。

也是她唯一从村里带走的东西。

她给一个本村男人留下了他必将终生难忘的回忆……

她带走了一棵想必很甜很甜，也许同样使她终生难忘的甘蔗……

她很熟悉的家乡离她越来越远……

她向往又很陌生的某一座城市，在九月的这一个夜晚，在更其遥远的地方，冷漠地感觉着她的脚步正接近着它……

月亮走，芹也走……

月亮照耀着她走……

她觉得自己走着走着，不再是"芹"，而已然地是"琴"了……

喷壶

　　在北方的这座城市，在一条老街的街角，有一间俄式小房子。它从前曾是美观的。也许，还曾有白色的或绿色的栅栏围着的吧？夏季，栅栏上曾攀缠过紫色的喇叭花吗？小院儿里曾有黄色的夜来香和粉色的扫帚梅赏心悦目吗？当栅栏被霏雨淋湿的时候，窗内曾有少女因怜花而捧腮凝睇吗？冬季，曾有孩子在小院儿里堆雪人吗？……

　　是的。它从前确曾是美观的。

　　但是现在它像人一样地老了。从前中国人承认自己老了，常说这样一句话："土埋半截了。"

　　这一间俄式小房子，几乎也被"土埋半截了"，沉陷至窗台那儿了。从前的铁瓦差不多快锈透了，这儿那儿打了许多处"补丁"。那些"补丁"是用亮锃锃的新铁皮"补"上去的，或圆形，或方形，或三角形和菱形，使房顶成为小房子现在最美观的部分，一种童话意味的美观。房檐下的接雨沿儿，也是用亮锃锃的新铁皮打做的。相对于未经镀亮的铁皮，那叫"白铁皮"，还叫"熟铁皮"。亮锃锃的接雨沿儿，仿佛那"土埋半截了"的"老"了的小房子扎在额上的一条银缎带。一年又一年的雨季，使小房子一侧的地面变成了赭红色。房顶的雨水通过接雨沿儿再通过垂直的流水管儿引向那儿的地面，是雨水带下来的铁锈将那儿的地面染成赭红色了……

小房子门口有一棵树，树已经死了多年了，像一只长长的手臂从地底下伸出来，叉着短而粗的"五指"，其中一"指"上，挂着一串亮铿铿的铁皮葫芦。风吹即动，发出悦耳的响声，风铃的响声似的。

那小房子是一间黑白铁匠铺。

那一串亮铿铿的铁皮葫芦是它的标志，也是铁匠手艺的广告。

铁匠年近五十了。按从前的说法，他正是一个"土埋半截了"的人；按现在的说法，他已走在通往火葬场的半路上。一个年近五十的人，无论男女，无论贫富，无论身份高低，无论健康与否，无论是仍充满着种种野心雄心还是与世无争守穷认命地活着——有一点是完全相同的，都是"土埋半截了"的人。

这铁匠却并不守穷认命。当然他也没什么野心和雄心了。不过他仍有一个热切的、可以理解的愿望——在那条老街被推平之前，能凑足一笔钱，在别的街上租一间面积稍微大一点儿的房子，继续以铁匠手艺挣钱糊口，度日为生。

铁匠明白，这条老街总有一天是要被推平的，或两年后，或三年后，也可能一年后。那条老街已老得如同城市的一道丑陋的疤。

铁匠歇手吸烟时，便从小房子里出来，靠着枯树，以忧郁的目光望向街的另一端。他并不眷恋这条街，但这条老街倘被推平了，自己可怎么办呢？小房子的产权是别人的。确切地说，它不是那幢俄式小房子本身，而只不过是背阴的一小间；朝阳的三间住着人家，门开在另一条街上……

现在城市里少见铁匠铺了；正如已少见游走木匠一样。这铁匠的另一个老同行不久前一觉不醒地死了。他是这座城市里唯一的没竞争对手的铁匠了。他的生意谈不上怎样的兴隆，终日做一些小撮子、小铲子、小桶、喷壶之类而已。在塑料品比比皆是的今天，这座城市的不少人家，居然以一种怀旧似的心情青睐起他做的那些寻常东西来。他的生意的前景，很有一天好过一天的可能。

但他的目光却是更加忧郁了。因为总有消息传来，说这条老街就要被推平了，就要被推平了……

他却至今还没积蓄。要想在这座城市里租一间门面房，手中没几万元根本别打算……

某日，又有人出现在他的铁匠铺门前，是位七十多岁的老者。

"老人家，您做什么？"

铁匠自然是一向主动问的。因那样一位老者来他的铁匠铺前而奇怪。

"桶。"

老者西服革履，头发皆已银白，精神矍铄，气质儒雅。说时，伸手轻轻拨动了一下那串铁皮葫芦，于是铁皮葫芦发出一阵悦耳的响声。

"多大的呢？"

老者默默用手比量出了他所要的规格。

"得先交十元钱押金。"

"不。我得先看看你的手艺如何。"

"您不是已经看见了这几件样品吗？还说明不了我的手艺吗？"

"样品是样品，不能代表你没给我做出来的桶。"

"要是我做出来了，您又不要了，我不白做了吗？"

"那还有机会卖给别人。可你要做得不合我意，又不退押金给我，我能把你怎么样呢？"

铁匠不禁笑了。

他自信地说："好吧。那我就破一回例，依您老人家。"

是的，铁匠很自信。不过就是一只桶嘛。他怎么会打做出使顾主觉得不合意的桶呢？望着老者离去的背影，铁匠困惑地想——他要我为他做一只白铁皮的桶干什么用呢？他望见老者在街尽头上了一辆分明是等在那儿的黑色轿车……

几天后，老者又来了。

铁匠指着已做好的桶让老者看。

不料老者说："小了。"

"小了？"——铁匠顿时一急。他强调，自己是按老者当时双手比量出的大小做的。

"反正是小了。"——老者的双手比量在桶的外周说："我要的是这么大的。"

"可……"

"别急，你用的铁皮，费的工时，我一总付给你钱就是了。"

"那，先付一半吧老人家……"

老者摇头，表情很固执。看去显然没有商讨的余地，但也显然是一言九鼎，值得信任的态度。

铁匠又依了老者。

老者再来时，对第二只桶频频点头。

"这儿，要有个洞。"

"为什么？老人家。"

"你别管，按我的要求做就是。"

铁匠吸取了教训，塞给老人一截白粉笔。老者在桶的底部画了一个圆，没说什么就走了。

老者第四次来时，"指示"铁匠为那出现了一个洞的桶做上拎手和盖和水嘴儿。铁匠这才明白,老者要他做的是一只大壶。他心里纳闷儿,一开始说清楚不就得了吗?如果一开始说清楚,那洞可以直接在铁皮上就先做好呀,那不是省事儿多了吗?

但他已不问什么了。他想这件事儿非要这样不可,对那老者来说,是一定有其理由的。

铁匠错了。老者最终要他做的,也不是一只大壶,而是一只喷壶。

喷壶做成以后,老者很久没来。

而铁匠常一边吸烟,一边望着那只大喷壶发呆发愣。往日,铁匠每每手里敲打着,口中哼唱着。自从他做成那只大喷壶以后,铁匠铺里再也没传出过他的哼唱声。

却有一个十七八岁的姑娘替老者来过一次。她将那只大喷壶仔仔细细验看了一遍。分明地,想要有所挑剔。但那大喷壶做得确实无可挑剔。姑娘最后不得不说了两个字——"挺好"。

"还要做九只一模一样的,一只比一只小,你肯做吗?"

铁匠目光定定地望着姑娘的脸,似乎在辨认从前的熟人,他知道那样望着对方有失礼貌,但他不由得不那样。

"你肯做?还是不肯做?"

姑娘并不回避他的目光。恰恰相反,她迎视着他的目光,仿佛要和他进行一番目光与目光的较量。

"你说话呀!"姑娘皱起眉,表情显得不耐烦了。

"我……肯做。当然肯……"

铁匠一时有点儿不知所措……

"一年后来取,你承诺一只也不卖给别人吗?"

姑娘的口吻冷冷的。

"我……承诺……"

铁匠回答时，似乎自感卑贱地低下了他的头，一副目光不知望向哪里的样子……

"钱，也要一年以后才付。"

"行，怎么都行。怎么我都愿意。"

"那么，记住今天吧。我们一年以后的今天见。"

姑娘说完，转身就走。

铁匠跟出了门……

他的脚步声使姑娘回头看他。她发现他是个瘸子。她想说什么，却只张了一下嘴，什么话都没说，一扭头快步而去。铁匠的目光也一直将姑娘的背影送至街的那一端。他也看见她坐进了轿车里，对那辆黑色的轿车他已熟悉。

铁匠的目光不但忧郁，而且，竟很有些伤感了。他转身时，碰了那串铁皮葫芦，悦耳的声音刚一响，他便用双手轻轻捂住最下面的一个，仿佛捂住一只蜻蜓或一只蝴蝶，于是整串葫芦被稳住了，悦耳的声音也就停止了……

铁匠并不放开双手，他仰起脸，望向天空。斯时正值中午，五月的太阳光芒柔和，并不耀眼。他的样子，看上去像在祈雨……

后来，这铁匠就开始打做另外九只喷壶。他是那么的认真，仿佛工艺家在进行工艺创造。为此他婉拒了不少主动上门的活儿。

世上有些人没结过婚，但世上每一个人都是爱过的。

铁匠由于自己是瘸子至今没结婚，但在他是一名初二男生时就爱过了。那时的他眉清目秀。他爱上了同班一名沉默寡言、性情特别内向的女生。其实她的容貌算不上出众，也许她吸引他的美点，只不过是她那红润的双唇，像樱桃那么红润。主观的老师曾在班上不点名地批评过她才是初二女生不该涂口红，她委屈得哭了。而事实证明她没涂过口红。但从此她更沉默寡言了。因为几乎全班的男生都开始注意她了，由于她像樱桃那么红润的唇。初二下学期他和她分在了同桌。起初他连看都不敢看她，他觉得她的红唇对自己具有不可抗拒的诱惑力，并且开始以审美的眼光暗自评价她的眼睛，认为她有一双会说话的眼睛。其实大多数少女的眼睛都会说话，她们眼睛的这一种"功能"要等到恋爱几次以后才渐渐"退化"，初二的男生不懂得这一点罢了。不久他又被她那双白皙的小手所诱惑，那倒的确是一双秀美的小手，白皙得近乎透明，唯有十个迷人的指尖儿微微泛着粉红……

某一天，他终于鼓起一百二十分的勇气塞给了她一张纸条，上面写满了他的"少年维特之烦恼"。三十几年前中学生的早恋方式与今天没什么不同，也都是以相互塞纸条开始的。但结果却往往与今天很不一样。

他首先被与自己的同桌分开了。

接着纸条被在全校大会上宣读了。再接着是找家长谈话。他的父亲——三十几年前的铁匠从学校回到家里，怒冲冲将他毒打了一顿。而后是写检查和保证书……

这初二男生的耻辱，直至"文革"开始以后方得以雪洗。他第一个冲上批斗台抢起皮带抽校长；他亲自操剪刀将女班主任老师的头发剪得乱七八糟；他对他的同桌的报复最为"文明"——在"文革"第一年的冬季，他命她拎着一只大喷壶，在校园中浇出一片滑冰场来！已经没哪个学生还有心思滑冰了，在那一个"革命风暴"凛冽的冬季。但那么多红卫兵成为他的拥护者。人性的恶被以"革命"的名义调动得天经地义理直气壮。那个冬季真是特别的寒冷啊，而他不许她戴着手套拎那把校工用来浇花的大喷壶。看着她那双秀美的白皙的小手怎样一触碰到水湿了的喷壶即被冻住，他觉得为报复而狂热地表现"革命"是多么地值得。

谁叫她的老父亲在国外，而且是资本家呢！"红五类"对"黑五类"冷酷无情是被公认的"革命"原则啊……整个冬季她也没浇出一片足以滑冰的冰场来。

春风吹化了她浇出的那一片冰的时候，她从学校里也从他的注意力中消失了。

再狂热"革命"的红卫兵也逃避不了"上山下乡"的命运。艰苦的劳动绝不像"革命"那么痛快，他永远明白了这一点，代价是成了瘸子。

返城后的一次同学聚会中，一名女同学忏悔地告诉他，其实当年不是他的同桌"出卖"了他，是那名和她特别亲密无间的女同学。他听了并不觉得内疚。他认为都是"文革"的过错。

但是当他又听说，三十几年前，为了浇出一片滑冰场她严重冻伤的双手被齐腕锯掉了，他没法再认为都是"文革"的过错了。他的忏悔远远大于那名当年"出卖"了她也"出卖"了他的女同学。

他顶怕的事就是有一天，一个没了双手的女人来到他的铁匠铺，欣赏着他的手艺说："有一双手多好哇！请给我打做一只喷壶，我要用它在冬季浇出一片滑冰场。"

现在，他知道，他顶怕的事终于发生了。尽管不是一个没了双手的女人亲自来……

每一只喷壶的打做过程，都是人心的审判过程。

而在打做第十只，也就是最小的那一只喷壶时，铁锤和木槌几次敲砸在他手上。他那颗心的疤疤癞癞的数层外壳，也终于一层层地被彻底敲砸开了。他看到了他不愿承认更不愿看到的景观。自己灵魂之核的内容，人性丑陋而又邪恶的实证干瘪着，像一具打开了石棺盖因而呈现着的木乃伊。他自己最清楚，它并非来自于外界，而是在自己灵魂里自生出的东西。原因是他的灵魂里自幼便缺少一种美好的养分——人性教育的养分。虽忏悔并不能抵消他所感到的战栗……

他非常想把那一只最小的喷壶打做得最美观，但是他的愿望没达到。

曾有人要买走那十只喷壶中的某几只，他不卖。

他一天天等待着他的"赎罪日"的到来……

那条老街却在年底就被提前推平了。

他十分幸运地得到了一处门面房。而且是里外两间，而且是在一条市场街上。动迁部门告知他，因为有"贵人"关照着他。否则，他凭什么呢？休想。

他几回回暗问自己——我的命中也配有"贵人"吗？

猜不出个结果，就不猜了。

这铁匠做好了一切心理准备，专执一念等待着被羞辱、被报复。最后，竟连这一种惴惴不安的等待着的心理，也渐渐地趋于平静了。

一切事情总有个了结，他想，不至于也斩掉我的双手吧？这么一想，他又觉得自己未免庸人自扰。

他所等待的日子终于等到了。那老者却没来，那姑娘也没来。一个认识他的孩子将一封信送给了他，是他当年的同桌写给他的。她在信中这样写着：

我的老父亲一直盼望有机会见到你这个使他的女儿失去了双手的人！我的女儿懂事后也一直有同样的想法。他们的目的都达到了。他们都曾打算替女儿和母亲惩罚你。他们有报复你的足够的能力，但我们这一家人都是反对报复的人，所以他们反而在我的劝说之下帮助了你。因为，对我在少女时期爱过的那个少年，我怎么也狠不下心来……

信封中还有一样东西——她当年看过他塞给她的纸条后，本打算塞给他的"复信"。两页作文本上扯下来的纸，记载着一个少女当年被爱所唤起的种种惊喜和幸福感。

那两页纸已发黄变脆……

它们一下子被他的双手捂在了他脸上，片刻湿透了。

在五月的阳光下：在五月的微风中，铁匠铺外那串亮锃锃的铁皮葫芦响声悦耳……

孩子和雁

在北方广袤的大地上，三月像毛头毛脚的小伙子，行色匆匆地奔过去了。几乎没带走任何东西，也几乎没留下明显的足迹。北方的三月总是这样，仿佛是为躲避某种纠缠而来，仿佛是为摆脱被牵挂的情愫而去，仿佛故意不给人留下印象。这使人联想到徐志摩的诗句"我挥一挥衣袖，不带走一片云彩"。北方的三月，天空上一向没有干净的云彩；北方的三月，"衣袖"一挥，西南风逐着西北风。然而大地还是一派融冰残雪处处覆盖的肃杀景象……

现在，四月翩跹而至了。

与三月比起来，四月像一位低调处世的长姐。其实，北方的四月只不过是温情内敛的呀。她把她对大地那份内敛而又庄重的温情，预先储存在她所拥有的每一个日子里。当她的脚步似乎漫不经心地徜徉在北方的大地上，北方的大地就一处处苏醒了。大地嗅着她春意微微的气息，开始了它悄悄地一天比一天生机盎然的变化。天空上仿佛陈旧了整整一年的、三月不爱搭理的、吸灰棉团似的云彩，被四月的风一片一片地抚走了，也不知抚到哪里去了。四月吹送来了崭新的干净的云彩。那可能是四月从南方吹送来的云彩，白而且蓬软似的。又仿佛刚在南方清澈的泉水里洗过，连拧都不曾拧一下就那么松松散散地晾在北方的天空上了。

除了山的背阳面，别处的雪是都已经化尽了。凉沁沁亮汩汩的雪水，一汪汪地渗到泥土中去了。河流彻底地解冻了。小草从泥土中钻出来了。柳枝由脆变柔了。树梢变绿了。还有，一队一队的雁，朝飞夕栖，也在四月里不倦地从南方飞回北方来了……

在北方的这一处大地上有一条河，每年的春季都在它折了一个直角弯的地方溢出河床，漫向两岸的草野。于是那河的两岸，在四月里形成了近乎水乡泽国的一景。那儿是北归的雁群喜欢落宿的地方。

离那条河二三里远，有个村子，是普通人家的日子都过得很穷的村子。其中最穷的人家有一个孩子。那孩子特别聪明。那特别聪明的孩子特别爱上学。

他从六七岁起就经常到河边钓鱼。

他十四岁那一年，也就是初二的时候，有一天爸爸妈妈又愁又无奈地告诉他——因为家里穷，不能供他继续上学了……

这孩子就也愁起来。他委屈。委屈而又不知该向谁去诉说。于是一个人到他经常去的地方，也就是那条河边去哭。不只大人们愁了委屈了如此，孩子也往往如此。聪明的孩子和刚强的大人一样，只在别人不常去而又似乎仅属于自己的地方独自落泪。

那正是四月里某一天的傍晚。孩子哭着哭着，被一队雁自晚空徐徐滑翔下来的优美情形吸引住了目光。他想他还不如一只雁，小雁不必上学，不是也可以长成一只双翅丰满的大雁吗？他甚至想，他还不如死了的好……

当然，这聪明的孩子没轻生。

他回到家里后，对爸爸妈妈郑重地宣布：他还是要上学读书，争取将来做一个有知识有文化的人。

爸爸妈妈就责备他不懂事。

而他又说："我的学费，我要自己解决。"

爸爸妈妈认为他在说赌气话，并不把他的话放在心上。

但那一年，他却真的继续上学了。而且，学费也真的是自己解决的。

也是从那一年开始，最近的一座县城里的某些餐馆，菜单上出现了"雁"字。不是徒有其名的一道菜，而的的确确是雁肉在后厨的肉案上被切被剁，被炸被烹……

雁都是那孩子提供的。

后来《野生动物保护法》宣传到那座县城里了，唯利是图的餐馆的菜单上，不敢公然出现"雁"字了。但狡猾的店主每回悄问顾客："想换换口味儿吗？要是想，我这儿可有雁肉。"倘若顾客反感，板起脸来加以指责，店主就嘻嘻一笑，说开句玩笑嘛，何必当真！倘若顾客闻言眉飞色舞，显出一脸馋相，便有新鲜的或冷冻的雁肉，又在后厨的肉案上被切被剁。四五月间可以吃到新鲜的，以后则只能吃到冷冻的了……

雁仍是那孩子提供的。

斯时那孩子已经考上了县里的重点高中。

他在与餐馆老板们私下交易的过程中，学会了一些他认为对他来说很必要的狡猾。

他的父母当然知道他是靠什么解决自己的学费的。他们曾私下里担心地告诫他："儿呀，那是违法的啊！"

他却说："违法的事多了。我是一名优秀学生，为解决自己的学费每年春秋两季逮几只雁卖，法律就是追究起来，也会网开一面的。"

"但大雁不是家养的鸡鸭鹅，是天地间的灵禽，儿子你做的事罪过呀！"

“那叫我怎么办呢？我已经读到高中了。我相信我一定能考上大学，难道现在我该退学吗？”

见父母被问得哑口无言，又说：“我也知道我做的事不对，但以后我会以我的方式赎罪的。”

那些与他进行过交易的餐馆老板们，曾千方百计地企图从他嘴里套出“绝招”——他是如何能逮住雁的？

“你没有枪。再说你送来的雁都是活的，从没有一只带枪伤的。所以你不是用枪打的，这是明摆着的事儿吧？”

“是明摆着的事儿。”

“对雁这东西，我也知道一点儿。如果它们在什么地方被枪打过了，哪怕一只也没死伤，那么它们第二年也不会落在同一个地方了，对不？”

“对。”

“何况，别说你没枪，全县谁家都没枪啊。但凡算支枪，都被收缴了。哪儿一响枪声，其后公安机关肯定详细调查。看来用枪打这种念头，也只能是想想罢了。”

“不错，只能是想想罢了。”

“那么用网罩行不行？”

“不行。雁多灵警啊。不等人张着网挨近它们，它们早飞了。”

“下绳套呢？”

“绳粗了雁就发现了。雁的眼很尖。绳细了，即使套住了它，它也能用嘴把绳啄断。”

“那就下铁夹子！”

“雁喜欢落在水里，铁夹子怎么设呢？碰巧夹住一只，一只惊一群，你也别打算以后再逮住雁了。”

“照你这么说就没法子了？”

160

“怎么没法子，我不是每年没断了送雁给你吗？”

“就是呀。讲讲，你用的是什么法子？”

“不讲。讲了怕被你学去。”

“咱们索性再做一种交易。告诉我给你五百元钱。”

“不。”

“那……一千！一千还打不动你的心吗？”

“打不动。”

“你自己说个数！”

“谁给我多少钱我也不告诉。如果我为钱告诉了贪心的人，那我不是更罪过了吗？”

他的父母也纳闷地问过，他照例不说。

后来，他自然顺利地考上了大学。而且第一志愿就被录取了——农业大学野生禽类研究专业。是他如愿以偿的专业。

再后来，他大学毕业了，没有理想的对口单位可去，便“下海从商”了。他是中国最早“下海从商”的一批大学毕业生之一。

如今，他带着他凭聪明和机遇赚得的五十三万元回到了家乡。他投资改造了那条河流，使河水在北归的雁群长久以来习惯了中途栖息的地方形成一片面积不小的人工湖。不，对北归的雁群来说，那儿已经不是它们中途栖息的地方了，而是它们乐于度夏的一处环境美好的家园了。

他在那地方立了一座碑——碑上刻的字告诉世人，从初中到高中的五年里，他为了上学，共逮住过五十三只雁，都卖给县城的餐馆被人吃掉了。

他还在那地方建了一幢木结构的简陋的“雁馆”，介绍雁的种类、习性、“集体观念”等等一切关于雁的趣事和知识。在“雁馆”不怎么显眼的地方，摆着几只用铁丝编成的漏斗形状的东西。

如今，那儿已成了一处景点。去赏雁的人渐多。

每当有人参观"雁馆"，最后他总会将人们引到那几只铁丝编成的漏斗形状的东西前，并且怀着几分罪过感坦率地告诉人们——他当年就是用那几种东西逮雁的。他说，他当年观察到，雁和别的野禽有些不同。大多数野禽，降落以后，翅膀还要张开着片刻才缓缓收拢。雁却不是那样。雁双掌降落和翅膀收拢，几乎是同时的。结果，雁的身体就很容易整个儿落入经过伪装的铁丝"漏斗"里。因为没有什么伤痛感，所以中计的雁一般不至于惶扑，雁群也不会受惊。飞了一天精疲力竭的雁，往往将头朝翅下一插，怀着几分奇怪大意地睡去。但它第二天可就伸展不开翅膀了，只能被雁群忽视地遗弃，继而乖乖就擒……

之后，他又总会这么补充一句："我希望人的聪明，尤其一个孩子的聪明，不再被贫穷逼得朝这方面发展。"

那时，人们望着他的目光里，便都有着宽恕了……

在四月或十月，在清晨或傍晚，在北方大地上这处景色苍野透着旖旎的地方，常有同一个身影久久伫立于天地之间，仰望长空，看雁队飞来翔去，听雁鸣阵阵入耳，并情不自禁地吟他所喜欢的两句诗："风翻白浪花千片，雁点青天字一行。"

便是当年那个孩子了。

人们都传说——他将会一辈子驻守那地方的……

"巴顿将军"的荣耀

"就是这一只？"

"对。就是它。您瞧它多漂亮多威风啊！我能替您找到这样一只公鸡可真费尽了心思，先是通过我的一位表妹认识了她在农村的一位堂兄……"

"得啦得啦，别啰唆了，也别炫功了！……"电影导演打断了剧务的话，围着公鸡走了一圈儿，又走了一圈儿。

的确，那是一只既漂亮且威风的公鸡。正如童谣唱的——"大红冠子绿尾巴"。两只眼睛亮晶晶的，透着一股高傲的、凛然的神气。从颈至背的羽毛是黄色的，每一枚都是完美的，每一枚都镶着清晰的黑色的边，仿佛紧裹着一件黄绸滚绣黑色鳞状图案的披风。双腿笔直，对于鸡而言，尤其对于一只公鸡而言，那意味着身体素质的健康。两只爪子像鹰爪一般擒物而起，还很干净。从腿到爪尖的角质纹不疏不密，一环环排列均匀，如同雕塑家细致地刻出来的。五十多岁的老剧务请导演来对它进行"面试"之前，为它洗了一次澡。比之于为小孩儿或为猫为狗洗澡，那可不是一件容易的事，因为即使高贵如它这样的一只公鸡，一被浸到水里，那也还是会惊慌失措乱扑双翅的。老剧务几次都没能给它洗成。最后逼出了一个主意，将一片安眠药捣碎，拌在食里喂它吃了。趁

163

它"不省鸡事"才洗成的。它的腿和爪子，是用牙刷刷过的。在鸡和人的悠久的历史关系中，很少有鸡享受过来自于人的那么煞费苦心的服务。现在，它不但漂亮，不但威风，还简直也可以说是一只"崭新"的公鸡。

现在它的药劲儿还没彻底过去。它还觉得有些晕眩。世界在它眼前还微微有些晃动不止，包括是电影导演和剧务的两个人。因而它有些愤怒。本能告诉它，一定是人对它搞了什么鬼。它也非常之恐惧。经验告诉它，倘若人端详一只鸡，那么鸡的末日就来临了。它却只能一动不动地站立着，防范地转动着它的头，随时准备以嘴当武器，顽强自卫直至最后一刻。因为它的两只爪子被一段尼龙绳绊着。由于愤怒，由于恐惧，还由于晕眩，使它的样子看去敏感多疑，而且凶……

导演对它挺觉满意地点点头。

老剧务不失时机地掏出一叠票据，笑容可掬地说："导演，那这些……"

导演皱眉道："别找我签字。我只对艺术负责，其他的一概不管。报销的事儿归制片主任。"

老剧务愣了愣，只得讪讪地将票据揣起。

导演问："它嘴怎么回事儿？"

老剧务装糊涂："嘴？嘴嘛……那是很正常的鸡的嘴呀！"

"我问它的嘴怎么那么红？！"导演瞪着老剧务。

"这……为它涂唇膏了……也就是，刷了遍红漆……"

老剧务惴惴不安，他怕导演冷不丁再来一句不满意的话，将这只公鸡的"演员"资格给否定了！导演对公鸡不满意，影片就明摆着不能开拍啊！公鸡在影片中的戏份儿甭提有多重了。不是主角，胜似主角啊！倘要求他另找一只比这只公鸡更出色的公鸡，那他就只有离开剧组了。中国电影不景气，对于他，上任何一部片子的机会都是难得的。他所在的电影厂已名存实亡了。他每年须交超过自己工资一倍的劳务费呀！倘交不成，下一年的工资就停发了。连续两年交不成，他退休后的养老金就不知该到哪儿领了。"改革"是冷漠无情的事，也是一般人们没处讲理去的事。他今年的劳务费，就指望这一只公鸡了……

导演没好气地训斥他："唇膏？鸡有唇吗？你指给我看，哪儿是鸡的唇？"

"导演，导演，您千万别生气。您听我解释……"

他赶紧又赔笑脸，话也说得格外赔着小心。

"你甭解释！我没工夫听你解释。鸡嘴太红了，弄巧成拙！想法子恢复原色。就是它了！……"

"一定，一定恢复原色！"

老剧务如释重负，咧嘴笑了。导演转身一走，他就将公鸡抱在怀里了。如当爸的抱起自己心爱的儿女。

导演扭回头望着他又说："该怎么调教，不必我交代了吧？给你三天时间。三天后这只公鸡如果还进入不了角色，要么你走人，要么我走人！"

那话的意思太明白了。导演若要走，全剧组的人一定苦苦挽留，皆说"老九不能走"。而他一名剧务惭愧地离开剧组，谁会挽留他呢？他心里十分清楚这一点。

那一刻，五十多岁的这一名电影厂的老剧务，怀抱着"众里寻'它'千百度"的这一只公鸡，鼻子一酸，想哭。三十年间，他经历了中国电影由"样板戏"一枝独秀到再度繁荣到今天的夕阳境况，感受多多，亦感慨多多。承受改革的压力，对于普通的人们，起码需要年龄的资本。因为年轻，毕竟还有预支希望的前提。而他已经五十多岁了。双腿间绊了一段尼龙绳的公鸡，将他的手啄破了……

恢复公鸡的嘴的原色,已超过了他个人的能力。那是一桩接近于"仿旧"的活儿,有一定的专业技术要求。幸而制景师挺同情他的,帮他用汽油将鸡嘴"洗"了一番。未能恢复原色,反而红迹斑驳了。于是再用砂纸细细地打磨一番。于是再由制景师反复调色,亲自替他勾描鸡嘴。不消说,公鸡也着实被摆布得够受……

　　以后的三天里,对那只公鸡严格得近于残酷的训练,每天都在不懈地进行着。按照剧情的要求,那只公鸡是一个农村孩子的宠物。正如城市里的孩子有小猫小狗小鸟做宠物。片中要求那只公鸡做三次非鸡所能的飞翔。高度一次比一次高。最后一次是从城市的摩天大楼顶上起飞,飞过一片片楼群,飞翔着的剪影,定格在彤红的旭日的中央。在片中,农村的孩子叫那只公鸡"喔喔",而城市的孩子叫它"巴顿"……

　　此前已有三"位"以身殉职的"巴顿"被剧组的男人们佐酒了。

　　那确乎是近于残酷的训练。以身殉职的"巴顿"们无不是百里挑一择优"录取"的。训练者也就是那五十多岁的老剧务,曾企图使第一位"巴顿"站在一幢楼顶的护栏上,然后用长棍捅它起飞。但那"巴顿"又哪里肯乖乖地容他将它往护栏上放呢?它吓得紧紧勾起腿爪,双翅也像粘在身体两边了似的。而且吓得拉了剧务一襟稀屎。他请别人帮着硬抻那"巴顿"的双翅,结果情急之下将它的一只翅弄折了。而那幢楼却只不过才六层,低于剧情要求的高度的一半。"巴顿"第二刚一被带到楼顶上就似乎预感到了大势不妙,从人怀里扑啦啦挣飞开去。于是还没开始训练,几乎全剧组的人便都听命奔上楼顶,乱乱哄哄地演了一幕集体捉鸡的现代舞。那种兴师动众的情形,比样板芭蕾舞剧《沂蒙颂》的场面可大多了。当然不足以审美。导演一怒,一道令下,悻悻然的众人用乱砖将那只歇斯底里大发作的公鸡活活砸死。吸取了前两番训练失败的教训,"巴顿"第三在楼顶被罩上了眼睛。这一招倒真的使公鸡变得特别的乖。然而乖是够乖的了，放鸽子似的朝空中一抛，那公鸡乖得连翅膀都不张开了，死鸡似的掉下去，结果就真的死了。招招失败，全剧组被动员了，人人开动脑筋，苦思冥想。最终由有智慧的人献计献策，在两幢楼之间拉了一道钢丝，特制了一个有可遥控机关的木盒，将"巴顿"第四关在盒里，靠滑轮送到钢丝中间，好比武打片里动辄便用的"威亚"技巧。木盒子设计得很好。一按遥控器，盒底分开，公鸡凌空现形。并且，也着实地奋飞了一阵。正当人们在楼顶上跳跃着欢呼成功时，那公鸡没劲儿飞了，往一幢楼的阳台上落下去。那人家的女主人受惊，大呼小叫。男主人拎着拖把赶到阳台上，只一下便将"巴顿"第四结果了性命，白白供给那人家做着吃了。剧组方面自知理亏，无人敢去讨个说法……

这一只公鸡，算来已是"巴顿"第五了。它有着从前相当著名的血统。中国民间将它们那一品种的鸡叫"九斤黄"。它们中最大的公鸡可长到九斤。"巴顿"第五只不过是一只两岁多点儿的公鸡，却也快长到六斤重了。鸡之对于人，吃起来还是母鸡肉嫩而香。当今之时代，"成年"的公鸡是极少见的了。竟长到两岁以上，可算是特别的侥幸了。它们大抵在是"童子鸡"的年龄，就被变着法儿吃掉了。这一只公鸡之所以能成为"巴顿"第五，乃因养大它的那位农村小学校的校长，是一位业余的摄影爱好者。他希望拍下一张"雄鸡报晓"参加省教育系统的摄影大赛。他拍了一组，并且获得了三等奖。他觉得他获得的荣誉也有他养大的公鸡的一半，故总不忍杀，一直庇护着它的生存。直至老剧务拐弯抹角地寻找到他家，说明要高价买下的诚意，遂爽快地达成了交易。在他想来，能出现在一部电影里，对他的公鸡不啻是"鸡生"中的一次辉煌记载啊……

按说物色演员是副导演的职责。但副导演说，她只从人中选过演员，没从鸡中选过。副导演是导演的妻妹，谁都拿她没奈何。任务又指派给道具员。道具员火了，说一只活公鸡算的哪门子道具！他是制片主任带入剧组的人，也是惹不起的主儿。最后任务落在了我们这位老剧务身上。他是托人情才进入剧组的，岂有拒不执行的道理？何况他也想证明自己的能力给全剧组看。所以作了定能胜任愉快的保证。真的完成起来才感到是那么不容易。前四次得而复失的过程，于这一个男人好比四次经历婚姻的夭折，已是身心疲惫了。"巴顿"第五对于他何等的重要，其实是不言自明之事。

他不敢再在城市里调教"巴顿"第五。带着它去往郊区"单兵散练"。一次次登上废弃的水塔，一番番失败且执著地放飞。"巴顿"第五也不过只是一只公鸡，畏高惧险和前四只公鸡没什么两样。起初它本能地在空中急转身，企图落回到水塔上。落不成，两只爪子便往塔体上抓，而双翅又不能停止扑扇。那情形像悬飞的蜂鸟，看了使人感到触目惊心。爪子将风雨蚀酥了的塔体抓出一道道爪沟。它的爪子第一天训练下来便已鲜血淋淋。剧务很是心疼它，然而再心疼也得狠下心来……

到了开拍那一天，导演问："行了吗？"

五十多岁的老剧务默默点头。

他暗自祈祷上帝保佑"巴顿"第五，也保佑他自己。

那时他忽然相信上帝肯定是存在着的。

"预备！……开拍！……""巴顿"第五被从一幢摩天大厦的顶层放飞了。

它是世界上迄今为止唯一在那么高的空中飞过的鸡。

斯时一轮光辉灿烂的旭日冉冉东升。

"巴顿"第五奋击双翅，飞得如雄鹰一般矫健和自信。它直朝着旭日飞去。它的影子终于叠在旭日当中了，也被摄在胶片上了……

摄影师大叫："好！"

导演竖起了拇指。

"巴顿"第五竟落在了电视塔上！它抖抖羽毛，突然地，朝着旭日引颈长啼——"喔喔喔！……"

导演一指摄影师："不许停机！……"

摄影师当然不会错过那么难得的画面……

谁都没注意到，五十多岁的老剧务蹲在一个角落，双手捂脸，无声地哭了……

影片获奖了。

评委们都说，片中的公鸡为影片增添了许多艺术光彩。

老剧务也获了一项"评委会特别奖"。那是他获得的唯一一次奖，也是中国诸电影奖向剧务这一行颁发的唯一一次奖。此前，剧务在任何电影奖中都决然没有获奖的先例……

如今，老剧务退休了。他累了，干不动剧务了。倘中国电影业仍繁荣着，那么他其实还想干几年的。可是……

他获得的奖项，使他具有了提前退休的资格，也使他有可能交纳了当年的劳务和预交了下一年的劳务。最重要的是——使他有资格领取退休金了……

在电影厂附近的小树林里，倘天气晴好，人们常见一个瘦小的男人，牵着一只漂亮且高傲的大公鸡散步。他叫那公鸡"将军"，叫时，语调流露着敬意……

他们便是老剧务和"巴顿"第五……

玻璃匠和他的儿子

20世纪80年代以前，城市里每能见到一类游走匠人——他们背着一个简陋的木架走街串巷；架子上分格装着些尺寸不等，厚薄不同的玻璃。他们一边走一边招徕生意："镶——窗户！……镶——镜框！……镶——相框！……"

他们被叫做"玻璃匠"。

有时，人们甚至直接这么叫他们："哎，镶玻璃的！"

他们一旦被叫住，他们就有点儿钱可挣了。或一角，或几角。总之，除了成本，也就是一块玻璃的原价。他们一次所挣的钱，绝不会超过几角去。一次能挣五角钱的活，那就是"大活儿"了。他们一个月遇不上几次大活儿的。一年四季，他们风里来雨里去，冒酷暑，顶严寒，为的是一家人的生活。他们大抵是些由于这样或那样的原因而被拒于"国营"体制以外的人。按今天的说法，是些当年"自谋生路"的人。有"玻璃匠"的年代，城市百姓的日子都过得很拮据，也特别仔细。不论窗玻璃裂碎了，还是相框玻璃或镜子裂碎了；那大块儿的，是舍不得扔的，专等玻璃匠来了，给切割一番，拼对一番。要知道，那是连破了一只瓷盆都舍不得扔，专等锔匠来了给锔上的穷困年代啊！……

玻璃匠开始切割玻璃时，每每吸引不少好奇的孩子围观。孩子们的好奇心，主要是由"玻璃匠"那一把玻璃刀引起的。玻璃刀本身当然不是玻璃的。玻璃刀看上去都是样子差不了哪儿去的刃具，像临帖的毛笔。刀头一般长方而扁，其上固定着极小极小的一粒钻石。玻璃刀之所以能切割玻璃，完全靠那一粒钻石。没有了那一粒小之又小的钻石，一把玻璃刀便一钱不值了。玻璃匠也就只得改行，除非他再买一把玻璃刀。而从前一把玻璃刀一百几十元，相当于一辆新自行车的价格，对于靠镶玻璃养家糊口的人，谈何容易！并且，也极难买到。因为在从前，在中国，钻石本身太稀缺了。所以，从前中国的玻璃匠们，用的几乎全是从前的从前也即解放前的玻璃刀，大抵是外国货。解放前的中国还造不出玻璃刀来。将一粒小之又小的钻石固定在铜或钢的刀头上，是一种特殊的工艺。可想而知，玻璃匠们是多么爱惜他们的玻璃刀！与侠客对自己们的兵器的爱惜程度相比，也是不算夸张的。每一位玻璃匠都一定为他们的玻璃刀做了套子，像从前的中学女生每为自己心爱的钢笔织一个笔套。有的玻璃匠，甚至为他们的玻璃刀做了双层的套子。一层保护刀头，另一层连刀身都套进去，再用一条链子系在内衣兜里，像系着一块宝贵的怀表似的。当他们从套中抽出玻璃刀，好奇的孩子们就将一双双眼睛瞪大了。玻璃刀贴着尺在玻璃上轻轻一划，随之出现一道纹，再经玻璃匠的双手有把握地一掰，玻璃就沿纹齐整地分开了，在孩子们看来那是不可思议的……

我的一位中年朋友的父亲，便是从前年代的一名玻璃匠。他的父亲有一把德国造的玻璃刀。那把玻璃刀上的钻石，比许多玻璃刀上的钻石都大，约半个芝麻粒儿那么大。它对于他的父亲和他一家，意味着什么不必细说。

有次，我这一位朋友在我家里望着我父亲的遗像，聊起了自己曾是玻璃匠的父亲，聊起了他父亲那一把视如宝物的玻璃刀。我听他娓娓道来，心中感慨万千：

他说他父亲一向身体不好，脾气也不好。他十岁那一年，他母亲去世了，从此他父亲的脾气就更不好了。而他是长子，下边有一个弟弟一个妹妹。父亲一发脾气，他就首先成了出气筒。年纪小小的他，和父亲的关系越来越紧张，也越来越冷漠。他认为他的父亲一点儿也不关爱他和弟弟妹妹。他暗想，自己因而也有理由不爱父亲。他承认，少年时的他，心里竟有点儿恨自己的父亲……

有一年夏季，父亲回老家去办理祖父的丧事。父亲临走，指着一个小木匣严厉地说："谁也不许动那里边的东西！"——他知道父亲的话主要是说给他听的，同时猜到，父亲的玻璃刀放在那个小木匣里了。但他毕竟是个孩子啊！别的孩子感兴趣的东西，他也免不了会对之发生好奇心的呀！何况那东西是自己家里的，就放在一个没有锁的，普普通通的小木匣里！于是父亲走后的第二天他打开了那小木匣，父亲的玻璃刀果然在内。但他只不过将玻璃刀从双层的绒布的套子里抽出来欣赏一番，比划几下而已。他以为他的好奇心会就此满足。却没有。第三天他又将玻璃刀拿在手中，好奇心更大了。找到块碎玻璃试着在上边划了一下，一掰，碎玻璃分为两半，他就觉得更好玩了。以后的几天里，他也成了一名小玻璃匠，用东捡西拾的碎玻璃，为同学们切割出了一些玻璃的直尺和三角尺，大受欢迎。然而最后一次，那把玻璃刀没能从玻璃上划出纹来，仔细一看，刀头上的钻石不见了！他这一惊非同小可，心里毛了，手也被玻璃割破了。他怎么也没想到，使用不得法，刀头上那粒小之又小的钻石，是会被弄掉的。他完全搞不清楚是什么时候掉的，可能掉在哪儿了？就算清楚，又哪里会找得到呢？就算找到了，凭他，又如何安到刀头上去呢？他对我说，那是他人生中所面临的第一次重大事件。甚至，是唯一的一次重大事件。以后他所面临过的某些烦恼之事的性质，都不及当年那一件事严峻。他当时可以说是吓傻了……

由于恐惧，那一天夜里，他想出了一个卑劣的方法——第二天他向同学借了一把小镊子。将一小块碎玻璃在石块上仔仔细细捣得粉碎，夹起半个芝麻粒儿那么小的一个玻璃碴儿，用胶水粘在玻璃刀的刀头上了。那一年是1972年，他十四岁……

三十余年后，在我家里，想到他的父亲时，他一边回忆一边对我说："当年，我并不觉得我的办法卑劣。甚至，还觉得挺高明。我希望父亲发现玻璃刀上的钻石粒儿掉了时，以为是他自己使用不慎弄掉的。那么小的东西，一旦掉了，满地哪儿去找呢？即使找不到，哪怕怀疑是我搞坏的，也没有什么根据。只能是怀疑啊！……"

他的父亲回到家里后,吃饭时见他手上缠着布条,问他手指怎么了？他搪塞地回答，生火时不小心被烫了一下。父亲没再多问他什么。

翌日，父亲一早背着玻璃箱出门挣钱去，才一个多小时后就回来了。脸上阴云密布。他和他的弟弟妹妹吓得大气儿都不敢出一口。然而父亲并没问玻璃刀的事，只不过仰躺在床上，闷声不响地接连吸烟……

下午，父亲将他和弟弟妹妹叫到跟前，依然阴沉着脸但却语调平静地说："镶玻璃这种营生是越来越不好干了。哪儿哪儿都停产，连玻璃厂都不生产玻璃了。玻璃匠买不到玻璃，给别人家镶什么呢？我要把那玻璃箱连同剩下的几块玻璃都卖了。我以后不做玻璃匠了，我得另找一种活儿挣钱养活你们……"

他的父亲说完，真的背起玻璃箱出门卖去了……

以后，他的父亲就不再是一个靠手艺挣钱的男人了，而是一个靠力气挣钱养活自己儿女的男人了。他说，以后他的父亲做过临时搬运工，做过临时仓库看守员，还做过公共浴堂的临时搓澡人：居然还放弃一个中年男人的自尊，正正式式地拜师为徒，在公共浴堂里学过修脚……

而且，他父亲的暴脾气，不知为什么竟一天天变好了，不管在外边受了多大委屈和欺辱，再也没回到家里冲他和弟弟妹妹宣泄过。那当父亲的，对于自己的儿女们，也很懂得问饥问寒地关爱着了。这一点一直是他和弟弟妹妹们心中的一个谜，虽然都不免奇怪，却并没有哪一个当面问过他们的父亲。

　　到了我的朋友三十四岁那一年也就是九十年代初，他的父亲因积劳成疾，才六十多岁就患了绝症。在医院里，在曾做过玻璃匠的父亲的生命之烛快燃尽的日子里，我的朋友对他的父亲孝敬倍增。那时，他们父子的关系已变得非常深厚了。一天，趁父亲精神还可以，儿子终于向父亲承认，二十几年前，父亲那一把宝贵的玻璃刀是自己弄坏的，也坦白了自己当时那一种卑劣的想法……

　　不料他父亲说："当年我就断定是你小子弄坏的！"

　　儿子惊讶了："为什么父亲？难道你从地上找到了……那么小那么小的东西啊，怎么可能呢？"

　　他的老父亲微微一笑,语调幽默地说："你以为你那种法子高明啊？你以为你爸就那么容易受骗呀？你又哪里会知道，我每次给人家割玻璃时，总是习惯用大拇指抹抹刀头。那天，我一抹，你粘在刀头上的玻璃碴子，扎进我大拇指肚里去了。我只得把揣进自己兜里的五角钱又掏出来退给人家了。我当时那种难堪的样子就别提了，好些个大人孩子围着我看呢！儿子你就不想想。你那么做，不是等于要成心当众出你爸爸的洋相么？……"

　　儿子愣了愣，低声又问："那你，当年怎么没暴打我一顿？"

　　他那老父亲注视着他，目光一时变得极为温柔，语调缓慢地说："当年，我是那么想来着。恨不得几步就走回家里，见着你，掀翻就打。可走着走着，似乎有谁在我耳边对我说，你这个当爸的男人啊，你怪谁呢？

你的儿子弄坏了你的东西不敢对你说，还不是因为你平日对他太凶么？你如果平日使他感到你对于他是最可亲爱的一个人。他至于那么做吗？一个十四岁的孩子，那么做成是容易的吗？换成大人也不容易啊！不信你回家试试，看你自己把玻璃捣得那么碎，再把那么小那么小的玻璃碴粘在金属上容易不容易？你儿子的做法，是怕你怕的呀！……走着走着，我就流泪了。那一天，是我当父亲以来，第一次知道心疼孩子。以前呢，我的心都被穷日子累糙了，顾不上关怀自己的孩子们了……"

"那，爸你也不是因为镶玻璃的活儿不好干了才……"

"唉，儿子你这话问的！这还用问么？……"

我的朋友，一个三十五六岁的儿子，伏在他老父亲身上，无声地哭了。

几天后，那父亲在他的两个儿子一个女儿的守护之下，安详而逝……

我的朋友对我讲述完了，我和他不约而同地吸起烟来，长久无话。

那时，夕照洒进屋里，洒了一地，洒了一墙。我老父亲的遗像，沐浴着夕照，他在对我微笑。他也曾是一位脾气很大的父亲，也曾使我们当儿女的都很惧怕。可是从某一年开始，他忽然似的判若两人，变成了一位性情温良的父亲。

我望着父亲的遗像，陷入默默的回忆——在我们几个儿女和我们的老父亲之间，想必也曾发生过类似的事吧？那究竟是一件什么事呢？——可我却没有我的朋友那么幸运，至今也不知道。而且，也不可能知道了，将永远是一个谜了……

"野草根"祭

"二……二……二小……走……了……"

电话里,从哈尔滨那端,传来二小的哥哥大小口吃的声音。很轻,但清楚,似乎就在我家的楼外给我打电话。

那是春节长假结束不久的一天。夜里我被颈椎病折磨得翻来覆去,天亮后头晕沉沉的。十点多钟,又平躺在硬板床上。电话铃响了几下,我懒得接,它也就不再吵我。不料我将要睡去,又响了……

头还在晕。

我微闭着双眼问:"走了?哪去了?……"

北方民间有句俗话是:"破车子,好揽载。"

指的便是我这一种人。

我常想,自己真的就仿佛一辆破车子,明明载不了世上许多愁,许多忧,些个有愁的人,有忧的人,却偏将他们的愁和他们的忧,一桩桩一件件放在我这辆破车子上,巴望我替他们化之解之。

而我,只不过是个写小说的,哪里能改善"草根族"们的生存难题呢?

但我又清楚,除了我,他们也没谁可求了。

我同时清楚,他们开口求我之前,内心里其实是惴惴不安的。他们也明白我其实并没多大的能力。他们往往是在山穷水尽的情况下,向我

176

发出最后的求援吁呼。好比溺水之人，向岸上的人们伸最后一次手。而我，乃是岸上的人们中，和他们有种种撕扯不开的故旧关系的一个。倘我不相应地也伸出手去，他们就会放弃挣扎。我伸出我的手，他们便会再扑腾一会儿。我虽多次伸出过自己的手，却没有一次真正握住过他们谁的手，一下子将谁从生存的灭顶之灾拉上岸过。他们的命况出了转机，主要还是靠自己的不甘沉没救了自己。

"别急，让我们一块儿来想想办法！"

"天无绝人之路，我将尽力而为！"

这是我每说的话。

而就意味着我作了承诺。于是便揽了一件难事。于是自己便有了种烦和忧。于是，也便似乎有了责任和义务。

我第一次听到"草根族"这一种说法，是十几年前的事。一位从国外进修电影回来的朋友说的。他对我的一篇小说发生兴趣，改编成了电影剧本，并且决心一试牛耳，亲自执导。那剧本就起了个名是《野草根》。

我问：为什么起这么一个名字？

他说：你小说写的是底层民生形态啊。

我说：那就叫《底层》不好么？

他认为太直白了，没意味。

我说：高尔基曾写过一部话剧剧本，便是以《底层》这一剧名公演的。

他说：国外目前将底层民众叫草根族，你的小说反映的是底层的底层的民生，自然死活于社会关怀半径以外的群体，所以该叫《野草根》，我挺欣赏我起的名字的，你依我吧！

我见他那么坚持，依了他。

但他没拍成，剧本审查时被枪毙了。在我预料之中，在他预料之外。

后来，中国对于底层的底层之民众，有了比较人情味的一种说法，叫"弱势群体"。这说法中包含着关注与体恤的意思。然而依我的眼看来，中国之"弱势群体"，或曰"野草根"族，似乎不是在减少着，而是在增多着。有时，则减与增的现象并存，这一行业在减着，那一行业在增着；此地减，彼地增。而谁一旦被列入增数里，谁的命况也就比底层更低了一层。谁也就由"草根族"而"野草根"了……

二小是"野草根"二十余年了。死前无栖身之所，自然也就没家。还往往没工作。其实只有小学文化的二小，除了摆摊，要在当今职业竞争严酷的社会找到一份能相对干得长久的工作，几乎是不可能的。

我的父母去世以后，我将我的哥哥从哈尔滨的一所精神病院接到北京。我不想哥哥在精神病院度过一生，所以在西三旗买了房子，决心给哥哥一个属于他自己的家。我在那样打算时，心中便想到了二小。我的哥哥是由我的四弟和二小护送至北京的。

我当时对二小说："这儿既是大哥的家，也是你的家。你和大哥，以后相依为命吧！我把大哥托付给你照顾最放心。"

三室一厅敞敞亮亮的房子，一切家具皆新。电视机、影碟机、冰箱、洗衣机，应有尽有。还有电子琴，还有空调，还有摆满了书的书橱，还有文房四宝，还有象棋、围棋和扑克……

我的哥哥和二小喜出望外，高兴得合不拢嘴。

我给二小每月的工资是七百元。

生活费由我来负担。哥哥吸烟很凶，二小也是烟民，且有那么点儿酒瘾。

我说："二小，这都没关系的。只要适量，不危害身体。烟酒你千万不要花自己的钱买，二哥会经常给你们送来，断不了你们的就是。你的工资基本不必动，存着，一年就是八千多。几年后，二哥再支援你一笔钱，你也算有点儿小小的本钱可以去扑奔你的人生了！"

二小诺诺连声。

从此我觉少了两份心事。一份是牵挂于我的哥哥；一份是牵挂于二小。两份心事，都曾使我彻夜难眠过。

二小对我的哥哥照顾得很好。凭良心讲，比我这个当亲弟弟的做得还好。我对二小的感激也常溢于言表。那小区有人曾私下向我告二小的状，说哪天哪天，二小将我的哥哥锁在家，自己去小饭店里喝酒；哪天哪天，十点以后，二小才从外边回小区。言下之意，是二小不定往什么不干净的地方鬼混去了。

而我总是笑笑。

终日与我的哥哥相厮守，我理解二小那一份大寂寞。尽管我常去陪他们住。

我便每每提醒二小：北京和别的城市一样，也有进行非法勾当和肮脏交易的场所，也有专布泥潭设陷阱诱别人入彀的阴险邪佞之徒，要善于识别，避免沾染其污其秽。

二小便也每诅咒发誓般地回答："二哥，我能做让你失望的事么？"

二小确实没做过那样的事。起码在北京是没做过的。起码，没使我起过疑心。

有人又背地里向我告他的状，说他剪一次发花了八十多元。

我便问他："二小，你的头发，是花八十多元剪的么？"

二小说："是啊，二哥。"

我又问："头发不过就是一个人的头发。咱们男人，花那么多钱剪一次发干什么呢？"

二小说："二哥，我才四十多岁，头发就快白一半了。不染，我自己照镜子的时候都觉得伤心。用好点儿的染发剂，就那个价。"

我想了想，掏出一百元钱给二小。

我说："二哥是舍不得你花自己的钱。你以后剪发的钱，二哥补贴给你就是了。"

二小哪里肯接呢！

我逼他收下，并说："就这么定了。"

半年后，二小带我的哥哥回了一次哈尔滨，我给他带上了两千元钱。十天后，二小和我的哥哥回北京，两千元全花光了。

我的弟弟妹妹因而对我有看法，抱怨二小花钱太大手大脚了。

我说："我们的哥哥三十余年在精神病院，几乎没快乐过。二小二十余年人生无着落，受了不少苦。哥哥是我们的手足，二小是老邻居的孩子，我和你们都因有家庭有工作而不能全身心照顾哥哥，二小替我们照顾着了。我认为他照顾得很好，我们应该永远感激二小。平均下来，他和大哥，也不过每人每天才花一百多元。不算多。不能以平常过生活的标准要求他们这一次的花费。"

二小回到北京，内疚地对我说："二哥，我花钱花得太冒了，连车票都是借钱买的，你扣我一月工资吧！"

我说："别胡思乱想。车票钱，二哥还。但你以后应该明白，二哥虽有些稿费收入，却来之不易啊！何况我也不是为了稿费才写作。总之我认为，节俭是美德。你不是靠技能挣钱的人，花钱大手大脚，会给别人不好的印象。"

二小脸红了。

我若批评二小，一向点到为止。

二小对我的话，也从不当耳旁风，一向铭记于心。

这使我欣慰。

一年多以后，二小有日忽然对我说："二哥，你救人就救到底吧？"

我不禁一怔。

二小紧接着说："二哥，给我找个老婆，替我成个家吧！"

我沉吟起来。

"二哥，求求你了！我都四十多岁了，还不知道女人的滋味啊！我有时喝酒，那是借酒浇愁呀！"

我心一阵难过。

我说："那你们住哪儿呢？"

二小说："这不三个房间么？我们两口子一间卧室！大哥一间；空一间你来时住，我们永不侵占。"

我说："二小，像你目前这种情况，哪个能自食其力的女人肯嫁给你呢？如果你们以后有了孩子，如果以后你们一家三口再陷入生活的困境，我除了赡养大哥，除了周济弟弟妹妹，再负担起对你们一家三口的责任来，二哥还有一天安心的日子过么？别忘了，二哥也五十多岁了。你断不可以有一生依赖于我的念头！二哥请你来照料大哥，不过是权宜之计。对你是，对大哥也是。大哥今后还是要由我来陪过一生的。而你，要在五年内攒下笔钱，也要养好身体。五年后，你才四十七八，身体健康，到时二哥再帮你一笔钱。那时，你考虑成家不迟啊！……"

二小于是默然，也有几分怅然快快然。

我这辆"破车子"，已越来越感超载的滞重，实在不敢再让二小拖家带口地坐在我这辆"破车子"上了。那么一种情形，我连想一想都慌恐。

那一年的春节刚过，大小突然来到北京，预先也没打个招呼。

两天后，我被二小找去，说有急事。

见了面，兄弟俩坐我对面，大小给了我一张诊断书，郁郁地说："二哥你看咋办？"

那诊断书上写着：二小的肺结核又复发了，且正有传染性。

大小将二小接回了哈尔滨。

我给他们带上了一万元钱。

几天后，我说服哥哥，住进了朝阳区的一家精神病托管医院。

半个月后，惦着二小，又托人捎回了五千元钱。

一个月后，二小从哈市郊县的一所医院来电话，说住院费每天就得三百多元。

我明白他的意思，再次电汇五千……

又住院了的哥哥，我每去看他，他总说："二小怎么还没从哈尔滨回来？写信告诉他，我想他了，让他快回北京来接我出院。"

我说："哥呀，二小的病还没养好啊！怕他传染你啊！"

哥哥说："我不怕。写信太慢了，打电话催他回来！我不怕传染上肺结核。"

我暗想，我的老哥哥呀，你不怕，我怕啊！你精神不好，再患上肺结核，连住院都没医院收了，我可该怎么办？……

再后来好长时间没有了二小的音讯。

再再后来，听说他在这儿或那儿干点儿活。

别人曾替我分析，说二小兄弟俩的话未必全可信。暗示我那也许是他们兄弟俩做的一个圈套，多骗我些钱去先花着……

我不信。

我始终觉得二小他本质上是我家老邻居的一个好孩子。始终认为他的心地是善良的。

我相信我的感觉。

即使他们真的骗了我，我也宁愿原谅他们。因为那肯定的是由于他们面临难言的困境。

终于有一天我接到了二小的电话，他说他找到了一份工作，挣钱很少。

我问多少钱？

他说才三百多元。

我问累不累？

他说倒不累，替人看一个摊子。

我问住哪儿？

他说还能住哪儿呢？又厚着脸皮住妹妹家了呗！

他说："二哥，我想回北京，还照顾大哥。"

我说："二小呀，大哥刚刚适应了医院，出出入入，一反一复的，对大哥的病情不好啊！"

电话那一端，二小沉默良久后，低声问："二哥，你是不是不想管我了？"

这一问，也将我问得不禁沉默了片刻。

"二哥，你要不管我，我活着就没什么指望了。"

二小的声音，悲悲切切。

我反问："二小，缺不缺钱？"

二小说："二哥我给你打电话不是要钱的意思。你寄来的钱，我还有两千多元没花。"

我说："二小，听着。一名下岗工人的最高抚恤金,也不过三百多元。而且他们有子女，要供子女上学。你挣的确实少，但你毕竟已开始自食其力。这是你在社会上的起点。你应该坚持一个时期。如果你确实缺钱了，就打电话告诉二哥。但别一开口五万十万地要。那二哥给不起。二哥出一本内容全新的书，也不过才三万左右的稿费。但五千六千二哥是舍得寄给你的。而且，依二哥算来，当可使你过上半年。市郊租一间有家具的小房，不过二百元；一个人每月四百元生活费，也算可以了。所以，我再给你寄钱，半年内如果没有特殊情况，你就不应该再开口向我言钱。相当一个时间内，二小你一定要学会节俭地活着。你照顾大哥的一年多，二哥曾给你开的工资，你是怎么都花掉的呢？……"

那一天，我在电话里批评了二小。

最后我说："我不愿你流落街头。但哪一天你真的陷入绝境，那也不要怕，有你二哥呢！"

二小在电话那端情绪乐观了。

他说："二哥，这我就放心地活着了。"

后来大小来电话麻烦我，我关心地问起二小，他说二小在烧锅炉，一个月挣四五百了。

我说了那不是很累的话么？他是肺结核病人，怎么干得了呢？

大小说：现在取暖都改烧油了，不烧煤了，不累。但是责任大，要留心看仪器……

我心遂安。

……

又很久没有二小的消息了。

我想，他在社会上四处乞讨似的讨的只不过是一种能够生存下去的最低等的机会而已。最终恐怕还是觉得，陪伴一个老邻居家的患了三十余年精神病的大哥，依赖一个写小说的二哥提供住处和饭食，并每月给开七百元"工资"，对于他更是一种较好的活法。即使一辈子。即使我这位"二哥"曾明确告诉他，指望我给他娶个老婆成个家，是多么不现实的念头。

但我却不像他那么想。我一直很理性地认为，陪伴我的哥哥无论对于二小还是对于我的哥哥，都只能是一个时期内的事。当时二小瘦得可怜，身体状况看去比我的哥哥还差。倘我不做出那一种安排，他是活不了多久的。事实上他当时正是处于人生的绝境。

我希望他早有人生的另外一种出路，而我的哥哥的余生由我来负责。

我觉得他总算是找到了出路。

所以当大小在电话的那一端告诉我"二小走了"，我一时不能明白大小的话，以为二小不干那份烧锅炉的活，离开哈尔滨到外地谋另一种人生去了。

我竟有些生气，又说："那活不是不累么？不是工资也不算低么？不是还有住处么？他跟你商议了么？你也同意他走了么？……"

我接连问过之后，大小在电话那端沉默。

"你怎么不说话？"

我断定大小也是同意了的，直想在电话里冲大小发火。

不料大小想快而快不了地回答："二……二小……死……死了……我……我们刚……刚把他……火化……"

我一时握着话筒呆住。头也突然的不晕沉了。如同被医术很高的中医师，将一枚银针深深地捻入我足以使头脑清醒的穴位。它仿佛扎在我一根极敏感又脆弱的神经上了。那一根神经每使我对生死之真相陷于宿命的悲观。

大小的声音，听来平静。似乎在通知我一件纠缠了他很久也使他很累很无奈而原本不过是"死马当做活马医"之事终于彻底结束，一了百了。

"野草根"们的亲情，并不像我从前想象的那样反而更加温爱更加密切。事实上好比干旱来临时非洲原野上的野生动物，各顾各成了一种不二法则。

我低声问："怎么才告诉我？"

连自己都听出了只不过是自言自语。

大小反问："二哥，早两天告诉你，你能为二小回哈尔滨么？"

声音仍那么的平静。

奇怪，这话，大小倒说得一点儿都不口吃了。仿佛是背了一百遍的一句证词。

我，只有缄默。

大小告诉我，二小是这么死的——端着他的一大瓶茶水，下什么跳板，一失足，从高处摔下，头脑撞磕于水泥台的尖角，在医院里躺了三天，头肿大得不成样子，三天后就死了。

死前，嘴里还念叨着："北京，大哥，二哥……"

我心一阵酸楚。

……

现在，二小已经死了两个多月了。

我去医院探视我的哥哥，他必问："给二小打电话了么？他什么时候来北京？不是让你告诉他我不怕传染上肺结核么？……

我只有支吾搪塞而已。

野草根，野草根，野草根啊，人命一旦若此，那是如我这样的一个写小说的"二哥"，既陪伴不起，也实际上安慰不了的。

有时我放眼我们这个有着十三亿之众的国家，"草根族"竟比比皆是起来；似乎，还在一茬一茬地增多着。

而我，由于来自于他们，便从根上连着他们的根。斩不断，理还乱。优越于他们，却也只有徒自地优越于他们，并一再地辜负于他们。

我这辆"破车子"，怎载得了人世间许多困苦艰难？

也只有写下些劳什子文字，祭我和他们曾经同根的那一种破絮般的人生之缘，并安慰一下自己的无能为力……

老妪

那是一个卖茶蛋的老妪。在十二月的一个冷天。在北京龙庆峡附近。儿子须作一篇"游记",我带他到那儿"体验生活"。

卖茶蛋的皆乡村女孩儿和年轻妇女,就那么一个老妪,跻身她们中间,并不起劲儿地招徕。偶发一声叫卖,嗓音是沙哑的。所以她的生意就冷清。老妪锅里的茶蛋未见得比别人锅里的小。我不太能明白男人们为什么连买茶蛋还要物色女主人。

老妪似乎自甘冷清,低着头,拨弄煮锅里的蛋。时时抬头,目光睃向眼前行人,仿佛也只不过因为不能总低着头。目光里绝无半点儿乞意。

我出于一时的不平,一时的体恤,一时的怜悯,向她买了几个茶蛋。活在好人边上的人,大抵内心会生发这种一时的小善良,并且总克制不了这一种自我表现的冲动。表现了,自信自己仍立足在好人边上,便获得一种自慰,和证明了什么的心里安泰感和满足感……

老妪应找我两毛钱,我则扯着儿子转身便走,佯装没有算清小账。儿子边走边说:"爸,她少找咱们两毛钱。"我说:"知道。但是咱们不要了。大冷的天她卖一只茶蛋挣不了几个钱,怪不易的……"于是我向儿子讲,什么叫同情心,人为什么应有同情心,以及同情心是一种怎样的美德等等……

两个多小时后，我和儿子从公园出来，被人叫住——竟是那老妪，袖着双手，缩着瘦颈，身子冷得佝偻着。

"这个人，"她说，"你刚才买我的茶蛋，我还没找你钱，一转眼，你不见了……"

老妪一只手从袖筒里抽出，干枯的一只老手，递向我两毛钱，皱巴巴的两毛钱……

儿子仰脸看我。

我不得不接了钱。我不知自己当时对她说了句什么……

而公园的守门人对我说："人家老太太，为了你这两毛钱，站我旁边等了那么半天……"

我和儿子又经过买茶蛋的摊行时，见一老叟，守着他那煮锅。如老妪一样，低着头，摆弄煮锅里的蛋。偶发一声叫卖，嗓音同样是沙哑的。目光偶向眼前行人一睃，也只不过是任意的一睃，绝无半点儿乞意。比别人，生意依旧冷清……

人心的尊贵，一旦近乎本能的，我们也就只有为之肃然了。我觉得我的类同施舍的行径，实在是很猥琐的……

歌者在桥头

我有点儿拿不准该怎么叫他，就是那我见过多次的瘦脸的青年；倘在从前，比如四九年以前吧，我若叫他卖唱的那是绝对没叫错他的。但我要是那么叫他，则今天一概的歌星们，似乎便也都成了卖唱的了，所以我不愿那么叫他。那么叫他，对他是多么地不敬；而我，起初只不过默默地欣赏他，后来，竟生出一种挥之不去的敬意了。

我家附近有条小河，两畔皆公园，对于城市而言，确乎算得上是两处风景区了。一年四季，那里是周边居民流连忘返的地方。尤其从五月至十月的半年，又尤其在傍晚，简直可以用游人如织来形容。小河上有数座桥，其中一座桥被马路贯通，自然车来车往。但桥面并不因而全都成了马路的路面，马路两旁的人行道也从桥上延伸而过，每一边的人行道都有三米左右宽，于是成了小摊贩们摆摊的宝地。小摊贩们偏偏选择在那儿卖些小东小西是有他们的道理的，那儿有公园的一处入口，进出之人络绎不绝。事实上那里是禁止摆摊的，然而我们都知道的，小摊贩们想要赚点儿钱贴补家用的决心都是很坚定的，于是那桥头便成了他们与城管人员的心理博弈之地。某一时期小摊贩们占上风，某一时期城管人员占上风。今年的六七月份，小摊贩们占了上风。就是在那两个月里，我多次见到那瘦脸的青年。

偶尔，我也是喜欢散步的。一日傍晚，我正在河畔走着，忽被一阵歌唱之声吸引。那首歌我十余年前是听过的，当年挺流行，我也很喜欢。但歌名却不记得了。至于歌词，也仅记得一句而已，便是"家乡才有美酒才有九月九"。听到久违了又曾喜欢过的歌，我的心情因之一悦。然而我听出不是谁放的录音，分明是有人在用麦克高唱。并且，依我听来，唱歌的人嗓音不错，唱的水平也几近专业。出于好奇，我循声而去，至桥头，见唱歌的人是一个瘦脸青年。天已经黑了，白天的暑热却一点儿也没降，估计还有三十度高。一概的人们，皆穿得短而薄。有的男人，着短裤，趿拖鞋，手持大扇，边走边忽搭忽搭地扇。相形之下，那瘦脸的青年，实在是穿得太与众不同了。他穿一套绿军装，非是正规军装，是摊上买的那种。脚上是一双解放鞋。那是我年轻时春夏秋三季常穿的鞋。在气温三十度左右的那个晚上，不出汗的脚穿一双解放鞋，一会儿工夫那也会捂出两脚汗来。解放军而穿解放鞋，同时是穿吸汗性良好的棉线袜的。他提起裤腿挠了一下脚踝，我见他根本什么袜子也没穿。他头上还端端正正地戴着一顶绿军帽，也非是真正的军帽，同样是摊上买的那种。桥头有路灯，在灯辉下，我见他脸颊上淌着汗。他的脸形瘦得使我联想到一个印象深刻的人，一个前苏联的青年——保尔·柯察金。他的眼睛也像保尔那双眼睛那么大。帽檐下，那双眼睛被桥头灯的灯辉映得亮晶晶的。有灯也罢，无灯也罢，人一过了朝气蓬勃的青春期，眼睛就再也不会那么明亮了。我看不出他是否是一个朝气蓬勃的青年，但他唱得朝气蓬勃，而且，感情饱满：

　　又是九月九重阳节难聚首，

　　思乡的人儿漂流在外头。

　　又是九月九愁更愁情更忧，

回家的打算始终在心头……

我觉他唱得好极了。

那么，他真的是一个卖唱的青年么？

真的是。桥面两侧的人行道上聚满了人。看去，大抵都是在北京打工的人，都一动不动地听他唱。那一时刻，除了有车辆从桥上驶过发出声响，除了他在唱歌，可以说周围一片安静。连小贩们，也停止了叫卖。

然而，听他唱歌的人，并没谁丢钱给他。这是他与卖唱者的区别。只有当别人也想唱时，才须付钱给他。于是他将话筒恭恭敬敬地递给别人，之后深鞠一躬，大声说谢谢。说得真挚。桥头停着一辆经过改装的三轮脚踏车，车上是边角严密的铁皮箱，有门可以双开对关；箱内是一台二十几英寸的电视，电视上是卡拉 OK 装置。别人要点唱什么歌，由他代为调出。他实际上是在出租设备，用他的麦克，用他的设备唱一首歌两元钱。他所服务的对象是些和他一样的外地青年。他们是进不起北京的歌厅的，但他们既为青年，某时某刻，肯定也会产生想唱一首歌的冲动的。他显然了解此点。也显然的，自以为发现了所谓商机。大概，还希望通过这一种亚文艺性的谋生手段掘到第一小桶金吧？他唱，分明是企图通过自己的歌声激发起别人也想唱歌的兴致，但那一个晚上，事实证明他的想法大错特错了。因为他唱得那么好（在我听来唱得那么好），别人在他唱完之后，反倒缺乏勇气当众唱了。只有一个小伙子和一个姑娘向他讨过了麦克。小伙子勉强唱罢一首，任凭他再三鼓励，怎么也不肯唱第二首了。姑娘连一首也没唱完就将话筒还给他了。他呢，躬也鞠过了，谢也说过了，还将两元钱退给那姑娘了。姑娘不肯接，他硬塞到人家手里了……

我听到有人议论：

"唱得还不赖，可我不喜欢他那身打扮！"

"那叫行头！为了引人注意呗。"

"八成也为了省钱。可惜没什么公司包装包装他，要是有，不久又多一歌星！"

站在我旁边的居然是两名城管人员，一个年轻，一个中年。

年轻的问中年的："管不管？"

中年的说："该管则管，不该管别管嘛。"

"到底管不管？"

"起码现在先别管。"

两名城管人员一块儿走了。

那歌者，也就是那瘦脸的青年，见冷场了，一时有点儿不知所措。

突然有人高叫："再来一首！"

于是，竟响起一阵掌声。

青年四面鞠躬，接着唱起了李白的《静夜思》：

床前明月光，

疑是地上霜……

他唱出了一种如诉如泣的意味。斯时，一轮明月悬于桥头上空，我见有人不禁地仰起了脸……

那晚，我听他接连又唱了五六首歌才离开。我离开之前，他再没挣到一份儿钱，但掌声又响起了几次……

我回到家，见电视里也有歌星们在唱。他们身着的演出服华美夺目，他们背后的布景红烟紫气，叹为观止。他们都比那桥头歌者唱得好听，可不知为什么，萦绕在我耳畔的，却依然是那桥头歌者的歌声。

连续数日，每晚我都去到那桥头，每晚都能听到那青年歌者唱几首歌。我听到的议论也多了，对那青年歌者的了解也多了。

有人说他会唱一百几十首歌……

有人说他曾当过挖煤工，遭遇塌方，砸伤了腿，而煤窑主逃了，他没获得补偿……

有人说他还在一部什么电视剧中演过一个戏份不少的瘸腿的群众角色；但不知何故，那部电视剧一直没播出……

肯向他讨过麦克唱歌的人竟也渐多，他的生意也就自然好起来了。然而，两元两元地挣钱，好起来了也分明是挣不到几多的。

某晚，人们都散去了，他正要蹬上车离开时，我见那两名城管人员又出现了。

中年的城管人员问他："挣够路费了吧？"

他点头。

年轻的城管人员说："'十一'快到了，你还是趁早离开北京吧。以后我们再不管你，我们可就太失职了！"他点头。

后来有一天晚上九点多时，下起了一场瓢泼大雨。我伫立家窗前看雨，似乎听到他的歌声。起初我以为自己是在幻听，但他的歌声持续不断，东一句西一句的。我疑惑，推开了窗子。不是似乎，果然是他在唱！

天上有个太阳，

水中有个月亮，

我不知道我不知道我不知道……

他唱的还是根据我的小说《雪城》改编的同名电视剧之插曲！

他已不是在唱歌，而是在喊歌。

我不但疑惑，以至于惊诧了。寻到伞，打算到桥头去看究竟。突然的，他的声音中断了。我愣了愣，没出门。

　　第二天早晨，天气晴好。我怀着满腹疑惑，匆匆走到了那座桥头。桥头已经聚了不少人，围着一地碎玻璃。

　　人们议论纷纷：

　　"一掉雨点儿，咱们不都散了吗？就那疯子没走，拽住他非要他再唱。疯子说他如果不唱，自己就跳河。这河水两米来深，疯子真跳下去，那还不淹死啊？……"

　　"疯子？……"

　　"那几天总蹲这儿听他唱歌的那个疯子嘛！不少人都注意到过那疯子，你没注意到过？"

　　"你也走了，怎么会知道走后的事？"

　　"我听路对面那杂货铺子的主人说的。他站在门口，把事情经过全看在眼里了！为了那疯子不跳河，他就一直唱。疯子和他，都淋得落汤鸡似的！杂货铺子的主人终于被他唱明白了，赶紧拨打110。可警车来晚了一步，疯子捡块砖砸了他的电视，还把他的头拍出血了……"

　　……

　　如今，桥头已被围上了美观的栏杆，摆摊已成严禁之事。

　　我，也再没见过那瘦脸的、瘸腿的青年歌者。不知他还会不会出现在北京？

　　不知他又在哪一座城市以他那一种方式挣钱？

　　如果确有所谓上帝的话，我愿上帝眷顾于他。

　　上帝岂可抛弃好人？……

羊皮灯罩

此刻，羊皮灯罩拎在女人手里，女人站在灯具店门外，目光温柔地望着马路对面。过街天桥离地不远横跨马路。天桥那端的台阶旁是一家小小的理发铺。理发铺隔壁，是一间更小的板房，也没悬挂什么牌匾，只在窗上贴了四个红字"加工灯罩"。窗子被过街天桥的台阶斜挡了一半，从女人所伫立的地方，其实仅可见"加工"二字。

女人望着的正是那扇窗，目光温柔且有点儿羞赧，还有点儿犹豫不决。她已经驻足相望了一会儿了。她似乎无视马路上的不息车流，耳畔似乎也听不到都市的喧杂之声。分明的，她不但在望着，内心里也在思忖着什么。

这一天是情人节。

女人另一只手拿着一枝玫瑰。

太阳在天空的位置刚刚西偏。一个难得的无风的好天气。春节使过往行人的脚步变得散漫了，样子也都那么悠闲。再过几天，就是这女人二十九岁生日了。在城市里，尤其大都市里，二十九岁的女人，倘容貌标致，倘又是大公司的职员，正充分地挥发着"白领丽人"既妩媚又成熟的魅力。

这二十九岁的来自于乡下的女人，虽算不上容貌标致，但却幸运地

195

有着一张颇经得住端详的脸庞。那脸庞上此刻也呈现着一种乡下水土所养育的先天的妩媚，也隐书着城市生活所造就的后天的成熟。只不过她这一辈子怕是永远与"白领丽人"四字无缘了。因为她在北京这座全中国生存竞争最为激烈的大都市拼打了十余年，刚刚拼打出一小片属于自己的天地——一个雇了两名闯北京的乡下打工妹的小小包子铺。在那两名打工妹心目中，她却是成功人士，是榜样。她的业绩对她们的人生起着她自己意想不到的鼓舞作用。

她今天穿的是她平时舍不得穿的一套衣服。确切地说那是一套咖啡色的西服套装。对于一个二十九岁的女人，咖啡色是一种既不至于使她们给人以轻浮印象，也不至于看去显得老气的颜色。而黑色的弹力棉长袜，使她挺拔的两条秀腿格外引人注目。她脚上穿的是一双半高跟的靴子，脸上化着淡淡的妆。总之在北京二月这一个朗日，在知名度越来越高地影响着中国人的情人节的下午，这一个左手拎着一盏羊皮灯罩，右手拿着一枝红玫瑰，目光温柔且羞赧地望着马路对面那扇窗的，开家小小包子铺雇两名乡下打工妹的二十九岁的女人，要踏上离她不远的过街天桥"解决"一件对女人来说比男人尤其重大的事情。那件事有的人叫做"爱"，有的人叫做"婚姻"。

其实她并不犹豫什么，也对结果抱着感觉特别良好的预期。她非是一个脱离现实的女人。北京对她最有益的教诲那就是——任何时候任何情况之下，都千万别变成一个脱离现实的人而自己懵懂不悟。她那一种感觉特别良好的预期，是马路对面那扇窗内的一个男人，不，一个青年的眼睛告诉给她的。尽管她比他大五岁，她却深信他们已心心相印。那是一双怎样的眼睛啊！充满自尊，也有点忧郁。对于那样一双眼睛，爱是无须用话语表达的。

灯具店的售货员要将她买了的羊皮灯罩包起时，她说不用。

"拎到马路对面去进行艺术雕刻吧？"

她点了一下头，一时的脸色绯红。

"凡是到我们这儿买这一种羊皮灯罩的，十有六七都拎到马路对面去加工。那小伙子特有艺术水平，不愧是专科艺术院校的学生。唉，可惜了，要不哪会沦落到那种……"

她怕被售货员姑娘看出自己脸红了，拎起羊皮灯罩赶紧离开。

一男一女从那小屋走出，女人所拎和她买的是一模一样的羊皮灯罩。女人将灯罩朝向太阳擎举起来，转动着，欣赏着。男人一会儿站在女人左边，一会儿站在女人右边，一会儿又站在女人背后，也从各个角度欣赏。隔着马路，她望不到人家那羊皮灯罩上究竟刻着什么图案或字。却想象得到，对着太阳的光芒欣赏，一定会给人一种比灯光更美好的效果。艺术加工过的羊皮灯罩，内面是衬了彩纱的。或红、或粉、或紫、或绿，各色俱全，任凭选择。那男人一手搂在女人肩上，当街在女人颊上吻了一下。她想，如果他们不满意，是不会当街有那么情不自禁的举动的。于是她内心替那扇窗里的青年感到欣慰，甚而感到自豪。望着那一对男女坐入出租车，她不再思忖什么，迈着轻快的步子踏上了天桥台阶……

半年前的某日她到工商局去交税，路过马路对面那扇窗。突然的，玻璃从里边被砸碎了，吓了她一大跳，紧接着传出一个男人的叫嚷声："你算什么东西？你怎么敢不经我们的许可给加了一个顿号？！你今天非得用数倍的钱赔我这灯罩不可！因为我的精神也受损失了！……"

于是很多行人停住了脚步。她也停住了脚步，但见小屋内一个衣着讲究的男人，正对一个坐在桌后的青年气势汹汹。男人身旁是一个脂粉气浓的女人，也挑眉瞪眼地煽风点火："就是，就是，赔！至少得赔五倍的钱……"

坐在桌后的青年镇定地望着他们，语调平静而又不卑不亢地说："赔是可以的。赔两个灯罩的钱也是可以的。但是赔五个灯罩的钱我委实赔不起，那我这一个月就几乎一分不挣了……"

同是外乡闯北京之人，她不禁地同情起那青年来，也被那青年清秀的脸和脸上镇定的不卑不亢的神情所吸引。在北京，在她看来，许许多多男人的脸，都不同程度地存在着酒色财气浸淫和污染的痕迹，有的更因是权贵是富人而满脸傲慢和骄矜，有的则因身份卑下而连同形象也一块儿猥琐了，或因心术不正欲望邪狞而样子可恶。她的眼前大都市里的形形色色的男人形形色色的脸已极富经验，但那青年的脸是多么的清秀啊！多么的干净啊！是的，清秀又干净。她只有小学五年级文化。清秀和干净四字，是她头脑中所存有的对人的面容的最高评语。她认为她动用了那最高评语是恰如其分的。

人们渐渐地听明白了——那一对男女要求那青年在他们的羊皮灯罩上完完整整地刻下苏轼的一首什么似花非花的词，而那青年把其中一句用标点断错了。一位老者开口为青年讨公道。他说："没错。苏轼这一首词，是和别人词的句式作的。'恨西园、落红难缀'一句，之间自古以来就是断开的。"

那青年说："我就是这么告诉他们的。"语调仍平静得令人肃然起敬。

那男人指着老者说："你在这儿充的什么大瓣蒜，一边儿去。没你说话的份儿！"——他口中朝人们喷过来阵阵酒气。

老者说："我不是大瓣蒜。我是大学里专教古典诗词的教授。教了一辈子了。"

那女人说："我们是他的上帝！上帝跟他说话，他连站都不站起来一下！一个外地乡巴佬，凭点儿雕虫小技在北京混饭吃，还摆的什么臭架子！"

这时，理发铺里走出了理发师傅。理发师傅说："刚才我正理着发，离不开。"说着，他进入小屋，将挡住那青年双腿的桌子移开了。那青年的两条裤筒竟空荡荡的……

理发师傅又说："他能站得起来吗？他每天坐这儿，是靠几位老乡轮流背来背去的！他怕没法上厕所，整天都不敢喝口水！……"

在众人谴责目光的咄咄盯视之下，那一对男女无地自容，拎上灯罩悻悻而去。

有人问："给钱了吗？"

青年摇头。

有人说："不该这么便宜了他们！"

青年笑笑，说跟一个喝醉了的人，有什么可认真的呢？

……

她从此忘不掉青年那一张清秀而又干净的脸了。

后来她就自己给自己制造借口，经常从那扇窗前过往。每次都会不经意似的朝屋里望上一眼……

再后来，每天中午，都会有一名打工妹，替她给他送一小笼包子。她亲手包的，亲手摆屉蒸的……

再再后来，她亲自送了。并且，在他的小屋里待的时间越发地长了……

终于，他们以姐弟亲昵相称了……

二十九岁的这一个女人，因为迟迟地还没做妻子，已经有点儿缺乏回家乡的勇气了。二十九岁的这一个女人，虽然迟迟地还没做妻子，却有过十几次性的经历了。某种情况之下是自己根本不情愿的；某种情况之下是半推半就的。前种情况之下是为了生意得以继续；后种情况是由于心灵的深度寂寞……

现在，她决定做妻子了。

她不在乎他残疾，深信他也不会在乎她比他大五岁。

她此刻柔情似水。

踏下天桥，站在那小屋门外时，却见里边坐的已不是那青年，而是别的一个青年。

人家告诉她，他"已经不在了"。他在大学三年级时不幸患了骨癌，截去了双腿。他来到北京，就是希望减轻家里的经济负担，靠自己的能力医治自己的病，可癌症还是扩散了……

人家给了她一盏羊皮灯罩，说是他留给她的，说他"走"前，撑持着为她也刻下了那首什么似花非花的词……

二十九岁的这一个外省的乡下女人，顿时泪如泉涌……

不久，她将她的包子铺移交给两名打工妹经营，只身回到乡下去了；很快她就结婚了，嫁给了一个四十多岁的二茬光棍。在她的家乡那一农村，二十九岁快三十岁的女人，谈婚论嫁的资本是大打折扣的。一年后她生了一个男孩儿，遂又渐渐变成了农妇。刻了什么似花非花词的羊皮灯罩，从她结婚那一天起，一直挂着，却一直未亮过。那村里的人都舍不得钱交电费，电业所把电线绕过村引开去了……

那羊皮灯罩已落满灰尘。

又变成了农妇的这一个女人，与村里所有农妇不同的是，每每低吟一首什么似花非花的词。只吟那一首，也只知道世上有那么一首词。吟时，又多半是在奶着孩子。每吟首尾，即"似花还似非花，也无人惜从教坠"和"细看来，不是杨花，点点是离人泪"二句，必泪潸潸下，滴在自己乳上，滴在孩子小脸上……

瘦老头

A君是我朋友，一位"环保"专家。90年代初，他以博士身份从国外甫一归来，便为国内的"环保"问题四处奔走，大声疾呼。可以说，他是中国最早的一位能以专业头脑传播"环保"思想的人。现在，他任职于某大学，成为博士生导师，业已桃李满天下矣。中国之"环保"领域中，其弟子多多，皆是有贡献者。他也经常飞往国外参加各种"环保"会议，向世界宣讲中国之"环保"现状……

我第一次见到他，是在区"人大"组织的代表学习活动中。屈指算来，六七年前的事了。他作为专家，向二十几名区人大代表介绍世界"环保"经验。中午吃饭时，我恰坐于他的旁边。主食是米饭，也有面条。他要了一碗米饭，持箸端碗之际，叫住服务员姑娘，望着一桌羹肴小声问："有榨菜么？"

服务员姑娘摇头后说，有泡菜，有食堂自腌的小咸菜，有南方辣菜，还有腐乳，就是没有榨菜。

他却说："怎么可以没有榨菜呢？榨菜，必然应该有的啊！"

服务员姑娘说："那，就只能为您现去买一小袋了。"

众人都看得分明，人家服务员姑娘那么说，显然等于软软地"将"了他一"军"，使他认清形势，能在没有榨菜的特殊情况下，顺利地将一碗米饭吃下去。

不料他赶紧说："那多谢了，那多谢了！"

服务员姑娘愣了愣，不乐意地离去。

他见众人都在费解地望他，神色颇不自然，连道："见笑见笑，对我来说，米饭还是就着榨菜才香。毛病，毛病……"

众人都未接言，默默赔笑而已。

我心里暗想，当然是毛病！觉得众人心里，肯定与我同感。

他呢，则干脆垂手而坐，直等到人家服务员姑娘为他买来了一小袋榨菜；于是撕开，全部抖在碗中，拌几拌，大快朵颐。

后来，我又在别的场合见到过他几次，竟成朋友。对于他的经历，尤其他与榨菜的亲密关系，渐渐了解：

A君原本是北方林区的一个孩子，他上小学四年级时，逢"文革"年代。"文革"对于中国当年的中小学生们，大抵也留下过某些愉快的回忆。比之于今天皆被逼迫成了分数的奴婢的中小学生，当年的中小学生们简直可以说"幸福"无比了。逃学之事，蔚然成风。在那样的年代，全中国的中小学生没多少真的"以学为主"的，绝大多数以玩为主。尤其像A君那样一些当年的北方林区的孩子，用A君的话说，是"从早到晚，一心只想着怎么玩儿"。

"对于孩子，我们林区有意思的事儿太多了呀！那个年代，我们快玩疯了。我的四年级同学中，居然有识字不足一百个的，还居然有背不下乘法口诀的。别说我们些个孩子认为读书无用了，连我们的父母差不多也都这么认为啊！我们的小学校，在林场的场部。我们结伴从家里走到场部去，得走一个来小时。即使离开家门时，都是打算不逃课的，但半路一发现吸引我们的事儿，比如一个马蜂窝，一个鸟巢，一只大个儿的青蛙，或一只蜻蜓王，便又集体逃课没商量了。因为坚持上学的学生越来越少，老师们都找借口调离了学校。我四年级还没读完，学校合并到县城去了。这么一来，我们上学更远，便都索性辍学了。家长们懒得管我们，不是家长的大人们对我们的种种玩法淘法也早已司空见惯，我们仿佛成了林区的一群小野生动物，整天纠结在一起东游西逛，为了满足心理快感，也每干点儿坏事。比如偷几串张家院子里晒的蘑菇，悄悄挂到李家的院子里去，看两家的人因而吵起来了，我们大为开心。又比如见谁家院子里的花啦菜啦的长得好，没招虫，我们就活捉一罐头瓶毛虫，隔着板障子，将罐头瓶扔进谁家院子……"

三十多年后，在冬季的一个下午，在我家里，A君将臂肘架在窗台上，缓缓地吸着烟，不动声色地向我讲着他小时候所干的种种坏事。虽然是在冬季，那一个下午的阳光却很好，照进屋里一大片，也照在我和他的身上。是的，他起初是不动声色的，开始讲到"瘦老头儿"的时候，表情和语调，才使我觉得有了忏悔的意味……

"某天，我们五六个最野的小伙伴的视野中，出现了一个陌生的瘦老头。连大人们也不知道他从前是干什么的，只互相传说他是从南方被发配到我们那处北方林场的，姓张。还传说，连他的姓也是有关方面安在他头上的，并非他的真姓。家长们嘱咐我们，千万不要做什么辱害他的事，因为他已经患了晚期癌症，活不了多少日子了。有些话，即使家长们千叮万嘱，我们也还是会当成耳旁风。但是那一回，我们都把家长们的话记在心里了。辱害将死之人，是必会受到老天惩罚的，林区的大人孩子都深信此点。何况，瘦老头确实瘦得令人可怜，又高又瘦。他的脸，几乎是一张皮包骨的脸，所以就显得眼睛挺大的。但是他的背，却挺得很直，起码我们每次见到他时他是那样子。他被指定住在一处路口的小木板房里，从林区往外运原木的卡车必然经过那个路口，他的工作就是负责登记车牌号、驾驶证号、运出的是何种原木。他一在那小木板房住下，便开始清理周围的垃圾，铲平土堆，围小园子。当时是春季，他在小园子里翻地，培垄，埋种。我们远远地望着，都困惑不已。依我们看来，他肯定活不过夏季的，大人们也都这样认为。那么，他所做的一切，不是毫无意义吗？夏天来临了，他竟没死。而那小园子在他的精心侍弄之下，茄子豆角黄瓜柿子西葫芦什么的，结得喜人。那破败的小木板房的前后，也有各种各样美丽的花开着了。某次我们经过他那园子，他在园子里唤住了我们，手拿着松土的小铲子问我们：'听说你们几个很淘，是吗？'"

"我们相互看看，都不知道该怎么回答他。"

"他又说：'男孩儿不淘气的少。咱们订一条君子协议好不？——请你们不要祸害我这园子里的菜秧。如果你们能做到，而我不到秋天就死了，那么园子里的菜由你们收获，全归你们。如果我活到了那一天，我只留少部分，大部分还是归你们。这个协议，你们现在愿意和我订下来吗？'"

"我们又互相看着，都不由自主地点头。"

"而他，望一眼小木板房，又说：'要是我真的活不到秋季，拜托你们几个，替我把那些花的籽撸下来，用纸包好，交给接我工作的人。就说我希望他，年年种花。那些花多美啊，不论自己看着还是别人看着，心情都愉快嘛，是吧？'"

"我们又不由自主地点头。"

"'那么，你们算是答应我了？'"

"我们除了点头，仍不知该说什么。彼此使使眼色，一转身都脚步快快地走了……"

A 君按灭烟，喝了一口茶，问我小时候想到过死没有？

我说我七八岁时的一天，在无任何人暗示的情况下，不知怎么一来，忽然就想到了死，于是害怕得独自流泪，感到很绝望，很无助。

"大部分人小时候都经历过那么一个时期吧？"

"我想是的。"

"我们当时就正经历着那样的时期。别看我们整天疯啊野啊的，似乎天不怕地不怕，其实个个心里有一怕，就是怕死，只不过谁都不愿承认罢了。所以，我们对瘦老头都有几分佩服起来，因为他是一个不怕死的人。一个怕死的人，在活过今天不知明天还活不活得成的情况下，哪儿还有心思管什么菜啦花啦的呀！从那一天以后，我们再经过那小木板房和那小园子时，都一反常态，不吵不闹了。那一年的秋天来得早，立秋不久，发生一次山火；许多人家怕遭殃，离开林场，四处投亲靠友，我和几个小伙伴的家人，也将我们分别转移了。我们的父母并没随我们一起走，他们身负扑火的义务。等我们从四面八方回到林场，已经是一个多月以后的事了。山火早已扑灭，也没有哪一户人家被火烧到。我们都以为瘦老头肯定死了，各自回到家里才知道，他非但没死，还将园子里的菜收了，一篮一篮地送到了我们各自的家里。大人们都说，为了打听清楚我们都是谁家的孩子，他真是费了不少口舌。还说，他夸我们都是守信誉的孩子。从没有谁夸过我们那几个淘小子，明明是他自己一言九鼎，却反过来夸我们守信，使我们都惭愧极了。难道没忍心糟蹋他的园子也能算守信誉吗？那么，做守信誉的人也太容易了呀！于是我们一起去谢他，他园子里的菜秧已经拔起来，堆在一角；小木板房前后的花，也显然被撸过籽了。而他正在吃饭，不过就是喝着碗里的玉米面糊糊，就着小盘里的一点儿什么咸菜条而已。屋里这儿那儿，却不见有什么菜的影子。我们问他为什么不给自己也留些菜呢？他说他不愿吃菜，只愿吃小盘里那种咸菜。我们一时便都失语，由我替大家吭吭哧哧说了两句谢他的话，皆转身想走。他不让我们立刻离去，放下碗筷，从一个纸盒邮包里取出些小塑料袋，一一塞在我们手中，告诉我们那是榨菜。从小在北方林场长大的我们，头一次听说'榨菜'两个字。我们走在回家的路上时，就都撕开小塑料袋尝起来。这一尝不要紧，哪个都管不住自己了。榨菜真好吃呀，嫩嫩的，脆脆的，微酸微咸微辣，与我们北方的任何一种咸菜的滋味都不同，也比我们所吃过的任何一种北方咸菜都爽口。在当年，我们北方人家腌的咸菜，无非就是疙瘩头咸萝卜什么的，我们早都吃烦了。蒜茄子固然是好吃的，但一般人家是舍不得把茄子也腌了的。纵使舍得腌点，往往也要留着待客，或春节才吃。你可想而知，榨菜对于我们，不啻是种美食。我们一会儿就都把各自的一小袋榨菜吃光了，一个个却还想吃。当然的，一进家门，就都喝水。过了几天，我们聚在一起，一商议，一块儿捡了些干枝子给瘦老头送去当柴烧。其实个个都明白，那是借口，还不是希望能得到那么一小袋榨菜么！瘦老头见了我们特别高兴，也十分感动于我们的好意。但是，却没再给我们榨菜。他问，为什么总不见我们背着书包去上学？还是由我替大家回答他：因为小学校合并到县里了，去上学路太远了。又问，那你们还想不想学文化知识了呢？我们就一时的你看我，我看他，都有心诚实地回答：不想——学了又有什么用呢？就是学得再强，长大了想当正式伐木工人，那还得托关系走后门呢！可谁好意思这么诚实地回答啊，正在应该上学的年龄，自己却说根本不想上学，那话太羞臊了，说不出口。便都违心地说，其实都可想上学呢。瘦老头他沉吟片刻，问如果我教你们学，你们愿意不？这一问，我们又都充聋作哑了。小伙伴中有一个反问，如果我们让你教，对我们有什么好处？瘦老头摸了摸小伙伴的头，问榨菜好吃吗？这下，我们才齐刷刷地回答——好吃！他便接着说，只要同意他每天教我们两个小时，我们将会经常吃到好吃的榨菜。就这样，我们几个才上小学四五年级的孩子，以后竟成了那么一个身患绝症的瘦老头的学生。"

"我们确实以后又吃到了好吃的榨菜，但却并不是每人每次一袋。他只给学习有进步的那个，一次照例只一袋，比现在飞机上有时候发的那种小袋大不哪儿去，他说等于是奖励。这么一来，起初只不过由于太馋才到他那里去当他的学生的我们，都被激发起了好强心理。渐渐的，连自己也说不清都甘愿当他的学生所为何由了。瘦老头很会教学生，比如他每教我们识一个新字，都会从那个字一千多年以前是怎么写的讲起。他说每一个中国字都是长寿佬，都有婴儿时期和童年、少年、青年、中年阶段。每经过一个阶段几乎都要变一次，到再也不变的时候就是固定在最美妙的时候了。我知道你想说什么，当然，今天由我们这样的人听来，那话毫无独到之处。可你别忘了，我们是三十多年前出生在林场的一些孩子，我们连县城还没去过呢！教过我们的小学老师，大抵也只不过具有初中文化程度而已，并且有的还是林场'革委会'头头脑脑的子女。当老师对于他们，只不过是混一份工资罢了，他们从没那么教过我们新字。如果他们也像瘦老头讲的那么有趣味，兴许我们都是爱学习的好学生了。瘦老头讲算术也讲得特有意思。他说这世界也基本上是数字的世界，比如水是由水分子组成的；而一个水分子，是由两个氢原子一个氧原子组成的，二比一这种数字关系永远包含在不受污染的水中。眼睛看着一碗水，也可以想象是看着万万亿亿的数学比例式。几乎人眼所见的每一种东西，将它们用化学的方法化解到最小单位时，便都是些数学式的关系了。那些数学式一变，某一种东西就开始发生质变了。甚至，连世界也开始发生某一方面的变化了。我们虽然小学四五年级就辍学了，可他竟将算术、代数和几何连在一起讲给我们听，而且还每每将物理和化学知识包含在内。没多久，他开始频频表扬我们都是些聪明的孩子；我们自己也都开始觉得，原来我们并不像自己和我们的爸爸妈妈所以为的那样，都是笨头笨脑的孩子，'根本不是读书的料'。当年的课本，你也知道的，语文也罢，算术也罢，都是没意思到了极点的。幸而瘦老头根本不是手拿当年的课本教我们，他要是也那样教，即使榨菜再好吃，那我们当了几天他的学生，还是会逃之夭夭的。总而言之，瘦老头他渐渐将我们迷住了。不管知识有没有用，他将知识变得非常有趣了是一个事实。他讲课时，腰板挺得尤其直，一只手背在后边，一只拿粉笔的手自然而然地举在胸前，目光几乎一刻也不离开我们的脸，一忽儿凝视这个，一忽儿凝视那个。有时，他的目光明明在凝视这个，却会将拿粉笔那只手忽然一伸，叫起另外某个回答问题。另外那个一时回答不上来，他也从不急，一向耐心地说：'想想，再想想，上次我讲过的。'于是将自己的目光望向窗外，耐心地期待。如果他对于回答半满意不满意，就会很认真地问我们另外几个：'咱们民主一下，你们认为该奖给他榨菜吗？'通常情况下，大家必会异口同声地说：'应该。'因为我们心里有数，奖给了谁，也等于奖给了大家，谁都不会独吞的。我们分吃具有奖励意味的榨菜时，不但口中的感觉好极了，心里的感觉也好极了。对于我们而言，仿佛瘦老头的课也讲出了和好吃的榨菜一样的滋味。每当他的手伸入纸盒邮包往外拿榨菜时，也照例要说一句：'多乎哉，不多也。'我们呢，就都开心地又都有些不好意思地笑。自从我们成了他的学生，他几乎每个月都要去邮局取包裹了。而以前，隔两三个月才会有包裹从南方寄给他。他住的小木板房也因为我们而变了，他将一张破桌子重新摆放，使一面墙壁一览无余；又不知从哪儿搞到半瓶墨，涂黑墙壁，于是成了黑板……你听烦了吧？……"

阳光照在"环保"专家的脸上；他微眯着眼，目光凝注地望着窗外某处，仿佛要看清什么。问我话，居然也不转一下脸。窗外是元大都城墙遗址，覆盖着冬季的第一场雪。北京的冬季是很少下那么大的雪的，这使北京多少有点儿东北冬季的景象了。然而，窗外毕竟没有了记忆中的林场，没有住着一个瘦老头的小木板房……

我说："讲下去。"

他说："在那一年的冬季,小木板房成了我们几个孩子的阳光房……其实那小木板房并不朝阳，再加上一面墙涂成了黑色……但是你能明白我的意思吧？……"

我说："明白。"

"我们那时已经不叫他瘦老头了。我们已经开始当面叫他张大爷了，背后却都叫他'咱们老师'……"

"为什么不是反过来，当面叫他老师，背后叫他张大爷？"

"我们中有一个当面叫过他老师的。他正要提问，一下子被叫愣了。愣了几秒钟，走到窗口那儿去了。背着一只手，腰挺得笔直，一动不动地在窗口那儿站了很久，我们全都呆望他的背影，不知他是怎么了。终于我们听到他低声说：'今天的课就讲到这儿，我有点儿不舒服，孩子们你们可以走了……'我们一个个悄没声地离开，我走在最后，忍不住轻轻将门推开一道缝，往内偷窥，结果我看到他双手捂在了脸上。对于他的身高，那小木板房的屋顶实在是太低了。如果他脚下垫两三块砖，那么他的头差不多就触到屋顶了。我看得出来，他是在无声地哭，尽管我窥到的只不过是他的背影。我们当然都无法理解那是为什么，却互相告诫，以后都不许当面叫他老师了……大人们说，他活不到开春的。可春天来临了，他仍活着。我们帮他修小园子的篱笆，帮他翻地、培垄，帮他搭菜架和花架……"

"等等……"

A君缓缓地将脸转向了我。他已半天没看我一眼了，似乎只不过在自言自语。

我说："晚期癌症有时是很疼痛的。"

他说："是啊。可我们那样一些孩子，当年也不懂许多事啊，也不知道怎么心疼大人啊。我们是见到他疼痛难耐过的，某天他讲着讲着课，忽然一手捂胃，接着额上渗出汗来；再接着，弯下了他那一向笔直着的腰。那是他第一次在讲课时弯下腰去。很快他又直起腰来，说他去茅房，还不许我们离开屋子。我们只当他是忽然肚子疼了；我们也都忽然肚子疼过啊！着凉、岔气儿、吃了什么不干净的东西，都会肚子疼的呀，谁还没肚子疼过呢？他半天没回来，我们就都有点儿不安了，都出去了，见他蹲在门旁，双手握成拳，一上一下抵压着胃腹。他脸上滴落的汗，湿了鞋尖前的地面儿。我们将他搀进屋，他说他没什么，疼痛一会儿就会过去的。他撕开一袋榨菜，一条接一条全吃光了。之后倒了半碗开水，吹一口喝一口，转眼喝尽。我们当年真傻，虽然都亲眼看到了他疼痛的样子，却没有一个往癌症那方面去联想。也可以说，那时的我们，其实是很排斥他患了不治之症这一个事实的，也特别讨厌大人们判断他活不了多久的话。我们宁愿相信，他能那么干瘦干瘦地活很久，很久，等我们都长成了大人，还活着。我们已经看顺眼了他的瘦，反而都觉得，如果他不那么瘦，就不符合'咱们老师'应该怎样的条件了。"

"两年半以后，他还活着。一天他对我们说，我们不可以再是他的学生了，而应该到县里去读中学。并说，他已经分别和我们的父母谈过了，我们的父母都是同意的。可我们却有点儿不情愿，我们对当年的学校还是难以产生好感，长大以后都争取当上伐木工人是我们一致的想法。他却这么问我们：'一个国家的森林是有限的，有限的森林会越伐越少。到那时，国家就不需要很多伐木工了，你们可拿自己怎么办呢？'他的话，使我们都忧虑起来。见我们个个低头不语，他又夸我们全都如何如何聪明，说中国的将来，究竟会产生多少新的行业，需要多少文化高、知识广、能力棒的人才，是他难以想象到的，更是我们这样一些孩子不可能想象到的，所以我们只由着性子在年龄这么好的时候虚度时光，高兴怎样就怎样，不高兴怎样就不怎样，那是不对的。人有时候更应该明白应该怎样不应该怎样的道理。从没有人对我们说过那样的话，我们的家长也没说过。但当时他的话并没说到我们内心里去，我们也不是太理解他的话，却看得出来，他完全是为了我们好。我们心生感动，然而其实并没被说服。他的话对我们父母的影响，比对我们的影响大得多。于是我们的父母都严厉地命令我们，几天后必须跟他到县里那所中学去。县中学的校长听说我们都没读完小学，指示要对我们进行考试，还要先亲自一个一个地面试我们。如果面试没通过，那连考也不必考了，还是再去读小学吧。我被面试过以后，在操场发现了瘦老头。我问他为什么也来了，他说他忘了让我们每人带上一袋榨菜，所以亲自给我们送来；说如果对着卷子一时发懵，嚼一条榨菜能使心情稳定下来，还能清脑，使精力集中。他将几袋榨菜交给我，一转身蹒跚而去，为的是赶上一趟林区的小火车。校长面试过我们之后又决定，不对我们进行考试了，当即就将我们分了年级和班级。我们一一被插入初二各班，有一个还直接被插入了初三的某班。校长显得很高兴，当着几位老师的面指着我们说：'像他们这样的孩子，来多少收多少，都不必经过考试！'我们成了县中的学生以后，都得住在学校了。县城距离林场三十多里，到了林场也不等于是到了家门口，到家还得走上十来里，不住校是不行的。我们连星期日也很少回家了，因为要是搭不上便车，就得坐小火车，那年月，我们怎么会舍得花五角钱买一张车票呢？往返要花一元钱呢，根本舍不得。我们一块儿回家，是在放寒假后。到家当天，吃午饭时，我父亲一时想起地告诉我——'你们应该感谢的那个瘦老头，他死了，才几天前的事儿。'大人们虽然知道了姓张，但背后普遍的都叫他瘦老头，当面则叫他'哎你'，因为一连他的姓叫，反而不好叫了。他的政治问题使大人们都尽量避免和他接触。何况，都认为他并不真的姓张。我搁下饭碗便往外跑，挨家将小伙伴们叫上，一块儿跑到了小木板房那儿。几场大雪将小木板房的门埋住了半截，门上贴的封条已被风撕得残缺不全。我们想从窗子往里看，窗玻璃结着厚厚的霜。园子里，雪被下刺出参差不齐的搭菜架的木条和树枝。几只绒球似的麻雀在雪上蹦来蹦去的……"

"环保"专家又吸着一支烟。

我问："他埋在你们林区了？"

他说："不。他被火化之后，骨灰寄给了他南方的什么亲人……估计，就是往常从南方寄给他榨菜的亲人吧。这也只是我们的估计而已。凭我们几个初中生，当年打听不清关于他的什么真实情况。也根本不知道向谁们去打听……"

"那，后来你们几个……"

"'文革'一结束，我们先后都考上了大学。现在，除了我，我们中还出了两位大学教授、一位林业局副局长。还有两个成了外国人，一个在美国，一个在法国。他俩起先也在大学里任教，近年失去联系了。啊对了，现在县中的校长，也是我们中的一个。县中现在是地区的重点中学了。我早已将父母接到京城来住，在林区没亲戚。前年我回去了一次，没什么事儿，就是很想回去看看。一切都今非昔比了，大多数伐木工人都转行了，少部分伐木工人成了护林队员或育林工人。我们那个当县中校长的发小告诉我——据他后来了解，我们的恩师……他算得上是我们的恩师吧？……"

我说："当然。"

"他五七年大鸣大放中，因为批评乱砍滥伐的现象，成了右派，从一所大学被扫地出门，成了一名扫街人。'文革'中，又被收集整理了几句'反动言论'，判刑入狱。出狱后，被押送到东北进行改造。因为七十来岁了，没地方愿意改造他了，阴错阳差地，被像破麻袋似的甩弃在我们那个林场了。我们当县中校长的发小，也就了解到这么多，还不知确凿不确凿。我们恩师患的是晚期胃癌，这一点倒是可以肯定的。当年给了他一份工资，只有二十几元，仅够他吃饭活着的，哪里能挤出买药的钱呢？当年在林区，又能买到什么药呢！所以胃疼起来，也只能忍着。现在想来，榨菜是唯一能帮他每天喝得下两碗玉米面糊糊的东西。他连自己园子里收的菜都一点儿不留，证明除了榨菜和玉米面糊糊，他的胃已经不接受任何其他食物了。也许，榨菜对于他的胃，还有匪夷所思的止疼药作用吧，你认为呢？……"

我说："这我很难回答你。"

他转动着手中的半截烟，看着，语调缓慢地又说："如果真是那样，当年我们还馋他的榨菜，那可太罪过了。我的大学生活是在哈尔滨度过的，一到哈尔滨，我就到处买榨菜。可当年的哈尔滨，哪哪都买不到榨菜。直到我大三了，哈尔滨的某些副食店里才出现南方的榨菜。我一买到手，就吃零嘴儿似的吃掉了一袋儿。我们中还有一位。第一次乘飞机时，飞机上发的盒饭中有一小袋榨菜。一小袋对于他是不够的，居然厚着脸皮又向空姐要了一小袋。我们那两个在国外的，隔三差五地就要跑到唐人街去吃碗榨菜面什么的，说否则胃里就像有馋虫在蹿动……你明白我为什么那么喜欢吃榨菜了吧？"

我说："明白了。"

"我们当县中校长那位，专门咨询过医生，问他那么喜欢吃榨菜，算不算一种病？你猜医生怎么回答他？"

"怎么回答？"

"医生说：'我也喜欢吃榨菜啊！只要每餐吃得清淡点儿，一天一小袋儿，多喝开水，对身体不会有什么危害的。'医生还说自己一犯烟瘾时就吃一条榨菜，竟然把烟戒了，但愿我也能那样。一位又瘦又病的高个儿老人改变了我的人生，而榨菜使我每天的日子有种别人咀嚼不出的特殊滋味……"

我的"环保"专家朋友接着又说了些什么，我已不再注意听了。似乎，他说到了贵人、缘分之类的话，还说到了哪一首歌……

但我的目光已经望向我家的一面墙壁；墙上的小相框中，镶着一幅西方肖像派油画，印刷品——米开朗琪罗的《先知耶利米》；那先知沉郁而苍老，低着头，垂着眼皮，右手撑着下巴，实际上是严严地捂住了自己的嘴。他在思想着什么事，表情苦闷而忧伤。我觉得，那先知若瘦一些，大概就有点儿像我朋友记忆中的瘦老头了吧？……

"你在想什么？"

朋友不知何时站到了我身旁。

我说没想什么。

他说："你对良知和责任怎么理解？"

我说："一回事吧？"

"一回事？难道是一回事吗？有良知只不过意味着不做坏事，有责任的人却是要大声疾呼的！在我这一行里，我是有责任的人。在你那一行里，你只不过还有点儿良知罢了！知道我为什么今天到你家来吗？知道我为什么向你讲那些吗？不是因为我讲述的愿望太强烈了，而是为了你！因为你我已经是朋友了，因为我觉得，你这样的作家只保留住了点儿所谓良知，却一点儿都不承担社会责任了，那是不对的！估计这年头没什么人会跟你说这种话了。你我既有缘成为朋友，那么我认为我应该成为你人生中的瘦老头！尽管我比你小七八岁！……"

我惊愕，我呆住，那一刻我双耳失聪，听不到他接下去所说的话了。

我的眼又一次望向《先知耶利米》……

小垃圾女

我第一次见到她，是在元月下旬的一个日子，刮着五六级风。家居对面，元大都遗址上的高树矮树，皆低俯着它们光秃秃的树冠，表示对冬季之厉色的臣服。偏偏十点左右，商场来电话，通知安装抽油烟机的师傅往我家出发了……

前一天我就将旧的抽油烟机卸下来丢弃在楼口外了。它已为我家厨房服役十余年，油污得不成样子。我早就对它腻歪透了。一除去它，上下左右的油污彻底暴露，我得赶在安装师傅到来之前刮擦干净。洗涤灵去污粉之类难起作用，我想到了用湿抹布滚粘了沙子去污的办法。我在外边寻找到些沙子用小盆往回端时，见个十一二岁的女孩儿，站在铁栅栏旁。我丢弃的那台脏兮兮的抽油烟机，已被她弄到那儿。并且，一半已从栅栏底下弄到栅栏外；另一半，被突出的部分卡住。

女孩儿正使劲跺踏着。她穿得很单薄，衣服裤子旧而且小。脚上是一双夏天穿的扣绊布鞋，破袜子露脚面。两条齐肩小辫，用不同颜色的头绳扎着。她一看见我，立刻停止跺踏，双手攥一根栅栏，双脚蹬在栅栏的横条上，悠荡着身子，仿佛在那儿玩的样子。那儿少了一根铁栅，传达室的朱师傅用粗铁丝拦了几道。对于那女孩儿来说，钻进钻出仍是很容易的。分明，只要我使她感到害怕，她便会一下子钻出去逃之夭夭。

而我为了不使她感到害怕，主动说："孩子，你是没法弄走它的呀！"——倘她由于害怕我仓皇钻出时刮破了衣服，甚或刮伤了哪儿，我内心里肯定会觉得不安的。

她却说："是一个叔叔给我的。"——又开始用她的一只小脚跺踏。

果而有什么"叔叔"给她的话，那么只能是我。我当然没有。

我说："是吗？"

她说："真的。"

我说："你可小心……"

我的话还没说完，她已弯下腰去，一手捂着脚腕了。

破裂了的塑料是很锋利的。

我说："唉，扎着了吧？你倒是要这么脏兮兮的东西干什么呢？"

她说："卖钱。"其声细小。说罢抬头望我，泪汪汪的。显然疼的。接着低头看自己捂过脚腕的小手，手掌心上染血了。

我端着半盆沙子，一时因我的明知故问和她小手上的血而待在那儿。

她又说："我是穷人的女儿。"——其声更细小了。

她的话使我那么的始料不及，我张张嘴，竟不知再说什么好。而商场派来的师傅到了，我只有引领他们回家。他们安装时，我翻出一片创可贴，去给那女孩儿，却见她蹲在那儿哭，脏兮兮的抽油烟机不见了。

我问哪儿去了？

她说被两个蹬手板车收破烂儿的大男人抢去了。说他们中一个跳过栅栏，一接一递，没费什么事儿就成他们的了……

我问能卖多少钱？她说十元都不止呢，哭得更伤心了。

我替她用创可贴护上了脚腕的伤口，又问："谁教你对人说你是穷人的女儿？"

她说："没人教，我本来就是。"

我不相信没人教她，但也不再问什么。我将她带到家门口，给了她几件不久前清理的旧衣物。

　　她说："穷人的女儿谢谢您了叔叔。"

　　我又始料不及，觉得脸上发烧。我兜里有些零钱，本打算掏出全给了她的。但一只手虽已插入兜里，却没往外掏。那女孩儿的眼，希冀地盯着我那只手和那衣兜。

　　我说："不用谢，去吧。"

　　她单肩背起小布包下楼时，我又说："过几天再来，我还有些书刊给你。"

　　听着她的脚步声消失在外边我才抽出手，不知不觉中竟出了一手的汗。我当时真不明白我是怎么了……

　　事实上我早已察觉到了那女孩儿对我的生活空间的"入侵"。那是一种诡秘的行径。但仅仅诡秘而已，绝不具有任何冒犯的意味。更不具有什么危险的性质。无非是些打算送给朱师傅去卖，暂且放在门外过道的旧物，每每再一出门就不翼而飞了。左邻右舍都曾说撞见过一个小小年纪的"女贼"在偷东西。我想，便是那"穷人的女儿"无疑了……

　　四五天后的一个早晨我去散步，刚出楼口又一眼看见了她。仍在第一次见到她的地方，她仍然悠荡着身子在玩儿似的。她也同时看见了我，语调亲昵地叫了声叔叔。而我，若未见她，已将她这一个穷人的女儿忘了。

　　我驻足问："你怎么又来了？"

　　她说："我在等您呀叔叔。"——语调中掺入了怯怯的，自感卑贱似的成分。

　　我说："等我？等我干什么？"

　　她说："您不是答应再给我些您家不要的东西么？"

　　我这才想起对她的许诺，搪塞地说："挺多呢，你也拎不动啊！"

"喏"——她朝一旁翘了翘下巴，一个小车就在她脚旁。说那是"车"，很牵强，只不过是一块带轮子的车底板。显然也是别人家扔的，被她捡了。

我问她脚好了么？

她说还贴着创可贴呢，但已经不怎么疼了。之后，一双大眼瞪着我又强调地说："我都等了您几个早晨了。"

我说："女孩儿，你得知道，我家要处理的东西，一向都是给传达室朱师傅的。已经给了几年了。"——我的言下之意是，不能由于你改变了啊！

她那双大眼睛微微一眯，凝视我片刻说："他家里有个十八九岁的残疾女儿，你喜欢她是不是？"

我不禁笑着点了一下头。

"那，一次给她家，一次给我，行不？"——她专执一念地对我进行说服。

我又笑了。我说："前几天刚给过你一次，再有不是该给她家了么？"

她眨眨眼说："那，你已经给她家几年了。也多轮我几次吧！"

我又想笑，却怎么也笑不起来了。心里一时的很觉酸楚，替眼前花蕾之龄的女孩儿，也替她那张能说会道的小嘴儿。

我终不忍令她太过失望，二次使她满足……

我第三次见到那女孩儿，日子已快临近春节了。

我开口便道："这次可没什么东西打发你了。"

女孩儿说："我不是来要东西的。"——她说从我给她的旧书刊中发现了一个信封，怕我找不到着急，所以接连两三天带在身上，要当面交我。那信封封着口，无字。我撕开一看，是稿费单及税单而已。

她问："很重要吧？"

我说："是的，很重要，谢谢你。"

她笑了："咱俩之间还谢什么。"

她那窃喜的模样，如同受到了庄严的表彰。而我却看出了破绽——封口处，留下了两个小小的脏手印儿。夹在书刊里寄给我的单据，从来是不封信封口的。

好一个狡黠的"穷人的女儿"啊！

她对我动的小心眼令我心疼她。

"看"——她将一只脚伸过栅栏，我发现她脚上已穿着双新的棉鞋了，摊儿上卖的那一种。并且，她一偏她的头，故意让我瞧见她的两只小辫已扎着红绫了。

我说："你今天真漂亮。"

她悠荡着身子说："我妈妈决定，今年春节我们不回老家了。"

"爸爸是干什么的？"

她略一愣，遂低下了头。

我正后悔自己不该问，她抬起头说："叔叔，初一早晨我会给您拜年。"

我说不必。

她说一定。

我说我也许会睡懒觉。

她说那她就等。说您不会初一整天不出家门的呀。说她连拜年的话都想好了："叔叔马年吉祥，恭喜发财！"

"叔叔我一定来给你拜年！"

说完，猛转身一蹦一跳地跑了。两只小辫上扎的红绫，像两只蝴蝶在她左右肩翻飞……

初一我起得很早。倒并不是因为和那"穷人的女儿"有个比较郑重的约会，而是由于三十儿夜晚看一本书看得失眠了。我是个越失眠反而越早起的人。却也不能说与那个比较郑重的约会毫无关系。其实我挺希望初一一大早走出家门，一眼看见一个一身簇新，手儿脸儿洗得干干净净，两条齐肩小辫扎得精精神神的小姑娘快活地大声给我拜年："叔叔马年吉祥，恭喜发财！"——尽管我不相信那真能给我带来什么财运……

一上午，我多次伫立窗口朝下望，却始终不见那"穷人的女儿"的小身影。

下午也是。

到今天为止，我再没见过她。

却时而想到她。

每一想到，便不由得在内心默默祈祷：小姑娘，马年吉祥，恭喜发财！……

一个陌生女孩的来信

笔耕不辍，久栖文坛，很是收到过一些陌生人写来的信。当弃则弃，应留则留，竟渐渐地由欣然而淡然而漠然。有时，那一种无动于衷，连自己都深觉太愧对认认真真给自己写信的人们了。但是近日收到一个陌生女孩儿的来信，却使我不由得细读数遍，心生出几许说不清楚道不明白的感动。那是一封几经周转的信。信封上的字迹和信纸上的字迹不同，一看就知非是一人所写，然都是很稚拙的笔触。下面便是那一封信的内容：

尊敬的作家先生：

我是一个女孩子，普通得不能再普通、平凡得不能再平凡的女孩子。除了年龄的资本，我再没有任何先天的或者后天的资本。既（当为"即"，她写的是白字，我将——替她改正）使我的花季，那也不过是很不显眼的花季。好比我的家乡的山上和乡路两旁一年四季常开常谢的小野花，开着没人赏，谢时没人惜的。现在，我是深圳的一个打工妹。深圳满街都是我这种年龄的小打工妹。我们外省的打工妹特别感激深圳。这一座和我们年龄差不多的城市，对我们很包容。它给我们打工妹的机会，似乎也比别的城市多一些。这是我们的认为。它不允许比我们强的人歧视我们。这是我们最感激它的方面。我们小小年龄，背井离乡，哪一座城市不歧视我们，我们自然就觉得它比别的城市好。

对不起，我扯得太远了。我给您写信，不是要谈深圳的，我也不是要在这一封信中谈我自己的。关于我自己我前边已经写得很明白了，实在没什么好谈的。而且呢，我也不是你们作家亲（青）睐的什么文学女青年。我向您老老实实地承认，我没读过您的任何一本书，连一篇小说或者一篇文章也没读过。有一个星期六我和我的三个表姐一个表哥又在我们的小六姨家相聚，一边嗑瓜子一边闲聊。瓜子下边铺着一张旧报纸，那上边有个介绍您的报道，还有您的照片。我们的表哥看了一会儿，指着您的照片说："哎，咱们就给他写信怎么样？"我们早就想给一位作家写信了。我把那篇报道大声读了一遍，我的二表姐和三表姐就都说："行！"只有我的大表姐表态表得不那么痛快。她嫌您太老了，而且呢，也看不出一点儿好风度。您真的是照片上那样子吗？还是为您照相的记者成心把您照得那么难看？依我的大表姐，她希望能有一位好风度的作家读到我们的信，还得是男作家。我们就都为您争取她同意。我二表姐说："已经是男的了，将就点就是他吧！"我三表姐说："有人不上相，也许本人没那么怪模怪样的。"我的表哥说："我主张将就。"结果，就由我给您写这一封信了。相对来说，我比表姐表哥们多读了一二年书，字也比他们写得强点儿。我是学酒店服务的中专毕业生。

梁作家，如果您正在看这一封信，那么现在您应该了解了，这是一封代表五个人写给您的信。我们的关系是表姐妹、兄妹、姐弟的关系。我们的母亲们那当然就是亲姐妹了。她们有一个妹妹，就是我们的小六姨。我们正是为我们的小六姨给您写这一封信的。她已经三十六岁了，还没结婚。不过您千万别误会，我们可不是在替我们的小六姨向您征婚。我们的小六姨是个美人儿，除了肤色不怎么白，哪哪儿都够美人儿的标准。请您注意，是不怎么白，不是黑，那可是有大区别的。再者说了，在外国，美人儿不怎么白才更美。这一点您肯定知道的吧？强调一遍，您千万千万别误会，您和我们的小六姨，哪一点儿都不合适。直说了吧，不般配。您对于事实可别生气啊！何况那报道中说您已经有老婆了。

但您还是没明白我们为什么给您写这一封信是吧？作家不是整天不是写就是看吗？如果您已经在看着了，那就有点儿耐心，接着往下看吧。越看，自然就越明白。连我写的人都不怕白白浪费了时间，您看的人，还不得沉住气。对了，还没说我们的姥爷和姥姥呢。不说说，您是难以明白的。

我们的姥爷和姥姥，一个七十八了，一个七十五了。七十八的姥爷身体仍很棒。七十五的姥姥，这几年开始常闹病了。他们是农民，我们的家乡在四川山区。姥爷和姥姥看来在计划生育方面是反面典型了。他们居然生了六个女儿。是不是太能生了？我大表姐的妈妈，也就是我的大姨妈，今年都四十七了。我们的爸爸、妈妈，至今也都是农民。从我们开始，姥爷和姥姥的后代，才是有初等文化的人了。这要感激我们的小六姨。我们都能上得起学，完全是她一个人供的。

我们的小六姨，她生下来不久就送给别人家了。自己家孩子太多了，又都是闺女，干不了重活，姥爷、姥姥感到是负担了。也幸亏小六姨被送给别人家了，那使她初中毕业以后，以全县第一的成绩考上了省卫校。从省卫校毕业后，她分配在省城一所大医院当护士。没几年又当上了一个病区的护士长，是最年轻的一个护士长。那一年她回老家探家，她的养父母就告诉了她一般都尽量隐瞒着的真相。冲这一点，她的养父母也该算是很好的人，是吧？她就去到我们那个村子，探望了我们的姥爷和姥姥，也就是她的亲生父母。接着，又一一去探望她的五个姐姐。我们的小六姨，她进一家门哭一次。我们的姥爷、姥姥和我们的母亲，心里就都特别的内疚，净说些女儿、妹妹对不起的话。小六姨却哭着说："爸爸、妈妈、姐姐们啊，我不是怨你们呀！我是怎么也没想到你们的日子会过得这么苦这么难！这可叫我怎么办呢？……"我们的小六姨，她离开家乡时，一脸的愁云……

不久，我们的母亲听说小六姨不在那一家省城的大医院当护士长了。她在卫校是学按摩的，她自己开了一家按摩诊所。对于她的做法，姥爷、姥姥和我们的母亲们都不敢写信去询问什么。

那一年的春节前，姥爷、姥姥和我们各家，全都收到了小六姨汇来的钱。每家不多，五百元。但是对于农村人家，那可是不少的钱啊！

第二年，她的养母病了，被她接去了省城。半年内姥爷、姥姥和我们各家，没再收到钱，连信也很少收到。第三年上半年，她的养父又病了，也被她接到省城去了。姥爷、姥姥和我们的母亲，全都替她着急上火，可又全都帮不上忙。那一年下半年，小六姨又回到老家了，瘦极了，衣袖上戴着黑纱。姥爷、姥姥和我们的母亲们，一见她那么瘦，全都哭了。她却安慰他们："爸爸、妈妈、姐姐们，别哭。养父母对我的恩情，我已经报答了。现在，我的责任减轻了啊！"她说，按摩诊所那一种行业，虽然挺赚钱的，但几乎每天都要面对一两个心思不正的男人。她不干了。她说她要到深圳去闯闯。那一天，姥爷、姥姥和我们的母亲们，都是从她口中才第一次听说中国有座城市叫深圳，都舍不得让她去，也都不放心她去。可小六姨的决心已经下定了。她还没等自己长胖点儿，就又告别了家乡。姥爷、姥姥和我们的母亲们，一个个都流着泪，一直把她送到乡路的尽头。那一年，我的大表姐十岁；二表姐、三表姐和表哥，一个比一个小一岁；我呢，还在妈妈肚子里。小六姨双手轮流摸着表姐、表哥们的脸蛋，嘱咐我的姨妈们："姐们呀，要让孩子们读书。节可以不过，年可以不过，孩子们绝对不可以不上学！以后，有我呢！"

尊敬的梁作家，为了节省您的宝贵时间，我接下来只能写得特别简单了。总而言之，没有我们的小六姨，我们都是念不起高中和中专的。现在，也绝不会都集中在深圳这一座城市里，也就是在小六姨所在的城市里打工。我们表姐妹、姐弟、兄妹五个，平均受到了十年以上的文化教育，平均年龄二十岁多一点点；平均工资一千元出头。每个星期六、星期日，我们可以全都无拘无束地聚集在我们的小六姨家里，一个个有说有笑的。而她，却总是默默地坐在一旁，默默地瞧着我们，脸上很有成就感的样子，像一位美丽的小母亲。只有她那么欣赏正在花季的我们！该吃饭了，她就默默地起身去做饭炒菜，有时让我们中的一个打下手，有时不用，自己忙。而我们就看录像，甩扑克，或者，轮番上网。那时，我们都觉得幸福极了……

十三四年里，我们的小六姨先后当过深圳市一个区的区委办公室的办事员、接待科副科长；一家区科委所属的公司的秘书、经理助理。后来因为深圳有大学以上文凭的青年越来越多了，小六姨有自知之明，觉得自己有些工作做得难以比别人好了，就主动辞职，"下海"了。小六姨开过花店、书店、时装店。知道我们的小六姨目前在做什么吗？她已经有了一家属于自己的小小的公司。她在经营各类首饰，在深圳一家大商场里有专柜，在另外两座大城市的大商场里也有专柜，效益都挺不错的。在我们心目中，我们的小六姨已经是成功人士了。

说到小六姨的家，六十几平方米，不过才一厅一室，装修得有格有调的。公摊面积大，小六姨的家其实是一个小小的家。最多时，那家里住过十个人！姥爷、姥姥睡她的床，两个姨妈一个睡沙发，一个和她和我们五个孩子睡地上，横七竖八躺一地！

十三四年里，小六姨挣的钱，一大半花在我们身上了，寄给姥爷、姥姥和我们各自的家了。因为我们有个小六姨，姥爷、姥姥生病才住得起医院了，才坐过飞机了，到过深圳这么美丽的城市了；因为我们有个小六姨，我们各家的日子才渐渐好过了，我们的父母才不终日愁眉不展的了……

但是我们的小六姨却三十六岁了，还没爱过，还没被爱过。为了我们这一代，为了我们各自的家，也是为了姥爷、姥姥们，也许，还为了她心里边当年默默许下的一个承诺，她无怨无悔地将自己最好的恋爱季节耽误了。她依然美丽着，却始终孤单着……

她经常教育我们，打工妹，第一要自尊；第二要自立；第三要自爱。她说没有自尊，就难以自立。一时自立了，也还是会由于没有自尊而难以长久。她说有些人自立了之后，反而不自爱了，那是坏榜样。她说好榜样应该是，自立了，就更有前提自爱了，也更会懂得自爱是对的了。我们的小六姨，她至今一直生活得朴朴素素，节节俭俭，从不买一件太贵的衣服，从不买什么高级的化妆品，自己从没乱花过一分钱，能乘公共汽车去的地方，宁肯早早出门，而舍不得钱"打的"。她还时常一个一个地询问我们闹恋爱了没有？起初我们都不好意思跟她讲实话。她却对我们这么说过："如果有朋友了，应该带给我认识认识。只要你们感情好，小六姨不干涉，更不反对。我想告诉你们的是，万一两个人之间发生了那种冲动的事儿，尽量别使自己怀孕，一旦怀孕了，也别你怨我，我怨你的。对于恋爱着的一对年轻人，那根本就不是可耻的。但是得及时让小六姨知道，因为小六姨有责任亲自陪你们去医院……"

小六姨所说的那种"冲动的事儿"，我的大表姐已经悄悄向我们主动承认她经历多次了。说时可得意了，她一次也没怀过孕。她的经历目前对小六姨还是秘密。

小六姨自己前几天却怀孕了！当她声音小小地打电话向医院咨询时,我无意间偷听到了,还偷听到了她第二天要去哪一家医院做"人流"。

第二天我请了假，跟踪她。医院挺近，小六姨走着去的。我隐蔽在马路对面，望着小六姨一个人孤零零地走入医院，又一个人孤零零地走出医院，脚步缓慢地往家走，我心里恨死了那一个使她怀孕的男人！但是转而一想，终于有一个人爱我们的三十六岁的小六姨了，我应该替她高兴才对。我气的只不过是——当时他在哪儿？！我也很怕我们的小六姨会爱上一个有妇之夫。女人一旦那样，不是常常都会爱得很苦吗？不过我至今没将小六姨的秘密透露给表哥和表姐们，更没告诉给我们的母亲和姥爷、姥姥。我经常在内心里为小六姨的爱祈祷，祈祷它有一个好结局。我做得对吗？

那一天又是星期六。吃晚饭时，小六姨开了一瓶葡萄酒，给我们每一个人的杯里都倒了一点点。她说："小六姨终于将咱们的家的贷款还清了。从下个月起，它完全属于我们自己了！"

我们一时全都高兴极了，纷纷和小六姨碰杯。各自咽下了一小口酒之后，又都想哭。因为小六姨话中那四个字——"咱们的家"。

小六姨却接着平静地说："想想吧，中国有九亿多农民，哪怕仅仅将三亿农村人口变成城市人口，那也需要建立三百个一百万人口的城市。这太不容易了。你们以后究竟都能不能成为三亿中的几个，我也难估计。但小六姨一定尽力帮你们。你们自己也得要强，不能每天一下了班就贪玩，要自学新的知识和技能……"

陌生女孩儿的来信还有两千多字，她，不，四个女孩儿一个男孩儿，希望我能将他们的小六姨当成原型，创作一部小说或电视剧——这才是她给我写信的真正目的……

我给陌生的女孩儿复了一封信。与她的信相比，我的信实在太短……

而她那一封信又显然不是一次写完的。

陌生的女孩儿：

感谢你对我的信任。在我看来，你的信有一种诗性，但是我现在的颈椎病实在太严重了，写作等于自我虐待。故我也不能如你所愿，某时去深圳认识你们的小六姨并采访她。那样，只怕我会爱上她。你不是替你们的小六姨怕那样的事情发生吗？我也替自己怕的。对于美丽而又具有牺牲精神的女人，通常我意志很薄弱。依我想来，你们的小六姨，如同上帝差遣给你们的一位天使。上帝并不经常这么好心眼儿。所以被天使爱着的人，也要反过来关爱天使。小姐们，起码，你们再到小六姨家去时，要学会做饭炒菜。以后吃现成的，应该轮到你们的小六姨了！至于她的那个秘密，只要她自己不说，你须永远守口如瓶。天使也有自己的秘密的。而且天使是最善于爱的。一切爱的麻烦和爱的分寸，天使都会以天使的方式去面对，去把握。所以你尽管继续为她的爱祈祷，却一点儿也不必为她忧虑什么……

最后我征求她的意见——我们的信可不可以同时发表？我希望她同意，并告诉了我家的电话。那陌生的女孩儿，她用电话通知我——她同意……

戴橘色套袖的人

　　是的，他当然属于"环卫工人"中的一员。

　　但他又肯定的没有北京户口。肯定的不属于工薪阶层。肯定的，在北京并没有家。在其他城市想必也没有家。分明的，他是一个中年农民。他从哪儿来呢？

　　他在农村的那个家，生活状况如何呢？显然是很贫穷的，可究竟会贫穷到什么程度呢？他在北京栖身于一处什么样的地方呢？他的工作能使他每月挣多少钱呢？

　　这些，在他活着的时候，都是我所不知道的。

　　我是隔着我家北屋的窗子"认识"他的。那窗对着元大都古城垣的墟址。十几米宽的小街，每日上午七点至九点是早市。公休日延至十点半。自从有了早市，古城垣那道风景便受着严重的"白色污染"了。肮脏的塑料袋儿触目皆是。一入冬季，挂满光秃秃的树枝，仿佛挂着一片片肮脏的棉团。而自从有了他，那个戴橘色套袖的人，风景才又是风景了。

　　我第一次隔窗望见他时，他正一动不动地蜷缩在土岗的凹处。那一天很冷。北风在小街上空呼啸。摆摊儿的小贩不多，逛早市的人也不多。两种人都穿得很厚。他却穿得挺单薄。蜷缩在那儿，怀搂着塞垃圾的麻袋，像搂着一个孩子，袖着双手。

妻说："外边太冷了。昨晚天气预报今天零下八九度呢！我不出去买早点了，把米饭热成粥，对付吃点儿算了。"

见我没话，又说："一早晨你站在窗前发的什么呆呀？"

我将妻招到身旁，指着说："你看，那人是不是已经冻死了啊？"

忽然又一阵风啸过，几只肮脏的塑料袋儿被旋上了天空。那看去似乎已经冻死了的人活了，站了起来，仰起头望那几只在空中飘飞的塑料袋儿。风一停，塑料袋儿一落地，他便追逐了过去。他用一根一米多长的，一端尖锐的竹竿，一一插住那些肮脏的塑料袋儿，捋进麻袋里去。有几只塑料袋儿挂在很高的树枝上。他就举着竹竿，蹦起来钩。那样也没能钩下来。但他并不离去。仰望着在树下想主意。仿佛是一头企图吃到嫩叶的瘦羊。后来他登上了土岗，凭借着士岗的高度飞身一跃，凌空之际同时举着手中的竹竿。他钩下了一只塑料袋儿，自己重重地摔在地上。他连摔了几次，挂在树上的塑料袋儿全钩下来了……

我望着，心想，这人太认真了啊！进而又想，也许他只有靠他这股认真劲儿，才能较长久地保住他这份儿"职业"吧？

他很敬业地做完他该做的事儿，就又蜷缩到那凹处去了……

以后，我在写作中驻笔凝思时，常不禁地隔窗望他。有时他蜷缩在那凹处晒太阳，有时不在那儿。不在时，肯定是满公园转着清除污染去了……

有一天我隔窗见他用一柄小铲子铲那凹处，直至将那凹处铲出椅背和椅座的形状……

有一天我见他捡了个纸板箱，拆开来，垫他的"椅座"，挡他的"椅背"。他坐下去试了试，似乎觉得很舒服，很满意……

有一天更冷，我见他在他的"专座"前燃了一小堆火，蹲在那儿取暖。火熄了，又在炭热中拨拨拉拉地烤红薯和鸡蛋。红薯和鸡蛋都是他捡的。小贩们常将烂了一半儿的红薯或破了壳卖不出去的鸡蛋挑出来扔到土岗上。我望见他捡过……

有一天我见几个小伙子在土岗上溜达。他们在他的"专座"那儿站住，议论些什么，接着便一齐往他的"专座"上撒尿。他们嘻嘻哈哈地离去后，他走来了。我见他伫立在他的"专座"前发呆。片刻，他捡起那些纸板，折了几折，塞进了麻袋。

那一天他铲毁他经常晒太阳的"专座"……

第二天我见在那儿的一棵大树的树干上，钉了一块纸板。纸板上歪歪扭扭地写着几个醒目的粉笔字是——"比处今只大小便！"总共七个字中错了三个字，招惹得一些逛早市的人指指点点地笑……

那一天他在我隔窗所望的视域内消失了。

那一天妻下班后，翻出了一些旧衣服，说单位又号召职工捐献了。我让她留下一件我曾穿过的棉大衣，打算送给那戴橘色套袖的人……

我没能将那件旧棉大衣送给他。因为一个同样是农村来的小伙子顶替了他。

我问小伙子他哪儿去了？

小伙子说他死了。

"怎么……怎么就会死了呢？……"

"他得癌症好多年了。他能活到前几天，全靠心中有个愿望撑着啊！……"

"什么……愿望？……"

"还能是什么愿望？想多带回家点儿钱，盖房子，和供他小女儿上中学呗！……"

"他……一个月挣多少钱？"

"每天十元钱。少干一天，少挣一天的钱。我也是。省着吃，每月也只不过能剩一百多。和如今城市里下岗的工人一比，我们这些农村来的人，也就知足了。"

"你们，白天在这儿没有休息的地方？""想在哪儿歇会儿，就往哪儿一坐一缩呗！"

"你这套袖，是他戴过的？"

小伙子默默点了点头。

……

我将我那件旧棉大衣给了小伙子。

那一天，《中华读书报》的女编辑杨颖来向我约稿，不知怎么，我们谈到了"精神家园"这个话题。

我说："现在，中国的文化人们，总在那儿喋喋不休地大谈什么'精神家园'，而我，只要一从报刊上看到这四个字，非但不觉得温馨，反而如酷暑之季中暑，感到周身发冷。"

她说："你为什么会这样呢？那难道不是很时髦的话语么？"

我说："是的，很时髦。时髦的话语，总是难免使人听出矫情的意味儿的。如果'精神家园'只不过就是文人的大小书斋，'精神追求'只不过就是读经，读史，读哲，读诸子，读圣贤，吟诗自悦，行文自赏，自我尊崇，那么其实没谁进入文人的'精神家园'，作奋勇抵抗之状是可笑的。起码没人敢闯入文人的书斋，往文人的椅子上撒尿。如果'精神家园'非指文人的大小书斋，'精神追求'非指对安逸的书斋生活的过分向往和沉迷，'精神支柱'也非是'万般皆下品，唯有读书高'的意思，那么我想，许多根本不读文人爱读的那类书的人，其实也是有他们的'精神家园'、'精神追求'和'精神支柱'的。否则他们觉得没法儿活下去的苦闷，我想一定是远甚于文人们的。只不过他们天生不像文人们那么喜欢自我标榜地喋喋不休罢了。而还存在着不少这样的人——

他们连起码的物质的家园也谈不上有。他们明白读书是很好的事，但他们忧愁的是自己的儿女根本上不起学。一个患了癌症的人不得不背井离乡，只为每个月挣很少的一点儿钱寄回家乡盖房子供女儿上学，这不靠一种'精神支柱'撑持着行么？你能说他们的所求不是追求么？你能彻底分得清他们那一种追求究竟是精神的还是物质的么？文人有资格在内心里暗自轻蔑和嘲笑他们的追求不如自己的追求高雅么？所以，据我想来，文人尽可以恪守自己喜欢的生活方式，但若太过分地自我赞美了，则就不但矫情，而且有些讨嫌了。归根结底，文人的'家园'，也首先是物质组合的。其次才是精神质量的。这精神质量建筑在文人的'家园'的物质基础之上。这是文人心里比任何非文人的人都更清楚的。所以，我们文人别让非文人的人讨嫌。所以，我从不就文人的'精神家园'四个字写什么，实在是不愿置自己于被讨嫌的境地。"

杨颖困惑地看着我，不知我为何大发不合时宜之议论。

于是我引她至我家北屋窗前，指着元大都城垣的墟址上那曾被铲出椅状的凹处，向她讲那个我再也望不见了的，戴橘色套袖的人，敬"业"敬职地还那道风景以清洁的人……

同时我想——文人和文人的物质的以及精神的家园，若同他人的生活现状，他人的命运，他人的苦闷忧愁，他人对物质的以及精神的家园的向往与追求被隔开，其实是多么简单的事啊！

简单得只消一扇单窗就够了。

这不知是文人的幸运，还是文人的不幸……

III.

美好心灵的院落

我养鱼，我养花

　　我也爱鱼。我也爱花。人长一双眼睛，总希望看到些悦目的颜色，总希望看到些美丽的东西。否则岂非辜负了自己的一双眼睛么？"赏心悦目"这个词，其实很应该反过来说的。首先目悦之，而后心赏之，难道不是么？

　　如今的生活，已经变得相当丰富多彩了。可我几乎是个足不出户的人。终日伏案写作，抬头是墙，扭头是窗。窗的对面仍是墙——别的一幢楼的墙。目所见的颜色是极其单调的，心所赏的景物是极其局限的。久而久之，便觉得自己仿佛是一只小小盒子里的蜥蜴，于是对悦目的颜色和美丽的东西油然而生强烈的渴望……

　　我愿窗台上常有花儿开着，我愿桌上常有鱼儿在鱼缸里游着，使我在凝神思考之际有什么值得睹视的东西看着。为了满足自己这心愿，我便买了花盆和花，买了鱼缸和鱼。

　　先说花。我喜欢那些好看的草花，也就是老百姓说的"家常花"。不敢青睐那些名贵的花。它们太娇气，侍弄不得法，便会无可救药地死去。而我，又不可能像一位专宠专爱的郎君，太分心在它们身上。"家常花"则耐活多了。每天别忘了浇水，晒晒阳光，大抵就会慷慨地开放。即或几天内忘了浇水，忘了晒阳光，发现它们枯了萎了，"将功补过"一般也是来得及的。我曾从外地千里迢迢地带回家几盆花，但因易地之故，水土不服，都死了。当然，也有我的责任——照料不够。在我和花的关系中，坦率地说，我承认我一向较自私。花儿一厢情愿为我开，我为花儿服务却不够。一本书上讲，从这种现象似可判断一个男人对女性的态度。像我这样的男人，在对待女性的态度方面，又似该列入那么一种类型——也企盼着女性钟情于己，却不怎么能为人家作出牺牲。我扪心自问，觉得并不尽然，颇怀疑那本书的分析的科学性。但转而一想，也完全可能那本书的分析并不错，是我自己不能勇于正视自己的本来面目。不过呢，纵然那本书的分析千真万确是对的，我拿不可救药的自己也没什么好办法了。无非时时告诫自己，疏远女性，只拈花惹草而已。花草，吾所欲也。女性，亦吾所欲也。但花草较之女性，毕竟有似是而非的不同。于前者，缺乏责任感，不过是粗心罢了。于后者，则是男人的德性问题了。

现在的我，对花已培养起了几分责任感。虽谈不上"只恐夜深花睡去，故烧高烛照红妆"，该浇点水的时候浇水，该沐浴阳光的时候搬到阳光底下去，这些起码的责任还是能尽到的。我尽到了起码的责任，我养的那些"家常花"，也就为我无私地示翠绿，吐嫣红。我本对它们也没太高的期待，也就极满足了。并不想获得李清照那种"知否，知否，应是绿肥红瘦"的寂雅闲情，也不想获得秦观那种"有情芍药含春泪，无力蔷薇卧晓枝"的感怀怅心。倒是有几分曹组那种"着意闻时不肯香，香在无心处"的意外欣喜……

我望着我养的一些"家常花"开了，总会联想到胡适的几句话——花儿开了／我笑了／我觉花儿是为我开的了／我心里也像有花儿开了／花儿觉我是为它笑了／花儿开得也像笑了……记不很清了，大概就是这么个意思。我欣赏的不是胡适先生的诗句本身。而是他这几句诗话的意思。意思比他的诗句本身有意思。一个人能在细微处生愉悦，是怪难得的。我从养些"家常花"获得了这一点，便觉自己怪难得的，比以前的自己怪难得的……

再说鱼。我养的都是金鱼，品种最一般的金鱼。逛早市的时候买的，最贵的一元五角一条，便宜的一元钱两条。一元钱在今天居然能买两条有生命的小东西，有时甚至可以买到四条，你不能不认为这是一元钱所能买到的最美丽的东西了。我买的鱼儿们，在品种上被归为"草鱼"一类。在我看来，鱼儿能像它们那样美丽，也就够美丽的了。而且，它们的可贵处，像我养的"家常花"，都是很耐活的。我最先只买了两条，养在一个圆形的小鱼缸里。后来又买了两条。养在一个较大的方形鱼缸里。再后来索性又买了几条，共同养在一个更大的鱼缸里。鱼缸大，桌上是不能摆了，只好摆在阳台上。坐在窗前写小说，抬头可见金鱼在鱼缸里悠然自得地游，便觉得自己改善了自己寂寂甘苦的创作生涯，心中别是一种自慰。我对鱼儿们比对花儿们更有责任感些。每天按时喂食。隔几日换一次水，尽量使它们在清洁的水中活着。它们游得不生动了，我便会细细地透过鱼缸观察，怕它们病了。因为和花儿相比，鱼儿更是生命啊！死了一条鱼儿，也更比死了一株花儿感到内疚。最初的十几条鱼儿，本是养得很好的。鳞光闪耀，鳍尾透亮，在颇大的鱼缸里生活得相当"幸福"。后来妻说，鱼缸够大，理应多养些——一大片游过来，一大片游过去，那多好看。我一想象，也觉那将是很壮观的情形。于是又买了十几条。结果，就开始不停地死。可能新买来的鱼儿，在卖鱼人的鱼盆里饿着的，所以到了我这儿，必然抢食吃，有的便撑死了。也可能是鱼儿增多了，水中的氧不够了，有的闷死了。当然，也不排除新买的鱼儿有传染病的原因。总之，几乎"全军覆灭"。有一天从早到晚竟死了七条……

那几天我什么事儿也顾不上了。长时间地守在鱼缸前。有鱼蔫了，便捞出，放另一缸里单养，往水中兑药，抢救了几条鱼儿的生命……

养鱼使我对小生命培养起了尊重，以及更大的责任感。我想，既然我把它们买回家了，那么，也就意味着，上帝将它们交由我来照料了。对它们的生死，我岂能麻木不仁呢？为了养好它们，我特意买了一册北京出版社出的书《金鱼》。当然，也为它们置备了充氧器，滤水器……现在，在我的"关照"下，鱼儿们又"幸福"起来……

归根结底，虽然我为花儿和鱼儿付了点儿精力和时间，但它们也给我带来了生活的情趣儿。尽管我养的不过是一些"家常花"和最普通最便宜的鱼儿……

"十姐妹"出走

且说那一天我在家对面的小树林散步，遇见了几个年轻的民工。其中一个拎着纸盒箱。箱四周扎了许多透气孔。见着我，拎纸盒箱的自言自语："这么大一个北京，竟没识货的人！"仿佛自言自语，其实说给我听。那模样，那口吻，使我联想到受高衙内指使，诱林冲中计的那个卖刀人……

我问："什么？"

他们中有人答："鸟儿……"

"什么鸟儿？"

"十姐妹……"

好悦心的鸟名——我不禁掀开纸箱盖儿一角往里瞅，但见十位"小姐"挤缩一处，十双黑晶晶的小眼睛瞪着我，胆怯而又乞怜。黄嘴边儿还没褪哪，羽毛还没长全哪，毛根间暴露着粉红的肉色，如同一群只扎肚兜儿的光身子小孩儿……

并不雅的些个小东西！

"卖？""卖！""多少钱？""二十元！""太小哇。""这您就外行啦，养鸟儿都得从小养起。""不好看呀，跟麻雀似的！""毛长全就好看了，不好看能叫'十姐妹'么？"

于是我一念顿生，成了"十姐妹"的"家长"。

最初养在一个极小的笼子里，用两个瓶盖儿喂它们水和小米。后来妻买回了一个漂亮的够大的笼子，于是它们"迁"入了新居，好比住在小破房里的中国老百姓，一步登天搬进了花园洋房。那一天"她们"显得好高兴噢，叽叽喳喳叫个不停。我们一家三口看着"她们"高兴，各自心里也高兴……

自从阳台上有了"十姐妹"，便热闹起来。"小姐"们一会儿"说"一会儿"唱"。"说"时其音细碎一片，吴侬软语似的，使我联想到一群上海姑娘聚在一起聊悄悄话儿。"唱"时反倒不那么动听了，类乎"喳"的一个单音，此长彼短，自我陶醉。没一个嗓子强点儿或可出息为歌唱家的。于"她们"正应了那句话——"说的比唱的好听。"那时我正写作，便不免地会有些烦，常到阳台上去冲"她们"喝唬一句。喝唬一句大概能消停五分钟。于是最后只有关上几扇门，隔断"她们"的噪音，将自己关在最里边的小屋。

安定且无忧无虑的生活，使"她们"长大得明显，羽毛日渐丰满了，一个个都出落得非麻雀可比了。秀小的头，鱼形的身，颌下和喙根两侧，以及翅膀和尾翼之间，是洁白的绒羽和翅子。若补充些想象看它们，也还算漂亮。

有天我发现"她们"争争吵吵拥拥挤挤地围住饮水罐儿，衔了水梳理羽毛。我想——哦"小姐"们是该洗次澡了。便将一个饼干盒盖注满清水，将笼底抽下，将笼子置于盒盖上，伫立一旁静观。"她们"不争不吵不拥不挤了，一只只侧着头，矜持地瞪我。我刚一转身离去，阳台上便溅水声大作。水珠竟透过纱门溅入室内。偷窥之，见"她们"洗得那个欢呢！而且相互梳洗……

于是便宠出了"她们"的娇惯毛病。每至中午，倘不为"她们"提供此项服务，阳台上一片抗议之声，不予理睬简直就不可能。"她们"是很讲"三大纪律八项注意"的。或者可以说很培养我的文明意识——只要我在看着，绝不下水。其实我也不稀罕看。偷窥的行为就那么一次。女人们洗澡的美妙情形我早已司空见惯了，在电影里……

原先，鸟笼放在一把椅子上。阳台下半部是砌严的，小时候它们则只能看到一片天空，倒也都甘于做井底之蛙。有一天"她们"就以"她们"的噪音，提出了开阔视野高瞻远瞩的要求。于是中午洗过澡后，我将鸟笼挂在晾衣竿上。第一次透过阳台窗望到外面的广大世界，"她们"真是显得惊奇极了。"说"了一中午，"唱"了一中午。反反复复"唱"的，在我听来，仿佛始终是那么一句——"外面的世界很精彩……"

我听不得"她们"向我传达的那份儿幽怨，干脆启开笼门，将"她们"放飞在阳台上。不消说，从此我更得勤于打扫阳台了……

我常想起买下"她们"时的情形。不知命运如何，"她们"的那份儿胆怯好可怜的。不愁冷暖不愁饥渴了，就产生了对"居住"条件的高要求。"居住"条件大大改善了，就渐渐滋长了"贵族"习惯，每天还得洗次澡。一旦"贵族"起来了，则又开始向往自由了。给予了"她们"一个阳台的自由范围，最初的喜悦和兴奋过后，又分明地向往起"外面的世界"来……

有天它们一溜儿蹲栖在窗格上，静悄悄的，都很忧伤的样子，仿佛些个囚徒似的。

我几经犹豫，开了一扇阳台窗。轻风和爽气扑人，"她们"都扇动起翅膀来……

我说："小姐们，请吧，我还你们自由……"

"她们"一只只从敞开的窗子跳进跃出着，不停地扇翅，一会儿侧头看我，一会儿仰望天空，若有依恋之意……

我又说："想回来时就回来，这扇窗将随时为你们打开……"

我也满怀着对"她们"的依恋，离开了阳台。半小时后，十只鸟儿剩下五只了。一个小时后，阳台上一只鸟儿都不见了，顿时寂静得使人悒郁……

有几只鸟儿飞回来过——吃点儿食，饮点儿水，洗次澡，又飞走……

从此，我在早晚散步时，总能听到"她们"的声音，传出自小树林里。我的"丫头"们的声音，我是听得出来的……

有天我发现一只鹞鹰，在附近的树林上空盘旋。我想——说不定它是被我的"丫头"们的叫声引来的，伺机加害于"她们"。于是我赶快回到家里，找了一根长长的竹竿，挂上彩布，在树林中奔来奔去，挥舞着，大叫着，直至将那残食弱小的枭禽驱逐遁去……

有天我发现别人家养着两只鹦鹉的笼子里，也有一只"十姐妹"。两只鹦鹉都啄"她"，啄得"她"没处藏没处躲，紧缩一隅，尾巴挤出在笼外。见了我，便在笼子里"炸"飞起来，叫个不停，其音哀婉。我想，那一定是我的"丫头"中的一只，想吃食，想饮水，或想洗澡，误入了别人家的阳台……

于是我将"她"讨回，养了几日，又放飞了……

有天早晨，在公园里，我见到一个张网人，一次用粘网粘住了三只"十姐妹"。我想那也肯定是我放飞的鸟儿。

我将"她们"再次买下，养了几日，也又放飞……

"外面的世界很精彩，外面的世界很无奈"——在人的城市里，对鸟儿们也是这样的……

自由，在本质上，其实也是人对他人的责任感最完善的摆脱。正如我不可能也不打算每见到别人笼子里的一只"十姐妹"都买下放飞一样。在这么一种社会形态下，若同时没有法的威慑，没有宗教对心灵的影响，大多数人，就只有像我养过的"十姐妹"一样，提高防范的能力，并靠运气活着了……

有天夜里我做了一个梦——梦见老了的自己，被十个女儿围绕着，还有十个女婿侍守一旁——尽管这有悖计划生育法，而且"十姐妹"也并非就全是"丫头"，但仍没妨碍我做了那么一个很幸福的梦……

练摊儿

我练摊儿纯粹因为——熟悉我的朋友们断言，不管我卖什么，结果只能是——亏。他们说我根本不善于讲价钱。而我自认为我是善于的，并且自认为他们也太小瞧我了。我要向他们证明这一点，也要给自己争得另一份自信。

我没精力去倒什么。家里也没什么东西供我拿到市场上去卖。最终我的目光落在一捆捆杂志上。那都是各编辑部赠寄的。厚的三元多一册，薄的也一元多。赠寄我的刊物，我几乎全都翻阅，否则我觉得起码对不住编辑部。我又很注意爱惜。看过后打捆时，仍是崭新的。一捆一捆的摆放着，我常为它们感到惋惜。本应有更多的手和眼睛翻阅它们。有时我到大学去，便捎上几捆分送给大学生们，见他们喜欢，我觉得高兴。或者分送给厂里的门卫、司机。他们倒也不拒绝接受。谁说没人读纯文学刊物？他们只不过不愿花钱买罢了。不必花钱的东西，而且是新的，一般人们总会作如是想——不要白不要。要了，进而又会想——不看白不看。不管他们是在什么样一种不经心的情况之下看了，便是纯文学的一慰了……但是我从未想到拿它们去卖，至少那一天以前。

我家附近有早市。早市很热闹。我怕我的"货"和白菜萝卜、蘑菇豆腐、大饼油条、瓜果味素之类摆在一起，缺乏起码的竞争力，便预先和"北影"、"童影"的朋友们打了招呼，要求他们届时去为我捧场，营造些儿购销气氛。我曾在电视商业讲座节目中，看过几眼片断，说是欲成功地销售什么，首先销售的是自己。意思是要注重销售者的自我形象，使购买者瞧着温文尔雅而又诚实可信才好。我的脸天生成的有那么几分诚实可信，于是刮了胡子理了发，很得意地修整了一番边幅……

捧场者们挺投入地捧场。由于我没跟他们讲得很清楚，他们竟省略了付钱给我这一关键步骤，围着我的地摊挑，挑了便抱着夹着扬长而去。不认识的人们见此情形，亦争相光临。

我说："哎哎，热爱文学的同志们，这是要钱的！"

他们说："还要钱啊！"

有的就放下，怏怏地走了。

有的却并不，反问："刚才那些怎么就可以白拿？"

我一时语塞。于是他们觉得我好生的没道理似的，也理所当然而且理直气壮地白拿着便走……

顷刻我的摊前冷落，我的"货"已流失大半。

我正懊恼，一五十多岁的半秃顶的男人凑来。

我说："不白给，要钱的！"

他说："那当然，这年头哪有白给的东西。"

我说："厚的一块五，薄的八毛，绝不削价！"

他说："我也没提出这请求啊。"

我说："你要统统买，我倒也可以考虑照顾你几折。"

他说："可惜都是近期的，我更希望要些早期的。"

我暗想这人挺怪。我正是怕早期的有"大处理"之嫌，自行车驮来的全是近期的，他倒偏偏希望要早期的。岂非怀旧心理之一例嘛！但是不管这些了，反正我之目的是诱使他掏出钱包来。放过此人，更待何人？

我便以诚实可信的口吻,怪神秘地说:"都买了吧老同志!这刊物就要停了!最后一期保存在手,将来必有价值!"

他正拿起一册《收获》,不禁地哦了一声。

他问:"为什么?"

我更神秘地说:"还用问么?商品大潮的冲击,厉害呀!你这一册里有作家×××的中篇。知道此人不?现实主义大师!这中篇捅了大娄子啦!还有这一册,×××知道不?现代主义始作俑者!不久要出国了,以后在国内刊物上再难见到他的名字了!……统统买了吧!二十元怎么样?二十元买别的,你能买点啥?……"

我神吹海哨,意在骗他的钱。

他说:"你知道的还不少呢。"

我说:"知道我是谁不,梁晓声。我说我有名气似乎不大谦虚,可说我一点儿也没名气等于骗你。我也要出国去了!美国某大学聘我去讲学,当然也不打算回来了……"

他说:"你就是梁晓声啊,听倒仿佛听说过一点儿……"

总之在我的诚实态度的感召下,他统统买走了剩下的杂志。我极慷慨地搭上了铺地的旧塑料布。望着他推自行车离去,我心里别提有多的快感。赚别人的钱原来竟是如此愉悦的事,以欺骗的手段赚别人的钱,你甚至还会觉得对方是很值得你暗加嘲笑的。我想起我不久前就在这市场上买了三斤菱角粉,吃着感到那一种黏稠可疑,请朋友找了个单位一化验,不过是淀粉渗了骨胶粉而已。我的快感中不但有骗人成功的愉悦,也还有报复了谁的解恨的成分。

始终站在一旁的电影学院的一位朋友问我:"知道那是谁么?"

我反问:"谁?"

他说:"北师大中文系的副教授啊!专门研究当代中国文学的,他根本就不会相信你那些骗人的鬼话。"

"您怎么不早说？！"

"那不就干扰了你的一桩买卖嘛！"我望着远去之人的背影，一时怔愣……

市场管理员走来，对我说："小伙子，掏钱吧。我早就瞄着你了，罚款二十五元！"

我说："我怎么了你罚我款？"

他说："怎么了？你无照经营。别人都是有临时摊照的，你有么？别看这么多摆摊的，一张生面孔也逃不过我的眼睛……"

他一边说一边等待地向我剪动手指。

我嘟哝："只挣了二十……"

他说："我这有纸，那你打个欠条。明天一早送五元钱来。作家，梁晓声，对不？你刚才向人家自我介绍时，我已经记在本上了。你不送来，我有地方找你……"

我只好乖乖地打了一张欠罚款五元的欠条……

人生真相

人活着就得做事情。

古今中外，无一人活着而居然可以不做什么事情。连婴儿也不例外。吮奶便是婴儿所做的事情，不许他做他便哭闹不休，许他做了他便乖而安静。广论之，连蚊子也要做事：吸血。连蚯蚓也要做事：钻地。

一个人一生所做之事，可以从许多方面来归纳——比如善事恶事，好事坏事，雅事俗事，大事小事……

世上一切人之一生所做的事情，也可用更简单的方式加以区分，那就是无外乎——愿意做的、必须做的、不愿意做的。

古今中外，上下数千年，任何曾活过的人们，正活着的人们的一生，皆交叉记录着自己们愿意做的事情、必须做的事情、不愿意做的事情。即将出生的人们的一生，注定了也还是如此这般。

细细想来，古今中外，一生仅做自己愿意做的事情，但凡不愿意做的事情可以一概不做的人，极少极少。大约，根本没有过吧？从前的国王皇帝们还要上朝议政呢，那不见得是他们天天都愿意做的事。

有些人却一生都在做着自己不愿意做的事情。比如他或她的职业绝不是自己愿意的，但若改变却千难万难，"难于上青天"。不说古代，不论外国，仅在中国，仅在二十几年前，这样一些终生无奈的人比比皆是。

而我们大多数人的一生，其实只不过都在整日做着自己必须做的事情。日复一日，渐渐的，我们对我们那么愿意做，曾特别向往去做的事情漠然了。甚至，再连想也不去想了。仿佛我们的头脑之中对那些曾特别向往去做的事情，从来也没产生过试图一做的欲念似的。即使那些事情做起来并不需要什么望洋兴叹的资格和资本。日复一日的，渐渐的，我们变成了　些生命流程仅仅被必须做的、杂七杂八的事情注入得满满的人。我们只祈祷我们千万别被自己不愿意做的事情粘住了。果而如祈，我们则已谢天谢地，大觉幸运了。甚至会觉得顺顺当当地过了挺好的一生。

　　我想，这乃是所谓人生的真相之一吧？一生仅做自己愿意做的事情，凡不愿意做的事情可以一概不做的人，我们就不必太羡慕了吧！衰老、生病、死亡，这些事任谁都是躲不过的。生病就得住院，住院就得接受治疗。治疗不仅是医生的事情，也是需要病人配合着做的事情。某些治疗的漫长阶段比某些病本身更痛苦。于是人最不愿意做的事情，一下子成了自己必须做的事情。到后来为了生命，最不愿意做的事情不但变成了必须做的事情，而且变成了最愿做好的事情。倒是唯恐别人们认为自己做得不够好进而不愿意在自己的努力配合之下尽职尽责了。

　　我们且不说那些一生被自己不愿意做的事情牢牢粘住，百般无奈的人了吧！他们也未必注定了全没他们的幸运。比如他们中有人一听做胃镜检查这件事就脸色大变，竟幸运地有一副从未疼过的胃，一生连粒胃药也没吃过。比如他们中有人一听动手术就心惊胆战，竟幸运地一生也没躺上过手术台。比如他们中有人最怕死得艰难，竟幸运地死得很安详，一点儿痛苦也没经受，忽然的就死了，或死在熟睡之中。有的死前还哼着歌洗了人生的最后一次热水澡，且换上了一套新的睡衣……

　　我们还是了解一下我们自己，亦即这世界上大多数人的人生真相吧！

我们必须做的事情，首先是那些意味着我们人生支点的事情。我们一旦连这些事情也不做，或做得不努力，我们的人生就失去了稳定性，甚而不能延续下去。比如我们每人总得有一份工作，总得有一份收入。于是有单位的人总得天天上班；自由职业者不能太随性，该勤奋之时就得自己要求自己孜孜不倦。这世界上极少数的人之所以是幸运的，幸运就幸运在——必须做的事情恰也同时是自己愿意做的事情。大多数人无此幸运。大多数人有了一份工作有了一份收入就已然不错。在就业机会竞争激烈的时代，纵然非是自己愿意做的事情，也得当成一种低质量的幸运来看待。即使打算摆脱，也无不掂量再三，思前虑后，犹犹豫豫。

因为对于我们大多数人而言，我们整日必须做的事情，往往不仅关乎着我们自己的人生，也关乎着种种的责任和义务。比如父母对子女的；夫妻双方的；长子长女对弟弟妹妹的……这些责任和义务，使那些我们寻常之人整日必须做的事情具有了超乎于愿意不愿意之上的性质，并随之具有了特殊的意义。这一种特殊的意义，纵然不比那些我们愿意做的事情对于我们自己更快乐，也比那些事情显得更重要更值得。

我们做我们必须做的事情，有时恰恰是为了因而有朝一日可以无忧无虑地做我们愿意做的事情。普遍的规律也大抵如此。一些人勤勤恳恳地做他们必须做的事情，数年如一日，甚至十几年二十几年如一日，人生终于柳暗花明，终于得以有条件去做自己愿意做的事情了。其条件当然首先是自己为自己创造的。这当然得有这样的前提——自己所愿意做的事情，自己一直惦记在心，一直向往着去做，一直并没泯灭了念头……

我们做我们必须做的事情，有时恰恰不是为了因而有朝一日可以无忧无虑地做我们愿意做的事情。我们往往已看得分明，我们愿意做的事情，并不由于我们将我们必须做的事情做得多么努力做得多么无可指责而离我们近了；相反，却日复一日地，渐渐地离我们远了，成了注定与我们的人生错过的事情。不管我们一直怎样惦记在心，一直怎样向往着去做。但我们却仍那么努力那么无可指责地做着我们必须做的事情。为了什么呢？为了下一代，为了下一代得以最大限度地做他们和她们愿意做的事。为了他们和她们愿意做的事不再完全被动地与自己的人生眼睁睁错过。为了他们和她们，具有最大的人生能动性，不被那些自己根本不愿意做的事粘住。进而具有最大的人生能动性，使自己必须做的事与自己愿意做的事协调地相一致起来，起码部分地相一致起来，起码不重蹈我们自己人生的覆辙，因了整日陷于必须做的事而彻底断送了试图一做自己愿意做的事情的条件和机会。

社会是赖于上一代如此这般的牺牲精神而进步的。

下一代人也是赖于上一代人如此这般的牺牲精神而大受其益的。

有些父母为什么宁肯自己坚持着去干体力难支的繁重劳动，或退休以后也还要无怨无悔地去做一份收入极低微的工作呢？为了子女们能够接受高等教育，能够从而使子女们的人生顺利地靠近他们愿意做的事情。

"可怜天下父母心"一句话，在这一点上，实在是应该改成"可敬天下父母心"的。而子女们倘竟不能理解此点，则实在是可悲可叹啊。

最令人同情的是这样一些人——他们终于像放下沉重的十字架一样，摆脱了自己必须做甚而不愿意做却做了几乎整整一生的事情；终于有一天长舒一口气自己对自己说——现在，我可要去做我愿意做的事情了。那事情也许只不过是回老家看看，或到某地去旅游，甚或，只不过是坐一次飞机，乘一次海船……而死神却突然来牵他或她的手了……

所以，我对出身贫寒的青年们进一言，倘有了能力，先不必只一件件去做自己愿意做的事情。要想一想，自己怎么就有了这样的能力？完全靠的自己？含辛茹苦的父母做了哪些牺牲？并且要及时地问："爸爸妈妈，你们一生最愿意做的事情是些什么事情？咱们现在就做那样的事情！为了你们心里的那一份长久的期望！……"

我的一位当了经理的青年朋友就这样问过自己的父母，在今年的春节前——而他的父母吞吞吐吐说出来的却是，他们想离开城市重温几天小时候的农村生活。

当儿子的大为诧异：那我带着公司员工去农村玩过几次了，你们怎么不提出来呢？

父母道：我们两个老人，慢慢腾腾的，跟了去还不拖累你玩不快活呀！

当儿子的不禁默想，进而戚然。

春节期间，他坚决地回绝了一切应酬，是陪父母在京郊农村度过的……

我们憧憬的理想社会是这样的：仅仅为了生存而被自己根本不愿做的事情牢牢粘住一生的人越来越少；每一个人只要努力做好自己必须做的事情，只要自己愿意做的事情不脱离实际，终将有机会满足一下或间接满足一下自己的"愿意"。

据我分析，大多数人们愿意做的事情，其实还都是一些不失自知之明的事情。

时代毕竟进步了。

标志之一也是——活得不失自知之明的人越来越多而非越来越少了。

尽管我们大多数人依然还都在做着我们整日必须做的事情，但这些事情随着时代的进步，与我们的人生的关系已变得越来越灵活，越来越宽松，使我们开始有相对自主的时间和精力顾及我们愿意做的事情，不使成为泡影。

重要的倒是，我们自己是否还像从前那么全凭必须这一种惯性活着……

让我迟钝

我从小是一个敏感的孩子。这主要体现在自尊心方面。但我又是一个在自尊心方面容易并且经常受伤的孩子。一个穷孩子要维护住自己的自尊心，像一只麻雀要孵化成功一枚孔雀蛋一样难。

青少年时期我渐渐明白了一个道理。每一个人都能够以自己的方式拥有友情。明白了这一个道理之后我便是一个不乏友情的少年了。我少年时期的友情都是用友善换来的。它的一部分牢固地延绵至今。

我感激文学。文学对中学时期的我最重要最有益的影响那便是——在潜移默化的熏陶之中接受了人性教育。我的中学的最后一年发生"文革"。我对自己较为满意的是——我虽是"红五类"、"红卫兵"，但我在"文革"中与任何"红卫兵"的劣迹无涉。我没有以"革命"的名义歧视过任何人，更没有以"革命"的名义伤害过任何人。恰恰相反，我以我当年仅能表现的方式，暗中有时甚至是公开地同情过遭到这样那样政治厄运的人。

"文革"对我最大的也最深刻的影响是——促使我以中学生的头脑思考政治。无论是知青的六年多里，抑或是"工农兵学员"的三年多里，我都是一名对"四人帮"的专制采取抵牾态度的青年。这一点使我那样一名默默无闻的知识青年，竟有幸与一些"另册"知识分子建立了友情。

这也同时是成为作家的我，后来为什么不能成为"纯粹为文学"的作家，某些作品总难免具有政治色彩的原因。

成为作家的我依然是敏感的。我曾相信成为作家的我，是足以有能力来朝自认为更好的方面培养自己的人格了。我曾说过——人格非人的外衣，也非人的皮肤，而是人的质量的一方面。

我承认我对关乎自己人格的事，以及别人对自己人格的评价是敏感的。正因为这样，我承认——我常常以牺牲"自我"的方式，来换取别人对我的人格的赞许和肯定。这一点从好的方面讲，渐渐形成了我做人的某些原则，那些原则本身绝对没什么问题；从不好的方面讲，任何人刻意而求任何东西，其实都是不自然的。

我承认，我对文学和作家这一职业，曾一度心怀相当神圣的理解。因为文学曾对我有过那么良好的影响。这一种越来越不切实际的理解。很费了一番"思想周折"才归于客观的"平常心"。

我承认，恰恰是在我成为作家以后，所受的伤害是最多的。从1982年我获全国短篇小说奖以后，我几乎不间断地在友情和人格两方面受伤。原因众多。有时因我的笔；有时因我的性格；有时那原因完完全全起于别人方面。我也冒犯过别人，故我对因此而受的伤害甘愿承担。

我承认，每当我被严重地误解时，我总会产生辩白的念头……

我承认，每当我受了过分的伤害，我总会产生"以牙还牙"的冲动……

我承认，每当我遭到辱骂和攻击时，即使表面不以为然，心头已积隐恨……

我承认，我很自慰地承认，后来我渐渐具有了相当强的"免疫力"……

我承认，即使具有了相当强的"免疫力"的我，也很难真的无动于衷……

因为我具有了相当强的"免疫力"，并不等于我的妻儿、亲友，以及一切关爱着我的人也同时具有。一想到他们和她们也许同时受到伤害，我常打算做出激烈的反应。我的笔使我不无这种能力。它在作为武器时也肯定是够锐利的……

但是近来我逐渐形成了另一种决心，那就是——从我写这篇文章的此时此刻起，我要求自己对于一切公开的辱骂、攻击，蓄意的合谋的伤害，不再做丝毫的反应。不再敏感，而要迟钝，而要麻木。这也是一种刻意。这一种对自己的要求也是不太自然的。这与所谓表现气度无关，而与珍惜所剩的生命有关。所以即使也是一种刻意，即使也是不太自然的，却是必须如此的。

我觉得，一个人的敏感，和一个人血管里的血，大脑中的脑细胞，和一个人的所有生命能动性一样，也是有限量的。生命像烟一样，不可能活一天附加一天。生命是一个一直到零的减法过程。

我觉得，我的敏感已大不如前。我的精力状况和身体状况也大不如前。

我的精力正在一天天变得颓萎。我的敏感"水平"正在一天天下降。我只能而且必须极其"节省"地运用它。故我要公开地发一个毒誓，从此时此刻起直至我死，我坚决地对一切伤害不再做出丝毫的反应。我也坚决地对一切误解不再做出任何辩白——今天以前的反应不包括在内。比如对吴戈其人的攻击所做的反应。它可能在今天以后见诸报刊，已无法撤销。

如果我竟不能做到这一点——那么让我死于非命——患癌的可能性不包括在内。我们都知道，癌症是与遗传基因有关的。

我既发此毒誓，那么恭请一切报刊，万勿再就辱骂和攻击性、贬低性内容对我进行采访；倘明知我发此毒誓还一味企图从我口中讨个说法，显然便是不人道的了。

我既发此毒誓，那么恭请一切报刊放心，凡登载涉及我的文章，无论攻击性多么强，无论辱骂的话语多么恶劣，皆可毫无顾虑。我将一概地保持绝对沉默。近一时期我深受被采访之苦，远比对我的文字伤害更使我身心受损。而实际上，我的誓言其实早已悄悄生效——我基本做到了无论怎样"启发"，坚决地不对任何误解进行辩白；坚决地不对任何攻击、辱骂、贬低和人格侵犯说出一句反击性的话——今日《光明日报》一名女记者对我进行的采访又当例外。其中有对一件事的辩白，我经考虑认为是必要的。

　　那么，以后，我的敏感将仅仅体现在如下方面：对感情的敏感反应——包括亲情、友情、同情。对社会和时代现象的敏感反应……对想象与虚构能力的职业性的敏感反应……对驾驭文字的能力和对修辞之职业水平的敏感反应……对自己责无旁贷的种种义务的敏感反应……我真的认为我的敏感将渐成我生命的微量元素，它是必须节省使用的了。倘在以上方面我仍能保持着它，我觉得对于我就已经是不容易的事了。我预先做一个与鲁迅先生截然相反的声明：我死之际将不带走对一个世人的嫌恶和憎恨。因为归根结底，我们人类也只不过是地球上的一种动物。我们既然公认每一种动物的习性都有其必然性、合理性，那么自己的同类也何妨如此？

　　我将严格恪守我的誓言至死不悔。倘我竟不能，我甘愿遭世人唾弃和嘲笑！

沉默的墙

在一切沉默之物中，墙与人的关系最为特殊。

无墙，则无家。

建一个家，首先砌的是墙。为了使墙牢固，需打地基。因为屋顶要搭盖在墙垛上。那样的墙，叫"承重墙"。

承重之墙，是轻易动不得的。对它的任何不慎重的改变，比如在其上随便开一扇门，或一扇窗，都会导致某一天突然房倒屋塌的严重后果。而若拆一堵承重墙，几乎等于是在自毁家宅。人难以忍受居室的四壁肮脏。那样的人家，即使窗明几净也还是不洁的。人尤其忧患于承重墙上的裂缝，更对它的倾斜极为恐慌。倘承重墙出现了以上状况，人便会处于坐卧不安之境。因为它时刻会对人的生命构成威胁。

在墙没有存在以前，人可以任意在图纸上设计它的厚度，高度，长度，宽度，和它在未来的一个家中的结构方向。也可以任意在图纸上改变那一切。

然而墙，尤其承重墙，它一旦存在了，就同时宣告着一种独立性了。这时在墙的面前，人的意愿只能徒唤奈何。人还能做的事几乎只有一件，那就是美观它，或加固它。任何相反的事，往往都会动摇它。动摇一堵承重墙，是多么的不明智不言而喻。

人靠了集体的力量足以移山填海。人靠了个人的恒心和志气也足以做到似乎只有集体才做得到的事情。于是人成了人的榜样，甚至被视为英雄。一个再平凡不过的人，在自己的家里，在家扩大了一点儿的范围内，比如院子里，又简直便是上帝了。他的意愿，也仿佛上帝的意愿。他可以随时移动他一切的家具，一再改变它们的位置。他可以把一盆花从这一个花盆里挖出来，栽到另一个花盆里。他也可以把院里的一株树从这儿挖出来，栽到那儿。他甚至可以爬上房顶，将瓦顶换成铁皮顶。倘他家的地底下有水层，只要他想，简直又可以在他家的地中央弄出一口井来。无论他可以怎样，有一件事他是不可以的，那就是取消他家的一堵承重墙。而且，在这件事上，越是明智的人，越知道不可以。

只要是一堵承重之墙，便只能美观它，加固它，而不可以取消它。无论它是一堵穷人的宅墙，还是一堵富人的宅墙。即使是皇帝住的宫殿的墙，只要它当初建在承重的方向上，它就断不可以被拆除。当然，非要拆除也不是绝对不可以，那就要在拆除它之前，预先以钢铁架框或石木之柱顶替它的作用。

承重墙纵然被取消了，承重之墙的承重作用，也还是变相地存在着。

人类的智慧和力量使人类能上天了，使人类能蹈海了，使人类能入地了，使人类能摆脱地球的巨大吸引力穿过大气层飞入太空登上月球了；但是，面对任何一堵既成事实的承重墙，无论是雄心大志的个人还是众志成城的集体，在科学高度发达的今天，还是和数千年前的古人一样，仍只有三种选择——要么重视它既成事实了的存在；要么谨慎周密地以另外一种形式取代它的承重作用；要么一举推倒它炸毁它，而那同时等于干脆"取消"一幢住宅，或一座厂房，或高楼大厦。

墙，它一旦被人建成，即意味着是人自己给自己砌起的"对立面"。

而承重墙，它乃是古今中外普遍的建筑学上的一个先决条件。是砌起在基础之上的基础。它不但是人自己砌起的"对立面"，并且是人自己设计的自己"制造"的坚固的现实之物。它的存在具有人不得不重视它的禁讳性。它意味着是一种立体的眼可看得见手可摸得到的实感的"原理"。它沉默地立在那儿就代表着那一"原理"。人摧毁了它也还是摧毁不了那一"原理"。别物取代了它的承重作用恰证明那一"原理"之绝对不容怀疑。

而"原理"的意思也可以从文字上理解为那样的一种道理———一种原始的道理。一种先于人类存在于地球上的道理。因为它比人类古老，因为它与地球同生同灭，所以它是左右人类的地球上的一种魔力。是地球本身赋予的力。谁尊重它，它服务于谁；谁违背它，它惩罚谁。古今中外，地球上无一人违背了它而又未自食恶果的。

墙是人在地球上占有一定空间的标志。承重墙天长地久地巩固这一标志。

墙是比床，比椅，比餐桌和办公桌与人的关系更为密切的东西。因为人每天只有数小时在床上。因为人并不整天坐在椅上。也不整天不停地吃着或伏案。但人眼只要睁着，只要是在室内，几乎无时无刻看到的都首先是墙。即使人半夜突然醒来，他面对的也很可能首先是墙。墙之对于人，真是低头不见抬头便见。

所以人美化居住环境或办公环境，第一件要做的事便是美观墙壁。为此人们专门调配粉刷墙壁的灰粉，制造专门裱糊墙壁的壁纸。壁纸从前的年代只不过是印有图案的花纸，近代则生产出了具有化纤成分的壁膜和不怕水湿的高级涂料。富有的人家甚至不惜将绸缎包在板块上镶贴于墙。人为了墙往往煞费苦心。

然而墙却永远地沉默着。永远地无动于衷。永远地荣辱不惊。不像床、椅和桌子，旧了便发出响声。而墙，凿它，钻它，钉它，任人怎样，它还是一堵沉默的墙。

我童年的家，是一间半很低很破的小房子。它的墙壁是根本没法粉刷的。也没法裱糊。再说买不起墙纸。只有过春节的时候，用一两幅年画美观一下墙。春节一过，便揭下卷起，放入旧箱子，留待来年春节再贴。穷人家的墙像穷人家的孩子，年画像穷人家的墙的一件新衣，是舍不得始终让它"穿在身上的"。

后来我家动迁了一次。我们的家终于有了四面算得上墙的墙。那一年我小学五年级。从那一年起，我开始学着刷墙。刷墙啊！多么幸福多么快乐的事啊！那年代石灰是稀有之物。为了刷一遍墙，我常常预先满城市寻找，看哪儿在施工。如果发现了哪儿堆放着石灰，半夜去偷一盆。有时在冬天，端着走很远的路，偷回来时双手都冻僵了。刷前还要仔细抹平墙上的裂纹。我将炉灰用筛子筛过，掺进黄泥里，合成自造的水泥。几次后我刷墙不但刷出了经验，而且显示出了天分。往石灰浆里兑些蓝墨水，墙就可以刷成我们现在叫做"冷色"的浅蓝色。兑些红墨水，墙就可以刷成我们现在叫做"暖色"的浅红色。但对于那个年代的小百姓人家墨水是很贵的。舍不得再用墨水，改用母亲染衣服的蓝的或红的染料。那便宜多了，一包才一角钱，足够用十几次。我上中学后，已能在墙上喷花。将硬纸板刻出图案，按住在墙上；一柄旧的硬毛刷沾了灰浆，手指反复刮刷毛，灰点一番番浅在墙上；不厌其烦，待纸板周围遍布了浆点，一移开，图案就印在墙上了。还有另一种办法，也能使刷过的墙上出现"印象派"的图案。那就是将抹布像扭麻花似的对扭一下，沾了灰浆在墙上滚。于是滚出了一排排浪，滚出了一朵朵云，滚出了不可言状的奇异的美丽。是少年的我，刷墙刷得上瘾，往往一年刷三次。开春一次，秋末一次，春节前一次。为的是在家里能面对自己刷得好看的墙，于是能以较好的心情度过夏季、"十一"和春节。因而，居民委员会检查卫生，我家每得红旗。因而，我在全院，在那一条小街名声大噪。别人家常求我去刷墙，酬谢是一张澡票，或电影票……

后来我去乡下，我的弟弟们也被我带出徒了。

住在北影一间筒子楼的十年，我家的墙一次也没刷过。因为我成了作家，不大顾得上刷墙了。

搬到童影已十余年，我家的墙也一次没刷过。因为搬来前，墙上有壁膜。其实刷也是刷过的。当然不是用灰浆，而是用刷子沾了肥皂水刷刷干净。四五次刷下来，壁膜起先的黄色都变浅了……

现在，墙上的壁膜早已多处破了。我也懒得刷它了。更懒得装修。怕搭赔上时间心里会烦。亦怕扰邻。但我另有美观墙的办法。哪儿脏得破得看不过眼去，挂画框什么的挡住就是。于是来客每说："看你家墙，旧是太旧了，不过被你弄得还挺美观的。"

现在，我家一面主墙的正上方，是方形的特别普遍的电池表。大约1983年，一份叫《丑小鸭》的文学杂志发给我的奖品，时价七八十元。表的下方，书本那么大的小相框里，镶着性感的玛丽莲·梦露。我这个男人并不唯独对玛丽莲·梦露多么着迷。壁膜那儿只破了一个小洞，只需要那么小的一个相框。也只有挂那么小的一个相框才形成不对称的美。正巧逛早市时发现摊上在卖，于是以十元钱买下。满墙数镶着玛丽莲·梦露的相框最小，也着实有点儿委屈梦露了。"她"的旁边，是比"她"的框子大出一倍多的黑框的俄罗斯铜版画，其上是庄严宏伟的玛丽亚大教堂，是在俄罗斯留学过俄罗斯文学史，确实沾亲的一位表妹送给我的。玛丽莲·梦露的下方，框子里镶的是一位青年画家几年前送给我的小幅海天景色的油画。另外墙上同样大小的框子里还镶着他送给我的两幅风景油画，都是印刷品。再下方的竖框里，是芦苇丛中一对相亲相爱的天鹅的摄影。是《大自然》杂志的彩页。我由于喜欢剪下来镶上了。

一对天鹅的左边，四根半圆木段组成的较大的框子里，镶着列维斯坦的一幅风景画：静谧的河湾，水中的小船，岸上的树丛，令人看了心往神驰。此外墙上另一幅黑相框里，镶着金铂银铂交相辉映的耶稣全身布道相。还有两幅是童影举行电影活动的纪念品。一幅直接在木板上镶着苗族少女的头像，一幅镶着艺术化了的牛头。那一年是牛年。那一幅上边是《最后的晚餐》，直接压印在薄板上，无框。墙上还有两具瓷的羊头，一模一样；一具牛头，一具全牛，我花一百元从摊上买的。还有别人送我的由一小段一小段树枝组成的带框工艺品，还有两名音乐青年送给我的他们自己拍的敖包摄影，还有湖南某乡女中学生送给我的她们自己粘贴的布画，是扎着帕子的少女在喂鸡。连框子也是她们自己做的。这是我最珍视的，因为少女们的心意实在太虔诚。还有一串用布缝制的五颜六色的十二生肖，我花十元钱在早市上买的，还有如意结，如意包，小灯笼什么的，都是早市上二三元钱买的……

以上一切，挡住了我家墙上的破处，脏处，并美观了墙。

我这么详尽地介绍我家一面主墙上的东西，其实是想要总结我对墙的一种感想——墙啊，墙啊，永远沉默着的墙啊，你有着多么厚道的一种性格啊！谁要往你身上敲钉子，那么敲吧，你默默地把钉子咬住了。谁要往你身上挂什么，那么挂吧，管它是些什么。美观也罢，相反也罢，你都默默地认可了。墙啊，墙啊，你具有的，是一种怎样的包容性啊！

尽管，人可以在墙上想写什么就写什么，想画什么就画什么，想挂什么就挂什么，想把墙刷成什么颜色就刷成什么颜色——然而，无论多么高级的墙漆，都难以持久，都将随着岁月的流逝渐渐褪色，剥落；自欺欺人或被他人所骗往墙上刷质量低劣的墙漆，那么受害的必是人自己。水泥和砖构成的墙，却是不会因而被毁到什么程度的。

时过境迁，写在墙上的标语早已成为历史的痕迹，写的人早已死去，而墙仍沉默地直立着；画在墙上的画早已模糊不清，画的人早已死去，而墙仍沉默地直立着；挂在墙上的东西早已几易其主，由宝贵而一钱不值，或由一钱不值身价百倍，而墙仍沉默地直立着；战争早已成为遥远的大事件，墙上弹洞累累，而墙仍沉默地直立着……

墙什么都看见过，什么都听到过，什么都经历过，但它永远地沉默地直立着。墙似乎明白，人绝不会将它的沉默当成它的一种罪过。每一样事物都有它存在着的一份天职。墙明白它的天职不是别的，而是直立。墙明白它一旦发出声响，它的直立就开始了动摇。墙即使累了，老了，就要倒下了，它也会以它特有的方式向人报警，比如倾斜，比如出现裂缝……

人知道有些墙是不可以倒下的，因而人时常观察它们的状况，时常修缮它们。人需要它们直立在某处，不仅为了标记过去，也是为了标志未来。

比如法国的巴黎公社社员墙。

人知道有些墙是不可以不推倒它的。比如隔开爱的墙；比如强制地将一个国家和一个民族一分为二的墙……

比如种族歧视的无形的墙；比如德国的柏林墙。

人从火山灰下，沙漠之下发掘出古代的城邦，那些重见天日的不倒的墙，无不是承重之墙啊！它们沉默地直立着，哪怕在火山灰下，哪怕在沙漠之下，哪怕在地震和飓风之后。

像墙的人是不可爱的。像墙的人将没有爱人，也会使亲人远离。

墙的直立意象，高过于任何个人的形象。

宏伟的墙所代表的乃是大意象，只有民族、国家这样庄严的概念可与之互喻。

一个时代又一个时代过去了，像新的墙漆覆盖旧的墙漆；一批风云际会的人物融入历史了又一批风云际会的人物也融入历史了，像挂在墙上的相框换了又换；战争过去了，灾难过去了，动荡不安过去了，连辉煌和伟业也将过去，像家具，一些日子挪靠于这一面墙，一些日子挪靠于另一面墙……

　　而墙，始终是墙。沉默地直立着。

　　而承重墙，以它之不可轻视告诉人：人可以做许多事，但人不可以做一切事；人可以有野心，但人不可以没有禁忌，哪怕是对一堵墙……

一天的声音

一天的声音，确乎首先是从底层发出的。在农村自不必说了，黎明鸡啼，静夜犬吠，一天的过程中牛哞马嘶，或农机作响，都伴随着农民的起息劳作。除了他们的身影，除了那一些声音，农村也不太常见别人的身影，听见另外一些声音。

农民是大地的一部分。在城市里，一天的声音也首先是从底层发出的。"嚓、嚓、嚓……"这是今天我听到的第一种声音。斯时我虽然醒了，却懒得起来。我一向如此，醒得很早，起得较晚。也许是老的预兆吧？我扭头向窗子望去——在窗帘拉不严的地方，一条玻璃是蓝色的，如同用浸了蓝墨水的抹布擦过似的。于是我知道，大约五点钟了。其实，不必看窗子，仅听那"嚓嚓"声，我也能对时间做出挺准确的判断——春节前北京下了一场大雪，被铲到路边的积雪至今没化尽。而我家楼前那一条小街是早市，积雪占了摆摊人们的摊位。自那以后，几乎每天五点钟左右，都能听到"嚓嚓"的铲雪声……

如果是夏天，听到的便是小贩们的说话声。夏天他们常睡在路边，怕的是别人占住他们的摊位。他们最怕的是蹬着平板车来时，摊位却被别人抢先占去了。

有那嗓门儿大的，说话声就会搅了我们这些城里人的清梦。大多数人家都是仅仅一扇纱窗隔着楼里楼外，其声聒耳。何况，楼外的露宿者们还每每争吵嬉闹……

便会有贪早觉的男人或女人大喝一声："消停点儿，讨厌！"大抵是诸如此类的话。但城里人还想睡也睡不成多一会儿了。

渐渐的，说话声多了，终于形成一片——"早市"六点钟左右开始"营业"了。

首先穿过早市的，是骑着自行车身着校服的男女初中生、高中生。在冬季，六点钟左右，天刚刚亮。初中生、高中生们，往往是他们的家里最先迈出家门的人。

一月里的一天，北京正处在寒冷之中。我由于失眠，偶尔起早了，站在窗前吸烟。我从窗帘拉不严的地方向外看，天还黑着呢，路灯还亮着呢，大风从对面山坡上的树梢啸过，其声如哨……

我竟看见一个骑自行车的身影从街上来去。那身影很单薄，哽着风，猫着腰，缩着头，蹬得吃力的样子。我看出那是一名女学生。她一手扶把，一手拿着什么，边骑边吃。

她从我视线里消失之后不一会儿，我又看见了一个像她那样吃力地蹬着自行车的身影——还是一名学生的身影，还是一名女学生的身影。

接着是第三个身影，第四个身影，都是初中生或高中生的身影……

风太大，那一天没摆摊的人。除了风声，外面也再没别的声音。学生们成了最早出现于小街的人。他们的身影悄悄而来，悄悄而去。连摆摊的人也可以因为风大不出门，学生们却不可以据同样的理由不去上学啊……

望着渐多起来的学生们的身影，我心一阵愀然。他们的书包看上去是特别的沉重。

我家的门发出了开关之声，我知道儿子也去上学了……

一般来说，从六点到九点多，是小街声音最嘈杂的时候。而八点多钟的小街，可用"人满为患"一词形容。那时小贩们的叫卖声最响亮，有的还手持话筒。他们不仅来自京郊，也来自中国的各个省份。能听到东西南北各种口音。他们似乎都在心照不宣地比赛他们的叫卖声，仿佛那直接显示着他们的生存本领，就像汽车的发动声直接显示汽车的性能……

　　车流照例堵塞在小街的街口，那时候。

　　如果只在小街上走，你会觉得人生其实是多么的单纯。各个摊位摆的大抵是吃的东西。菜蔬、粮食、鱼肉、水果以及早点等。少数摊位也摆穿的用的。穿的都很便宜，用的都是居家过日子的杂物……

　　望着街两旁的摊位，你会觉得，仅就"生活"二字而言，那早市满足一个人的需求已绰绰有余………

　　但是你若走到街口，去望那堵塞的车流，你往往会觉得眼乱心慌。仿佛人类的生活也堵塞在那儿了。十年前，那一条大马路上过往车辆并不多。后来车辆一天比一天多。最新款式的国产车和最高级的进口车全在那条大马路上亮相，缓缓前驶。两旁是骑自行车的人。车流中夹挤着出租车。各种车辆的尾气，使马路上空如罩青雾……

　　坐在那些车里的城市人，是有地位的高低之分的。这是与早市上的市民之间不言自明的区别。

　　汽车的喇叭声小贩的叫卖声此起彼伏。后一种声音是城市的晨曲。前一种声音是城市的"主旋律"。坐在车里的某一个人，很可能决定着早市在街上的取消或存在，很可能决定着股市风云，也很可能决定着早市上某些人的命运……

　　到了中午，小街上彻底安静下来了。只有承包了那一条小街卫生状况的外地民工，持帚清扫着早市垃圾……那一种安静一直维持到傍晚。

傍晚大马路上的车流又堵塞了。傍晚学生们的身影络绎出现在小街上。互相不太说话，也很少有结伴而驶的，都匆匆地往家里骑……

到了晚上九点多钟，一辆辆小车开入小街里来了。小街的街头，有一家歌厅。那一辆辆小车是奔歌厅来的。在夏季，歌厅传出的打击乐，小街另一头的人也听得到。

十点多钟，小车泊满了小街两侧……

我家楼前小街的一天，也就开始向第二天过渡了……

倘第二天无风，无雨，无雪；倘抑或有，并不多么大，那一天的起初的声音，依然是摆摊的人们所带动起来的。底层的声音，是直接为了生存而发出的声音。也是，最容易被其他声音压住的声音。一天由底层的声音开始，由歌厅里传出的打击乐结束。在我家楼前那条小街上，一天又一天，几乎天天如此……

我的梦想

一

　　当然，我和一切别人们一样，从小到大，是有过多种梦想的。

　　童年时的梦想是关于"家"，具体说是关于房子的。自幼生活在很小、又很低矮、半截窗子陷于地下、窗玻璃破碎得没法儿擦、又穷得连块玻璃都舍不得花钱换的家里，梦想有一天住上好房子是多么地符合一个孩子的心思呢？那家冬天透风，夏天漏雨，没有一面墙是白色的。因为那墙是酥得根本无法粉刷的，就像最酥的点心似的，微小的震动都会从墙上落土纷纷。也没有地板。甚至不是砖地，不是水泥地。几乎和外面一样的土地。下雨天，自家人和别人将外边的泥泞随脚带入屋里，屋里也就泥泞一片了。自幼爱清洁的我看不过眼去，便用铲煤灰的小铲子铲。而母亲却总是从旁训我："别铲啦！再铲屋里就成井了！"——确实，年复一年，屋地被我铲得比外面低了一尺多。以至于有生人来家里，母亲总要迎在门口提醒："当心，慢落脚，别摔着！"

　　哈尔滨当年有不少独门独院的苏式房屋，院子一般都被整齐的栅栏围着。小时候的我，常伏在栅栏上，透过别人家的窗子，望着别人家的大人孩子活动来活动去的身影，每每望得发呆，心驰神往，仿佛别人家里的某一个孩子便是自己……

因为父亲是建国后的第一代建筑工人，所以我常做这样的梦——忽一日父亲率领他的工友们，一支庞大的建筑队，从大西北浩浩荡荡地回来了。父亲们以只争朝夕的精神，开推土机推平了我们那一条脏街，接着盖起了一片新房，我家和脏街上别的人家，于是都兴高采烈地搬入新房住了。小时候的梦想是比较现实的，绝不敢企盼父亲们为脏街上的人家盖起独门独院的苏式房。梦境中所呈现的也不过就是一排排简易平房而已。80年代初，六十多岁胡子花白了的父亲，从四川退休回到了家乡。已届不惑之年的我才终于大梦初醒，意识到凡三十年间寄托于父亲身上的梦想是多么的孩子气。并且着实地困惑——一种分明孩子气的梦想，怎么竟可能纠缠了我三十几年。这一种长久的梦想，曾屡屡地出现在我的小说中。以至于有评论家和我的同行曾发表文章对我大加嘲讽：

"房子问题居然也进入了文学，真是中国文学的悲哀和堕落！"

我也平庸，本没梦想过成为作家的。也没经可敬的作家耳提面命地教导过我，究竟什么内容配进入文学而什么内容不配。已经被我很罪过地搞进文学去了，弄得文学二字低俗了，我也就只有向文学谢罪了！

但，一个人童年时的梦想，被他写进了小说，即使是梦，毕竟也不属于大罪吧？

现在，哈尔滨市的几条脏街已被铲平。我家和许多别人家的子女一代，都住进了楼房。遗憾的是我的父亲没活到这一天。那几条脏街上的老父亲老母亲们也都没活到这一天。父亲这位新中国第一代建筑工人，凡三十年间，其实内心里也有一个梦想，那就是——动迁。我童年时的梦想寄托在他身上，而他的梦想寄托于国家的发展步伐的速度。

有些梦想，是靠人自己的努力完全可以实现的，而有些则完全不能实现，只能寄托于时代的国家的发展步伐的速度。对于大多数人，尤其是这样。比如家电工业发展的速度加快了，大多数中国人拥有电视机和冰箱的愿望，就不再是什么梦想。比如中国目前商品房的价格居高不下，对于大多数中国工薪阶层，买商品房依然属梦想。

少年时，有另一种梦想楔入了我的头脑——那就是当兵，而且是当骑兵。为什么偏偏是当骑兵呢？因为喜欢战马。也因为在电影里，骑兵的作战场面是最雄武的，动感最强的。具体一名骑在战马上，挥舞战刀，呐喊着冲锋陷阵的骑兵，也是最能体现出兵的英姿的。

头脑中一旦楔入了当兵的梦想，自然而然地，也便常常联想到了牺牲。似乎不畏牺牲，但是很怕牺牲得不够英勇。牺牲得很英勇又如何呢？——那就可以葬在一棵大松树下。战友们会在埋自己的深坑前肃立，脱帽，悲痛落泪。甚至，会对空放排枪……

进而联想——多少年后，有当年最亲密的战友前来自己墓前凭吊，一往情深地说："班长，我看你来了！……"

显然，是因受当年革命电影中英雄主义片断的影响才会产生这种梦想。

由少年而青年，这种梦想的内容随之丰富。还没爱过呢，千万别一上战场就牺牲了！于是关于自己是一名兵的梦想中，穿插进了和一位爱兵的姑娘的恋情。她的模样，始终像电影中的刘三姐。也像茹志鹃精美的短篇小说中那个小媳妇。我——她的兵哥哥，胸前渗出一片鲜血，将死未死，奄奄一息，上身倒在她温软的怀抱中。而她的泪，顺腮淌下，滴在我脸上。她还要悲声为我唱歌儿。都快死了，自然不想听什么英雄的歌儿。要听忧伤的民间小调儿，一吟三叹的那一种。还有，最后的，深深的一吻也是绝不可以取消的。既是诀别之吻，也当是初吻。牺牲前央求了多少次也不肯给予的一吻。二口久吻之际，头一歪，就那么死了——不幸中掺点儿浪漫掺点儿幸福……

当兵的梦想其实在头脑中并没保持太久。因为经历的几次入伍体检，都因不合格而被取消了资格。还因后来从书籍中接受了和平主义的思想。于是祈祷世界上最好是再也不发生战争。祈祷全人类涌现的战斗英雄越少越好。当然，如果未来世界上又发生了法西斯战争，如果兵源需要，我还是很愿意穿上军装当一次为反法西斯而战的老兵的……

在北影住筒子楼内的一间房时，梦想早一天搬入单元楼。

如今这梦想实现了，头脑中不再有关于房子的任何梦想。真的，我怎么就从来也没梦想过住一幢别墅呢？因为从小在很差的房子里住过，思想方法又实际惯了，所以对一切物质条件的要求起点就都不太高了。我家至今没装修过，两个房间还是水泥地。想想小时候家里的土地，让我受了多少累啊！再望望眼前脚下光光滑滑的水泥地，就觉得也挺好……

二

现在，经常交替产生于头脑中的，只有两种梦想了。

这第一种梦想是，希望能在儿子上大学后，搬到郊区农村去住。可少许多滋扰，免许多应酬，集中更多的时间和精力读书与写作。最想系统读的是史，中国的和西方的，从文学发展史到社会发展史。还想写荒诞的长篇小说。还想写很优美的童话给孩子们看。还想练书法。梦想某一天我的书法也能在字画店里标价出售。不一定非是"荣宝斋"那么显赫的字画店，能在北京官园的字画摊儿上出售就满足了。只要有人肯买，三百元二百元一幅，一手钱一手货，拿去就是。五十元一幅，也行，给点儿就行。当然得雇个人替我守摊儿。卖的钱结算下来，每月够给人家发工资就行。生意若好，我会经常给人家涨工资的。自己有空儿，也愿去守守摊儿，侃侃价。甚而，"老王卖瓜，自卖自夸"几句也无妨。比如，长叹一声，自言自语道："偌大北京，竟无一人识梁晓声的字的么？"——逗别人开心的同时，自己也开心，岂非一小快活？

住到郊区去，有三四间房，小小一个规整的院落就是可以的。但周围的自然环境却要好。应是那种抬头可望山，出门即临河的环境。山当然不能是人见了人愁的秃山，须有林覆之。河呢，当然不能是一条污染了的河。至于河里有没有鱼虾，倒是不怎么考虑的。因为院门前，一口水塘是不能没有的。塘里自己养着鱼虾呢！游着的几十只鸭鹅，当然都该姓梁。此外还要养些鸡。炒着吃还是以鸡蛋为佳。还要养一对兔。兔养了是不杀生的。允许它们在院子的一个角落刨洞，自由自在地生儿育女。纯粹为看着喜欢，养着玩儿。还得养一条大狗。不要狼狗，而要那种傻头傻脑的大个儿柴狗。只要见了形迹可疑的生人知道吠两声向主人报个讯儿就行。还得养一头驴。配一架刷了油的木结构的胶轮驴车。县集八成便在十里以外。心血来潮，阳光明媚的好日子，亲自赶了驴车去集上买东西。驴子当然是去过几次就识路了的，以后再去也就不必管它了。自己尽可以躺在驴车上两眼半睁半闭地哼歌儿，任由它蹄儿得得地沿路自己前行就是……当然并不每天都去赶集，那驴子不是闲着的时候多么？养它可不是为了看着喜欢养着玩儿，它不是兔儿，是牲口。不能让它变得太懒了。一早一晚也可骑着它四处逛逛。不是驴是匹马，骑着逛就不好了。那样子多脱离农民群众呢？

倘农民见了，定会笑话于我："瞧这城里搬来的作家，骑驴兜风儿，真逗！"——能博农民们一笑，挺好。农民们的孩子自然是会好奇地围上来的，当然也允许孩子们骑。听我话的孩子，奖励多骑几圈儿。我是知青时当过小学老师，喜欢和孩子们打成一片……

还要养一只奶羊。身体一直不好，需要滋补。妻子、儿子、母亲，

274

都不习惯喝奶。一只奶羊产的奶，我一个人喝，足够了。羊可由村里的孩子们代为饲养，而我的小笔稿费，经常不断的，应用以资助他们好好读书。此种资助方式的可取之处是——他们幼小的心灵中，完全不必念我的什么恩德，能认为是自己的劳动所得，谁也不欠谁什么，最好。

倘那时，记者们还有不辞路远辛苦而前来采访的，尽管驱车前来。同行中还有看得起，愿保持交往的，我也欢迎。不论刮风下雨下雪，自当骑驴于三五里外恭候路边，敬导之……

"老婆，杀鸡！"

"儿子，拿抄子，去水塘网几条鱼！"

如此这般地大声吩咐时，那多来派！

至于我自己，陪客人们山上眺眺，河边坐坐，陪客人们踏野趣，为客人们拍照留念。

三

将此梦想变为现实，经济方面还是不乏能力的。自觉思考成熟了，某日晚饭后，遂向妻子、儿子、老母亲和盘托出。却不料首先遭到老母亲的反对。"我不去。要去你自己去！"老母亲的态度异常坚决。我说："妈，去吧去吧，农村空气多好哇！"老母亲说："我一个八十多岁的老太太，需要多少好空气？我看，只要你戒了烟，前后窗开着对流，家里的空气就挺好。"我说："跟我去吧！咱们还要养头驴，还要配套车呢！我一有空儿就赶驴车拉您四处兜风儿！"

老母亲一撇嘴："我从小儿在农村长大，马车都坐得够够的了，才不稀罕坐你的驴车呢！人家的儿女，买汽车让老爸老妈坐着过瘾，你倒好，打算弄辆驴车对付我！这算什么出息？再者，你们这叫什么地方，叫太平庄不是么？哈尔滨虽够不上大城市的等级，但那叫市！你把我从一个市接来在一个庄，现在又要把我从一个庄弄到一个村去，你这儿子安的什么心？"

我说："妈呀！那您老认为住哪儿才算住在北京了呢？你总不至于想住到天安门城楼上去吧？"

老母亲说："我是孩子么？会那么不懂事儿么？除了天安门，就没更代表北京的地方了么？比如'燕莎'那儿吧！要是能住在那儿的哪一幢高楼里，到了晚上，趴窗看红红绿绿的灯，不好么？"

我说："好，当然是好的。您怎么知道北京有个'燕莎'呢？"老母亲说："从电视里呗！"我说："妈，您知道'燕莎'那儿的房价多贵么？一平方米就得一万多！"她说："明知道你在那儿是买不起一套房子的，所以我也就是梦想梦想呗！怎么，不许？"我说："妈，不是许不许的问题，而是……实事求是地说……您的思想怎么变得很资产阶级了啊？"老母亲生气了，瞪着我道："我资产阶级？我看你才满脑袋资产阶级呢！现在，资产阶级已经变成你这样式儿的了！现在的资产阶级，开始从城市占领到农村去了！你仗着自己有点儿稿费收入，还要雇人家农民的孩子替你放奶羊，你不是资产阶级是什么？那头驴你自己有长性饲养么？肯定没有吧？新鲜劲儿一过也得雇人饲养吧？还要有私家的水塘养鱼！我问你，你一个人一年吃得了几条鱼？吃几条买几条不就行了么？烧包！我看你是资产阶级加地主！……"

我的梦想受到老母亲严厉的批判，一时有点儿懵懂。愣了片刻，望着儿子说："那么，儿子你的意见呢？"儿子干干脆脆地回答了两个字是——"休想。"我板起脸训道："你不去不行！因为我是你爸爸。就算我向你提出要求，你也得服从！"儿子说："你不能干涉我的居住权。这是违犯的。法律面前，父子平等。何况，我目前还是学生。一年后就该高考了！"我说："那就等你大学毕业后去！"他说："大学毕业后，我不工作了？工作单位在城市，我住农村怎么去上班？"智者千虑，必有一失，这个问题我还真没考虑。儿子不去农村，分明有正当的理由。

我又愣片刻，期期艾艾地说："那……你可要保证常到农村去看老爸！我就你这么一个儿子，你有关心我的责任和义务！其实，对你也不算什么负担。将来你结婚了，小两口儿一块儿去！"

儿子淡淡地说："那就要具体情况具体分析，看我们有没有那份儿时间和精力了！"我说："去了对你们有好处！等于周末郊游了么！回来时，老爸还要给你们带上些新鲜的蔬菜瓜果。当然都是自家种的绿色植物！……"妻子这时插言了："哎等等，等等，梁晓声同志，先把话说清楚，自家种的，究竟是谁种的？你自己亲手种的么？……"老母亲又一撇嘴："他？……有那闲心？还不是又得雇人种！富农思想！地主思想！比资产阶级思想还不如！……"

我不理她们，继续说服儿子："儿子，亲爱的儿子呀，你们小两口每次去，老爸还要给你准备一些新下的鸡蛋，刚腌好的鸭蛋、鹅蛋！还有鱼，都给你们剖了膛，刮了鳞，收拾得干干净净的……"

妻子插言道："真贱！"

我吼她："你别挑拨离间！我现在要的是儿子的一种态度！"

儿子终于放下晚报，语气郑重地说："我们带回那么些杂七杂八干什么？你收拾得再干净，我们不也得做熟了吃么？我们将来吃定伙，相中一个小饭店，去了就吃，吃了就走，那多省事儿！"

儿子一说完，看也不看我，起身回他的房间写作业去了……妻子幸灾乐祸地一拍手："嘿，白贱。儿子根本没领情儿。"我大为扫兴，长叹一声，沮丧地说："那么，只有我们上了！"妻说："哎哎哎，说清楚说清楚——你那'我们'，除了你自己，还有谁？"我说："你呀。你是我妻子呀！你也不去，咱俩分居呀？"妻说："你去了，整天看书、写作，再不就骑驴玩儿，我陪你去了干什么？替你洗衣服、做饭？"我说："那么点儿活还能累着你？"妻说："累倒是累不着。但我其余的时间干什么？"我再次发愣——这个问题，也忽略了没考虑。我吭哧了半天，嗫嗫嚅嚅地说："那你就找农民的妻子们聊天嘛！"妻说："你当农民们的妻子都闲着没事儿哇？人家什么什么都承包了，才没精力陪城里的女人聊大天呢！只有老太太们才是农村的闲人！""那你就和她们聊……""呸！……""你们都不去，我也还是要去的！我请个人照顾我！""可以！我帮你物色个半老不老的女人，要四川的？还是河南的？安徽的？你去农村，我和儿子，包括咱妈，心理上还获得解放了呢！是不妈？"老母亲连连点头，"那是，那是……"我抗议地说："我在家又妨碍你们什么了？"老母亲说："你一开始写东西，我们就大声儿不敢出。你压迫了我们很久，自己不明白么？还问！"

我的脾气终于大发作，冲妻嚷："我才用不着你物色呢！我才不找半老不老的呢！我要自己物色，我要找年轻的，模样儿讨人喜欢的，性子温顺的，善解人意的！……"

妻也嚷："妈，你听，你听！他要找那样儿的！……"

老母亲威严地说："他敢！"——手指一戳我额心："生花花肠子了，啊？！还反了你了呢！要去农村，你就自己去！半老不老的也不许找了！有志气，你就一切自力更生！"

哦，哦，我的美好的梦想啊，就这样，被妻子、儿子、老母亲，联合起来彻底捣碎了！

此后我再也没在家里重提过那梦想。

一次，当着一位朋友又说——朋友耐心听罢，慢条斯理地开口道："你老母亲批判你，没批判错。你那梦想，骨子里是很资产阶级！那是时髦呀! 你要真当北京人当腻歪了，好办! 我替你联系一个农村人和你换户口，还保证你得一笔钱，干不?"

我脸红了，声明我没打算连北京户口也不要了……

朋友冷笑道: "猜你也是这样! 北京人的身份，那是要永远保留着的，却装出讨厌大都市，向往农村的姿态。说你时髦，就时髦在这儿……"

我说: "我不是装出……"

朋友说: "那就干脆连户口也换了!"

我张张嘴，一时不知再说什么好。

此后，我对任何人都不敢再提我那自觉美好的梦想了。

但——几间红砖房，一个不大不小的农家院落，院门前的水塘、驴、刷了油漆的木结构的胶轮车等等梦想中的实景实物，常入我梦——要不怎么叫梦想呢……

现在，我就剩下一个梦想了。那是——在一处不太热闹也不太冷清的街角，开一间小饭店。面积不必太大，一百多平方米足矣。装修不必太高档，过得去就行。不为赚钱，只为写作之余，能伏在柜台上，近距离地观察形形色色的人，倾听他们彼此的交谈。也不是为了收集什么写作的素材。我写作不靠这么收集素材。根本就与写作无关的一个梦想。

究竟图什么?

也许，仅仅企图变成一个毫无动机的听客和看客吧! 既毫无动机，则对别人无害。

为什么自己变得喜欢这样了呢?

连自己也不清楚。

任何两个人的交谈或几个人的交叉交谈，依我想来，只要其内容属于闲谈的性质——本身都是一部部书，一部部意识流风格的书。

觉得自己融在这样一部部书里，觉得自己的存在毫无意义地消解在那样的，也毫无意义的意识流里，有时其实是极好的感觉。我的第二种梦想，与我对那一种感觉的渴望有关。经常希望在某一时间和某一空间内，变成一棵植物似的一个人——听到了，看见了，但是绝不走脑子，也不产生什么想法。只为自己有能听到和能看见的本能而愉悦。好比一棵植物，在阳光下懒洋洋地垂卷它的叶子，而在雨季里舒展叶子的本能一样。倘叶子那一时也是愉快的，我的第二种梦想，与拥抱住类似的愉快有关……

读的烙印

真的不知该给正开始写的这一篇文字取怎样的题。

自幼喜读，因某些书中的人或事，记住了那些书名，甚至还会终生记住它们的作者。然而也有这种情况，书名和作者是彻底地忘记了，无论怎么想也想不起来了。但书中人或事，却长久地印在头脑中了。仿佛头脑是简，书中人或事是刻在大脑这种简上的。仿佛即使我死了，肉体完全地腐烂掉了，物质的大脑混入泥土了，依然会有什么异乎寻常的东西存在于泥土中，雨水一冲，便会显现出来似的。又仿佛，即使我的尸体按照现今常规的方式火化掉，在我的颅骨的白森森的骸片上，定有类似几行文字的深深的刻痕清晰可见。告诉别人在我这个死者的大脑中，确乎的曾至死还保留过某种难以被岁月铲平的、与记忆有关的密码……

其实呢，那些自书中复拷入大脑的人和事，并不多么的惊心动魄，也根本没有什么曲折的因而特别引人入胜的情节。它们简单得像小学课文一样，普通得像自来水。并且，都是我少年时的记忆。

这记忆啊，它怎么一直纠缠不休呢？

怎么像初恋似的难忘呢？

我曾企图思考出一种能自己对自己说得通的解释。

然而我的思考从未有过使自己满意的结果。

正如初恋之始终是理性分析不清的。

所以呢，我想，还是让我用我的文字将它们写出来吧！

我更愿我火化后的颅骨的骸片像白陶皿的碎片一样，而不愿它有使人觉得奇怪的痕迹……

一

在乡村的医院里，有一位父亲要死了。但他顽强地坚持着不死，其坚持好比夕阳之不甘坠落。在自然界它体现在一小时内，相对于那位父亲，它将延长至十余小时。

生命在那一种情况下执拗又脆弱。

护士明白这一点。

医生更明白这一点。

那位父亲死不瞑目的原因不是由于身后的财产。他是果农，除了自家屋后院子里刚刚结了青果的几十棵果树，他再无任何财产。

除了他的儿子，他在这个世界上也再无任何亲人。他坚持着不死是希望临死前再见一眼他的儿子。

他也没什么重要之事叮嘱他的儿子。

他只不过就是希望临死前再见一眼他的儿子，再握一握儿子的手……

事实上他当时已不能说出话来。

他一会儿清醒，一会儿昏迷。两阵昏迷之间的清醒时刻越来越短……

但他的儿子远在俄亥俄州。

医院已经替他发出了电报——打长途电话未寻找到那儿子，电报就一定会及时送达那儿子的手中吗？即使及时送达了，估计他也只能买到第二天的机票了。下了飞机后，他要再乘四个多小时的长途汽车才能来到他父亲身旁……

而他的父亲真的竟能坚持那么久吗？濒死的生命坚持不死的现象，令人肃然也令人怜悯。而且，那么的令人无奈……

夕阳是终于放弃它的坚持了，坠落不见了。

令人联想到晏殊的诗句——"无限年光有限身"，"夕阳西下几时回"。

但是那位父亲仍在顽强地与死亡对峙着。那一种对峙注定了绝无获胜的机会，因而没有本能以外的任何意义……

黄昏的余晖映入病房，像橘色的纱，罩在病床上，罩在那位父亲的身上、脸上……

病房里寂静悄悄的。

最适合人咽最后一口气的那一种寂静……

那位父亲只剩下几口气了。他喉间呼呼作喘，胸脯高起深伏，极其舍不得地运用他的每一口气。每一口气对他都是无比宝贵的。呼吸已仅仅是呼出着生命之气。

那是看了令人非常难过的"节省"。

分明的，他已处在弥留之际。他闭着眼睛，徒劳地做最后的坚持。

他看去昏迷着，实则特别清醒，那清醒是生命在大脑领域的回光返照。

门轻轻地开了。

有人走入了病房。脚步声一直走到了他的病床边。

那是他在绝望中一直不肯稍微放松的企盼。

除了儿子，还会是谁呢？

这时脆弱的生命做出了奇迹般的反应——他突然伸出一只手向床边抓去。而且，那么的巧，他抓住了中年男医生的手……

"儿子！……"

他竟说出了话，那是他留在人世的最后一句话。

一滴老泪从他眼角挤了出来……

他已无力睁开双眼最后看他的"儿子"一眼了……

他的手将医生的手抓得那么紧，那么紧……

年轻的女护士是和医生一道进入病房的。濒死者始料不及的反应使她呆愣住。而她自己紧接着做出的反应是——跨前一步，打算拨开濒死者的手，使医生的手获得"解放"。

但医生以目光及时制止了她。

医生缓缓俯下身，在那位父亲的额上吻了一下。接着又将嘴凑向那位父亲的耳，低声说："亲爱的父亲，是的，是我，您的儿子。"

医生直起腰，又以目光示意护士替他搬过去一把椅子。

在年轻女护士的注视之下，医生坐在椅子上了。那样，濒死者的手和医生的手，就可以放在床边了。医生并且将自己的另一只手，轻轻捂在当他是"儿子"的那位父亲的手上。

他示意护士离去。

三十几年后，当护士回忆这件事时，她写的一段话是："我觉得我不是走出病房的，而是像空气一样飘出去的，唯恐哪怕是最轻微的脚步声，也会使那位临死的老人突然睁开双眼。我觉得仿佛是上帝将我的身体托离了地面……"

至今这段话仍印在我的颅骨内面，像释迦牟尼入禅的身影印在山洞的石壁上。

夜晚从病房里收回了黄昏橘色的余晖。

年轻的女护士从病房外望见医生的坐姿那么的端正，一动不动。

她知道，那一天是医生结婚十周年纪念日，他亲爱的妻子正等待着他回家共同庆贺一番。

黎明了——医生还坐在病床边……

旭日的光芒普照入病房了——医生仍坐在病床边……

因为他觉得握住他手的那只手，并没变冷变硬……

到了下午，那只手才变冷变硬。而医生几乎坐了二十个小时……

他的手臂早已麻木了，他的双腿早已僵了，他已不能从椅子上站起来了，是被别人搀扶起来的……

院长感动地说："我认为你是很虔诚的基督徒。"

而医生平淡地回答："我不是基督徒，不是上帝要求我的。是我自己要求我的。"

三十几年以后，当年年轻的护士变成了一位老护士，在她退休那一天，人们用"天使般的心"赞美她那颗充满着爱的护士的心时，她讲了以上一件使她终生难忘的事……

最后她也以平淡的语调说："我也不是基督徒。有时我们自己的心要求我们做的，比上帝用他的信条要求我们做的更情愿。仁爱是人间的事，而我们有幸是人。所以我们比上帝更需要仁爱，也应比上帝更肯给予。"

没有掌声。

因为人们都在思考她讲的事，和她说的话，忘了鼓掌……

在我们人间，使我们忘了鼓掌的事已少了；而我们大鼓其掌时真的都是那么由衷的吗？

二

此事发生在国外一座大城市的一家小首饰店里。

冬季的傍晚，店外雪花飘舞。

三名售货员都是女性。确切地说，是三位年轻的姑娘。其中最年轻的一位才十八九岁。

已经到可以下班的时间了，另外两位姑娘与最年轻的姑娘打过招呼后，一起离开了小店。

现在，小首饰店里，只有最年轻的那位姑娘一人了。

正是西方诸国经济连锁大萧条的灰色时代，失业的人比以往任何一年都多，到处可见忧郁的沮丧的面孔。银行门可罗雀。超市冷清。领取救济金的人们却从夜里就开始排队了。不管哪里，只要一贴出招聘广告，即使仅招聘一人，也会形成聚众不散的局面。

姑娘是在几天前获得这一份工作的。

她感到无比的幸运。

甚至可以说感到幸福，虽然工资是那么的低微。她轻轻哼着歌，不时望一眼墙上的钟。

再过半小时，店主就会来的。她向店主汇报了一天的营业情况，也可以下班了。

姑娘很勤快，不想无所事事地等着。于是她扫地，擦柜台。这不见得会受到店主的夸奖。她也不指望受到夸奖。她勤快是由于她心情好。心情好是由于感到幸运和幸福。

忽然，门吱呀一声开了，迈进来一个中年男人。

他一肩雪花。头上没戴帽子。雪花在他头上形成了一顶白帽子。

姑娘立刻热情地说："先生您好！"

男人点了一下头。

姑娘犹豫刹那，掏出手绢，替他抚去头上的、肩上的雪花。

接着她走到柜台后边，准备为这一位顾客服务。

其实她可以对他说："先生，已过下班时间了，请明天来吧。"

但她没这么说。

经济萧条的时代，光临首饰店的人太少了。生意惨淡。

她希望能替老板多卖出一件首饰。

虽然才上了几天班，她却养成了一种职业习惯，那就是判断一个人的身份，估计顾客可能对什么价格的首饰感兴趣。

她发现男人竖起着的大衣领的领边磨损得已暴露出呢纹了。而且，她看出那件大衣是一件过时货。当然，她也看出那男人的脸刚刮过，两颊泛青。

他的表情多么的阴沉啊！

他企图靠斯文的举止掩饰他糟糕的心境，然而他分明的不是现实生活中的好演员。

姑娘判断他是一个钱夹里没有多少钱的人。

于是她引他凑向陈列着廉价首饰的柜台，向他一一介绍价格，可配怎样的衣着。

而他似乎对那些首饰不屑一顾。

他转向了陈列着价格较贵的首饰的柜台，要求姑娘不停地拿给他看。有一会儿他同时比较着两件首饰，仿佛就会做出最后的选择。

他几乎将那一柜台里的首饰全看遍了，却说一件都不买了。

姑娘自然是很失望的。

男人斯文而又抱歉地说：“小姐，麻烦了您这么半天，实在对不起。”

姑娘微笑着说：“先生，没什么。有机会为您服务我是很高兴的。”

当那男人转身向外走时，姑娘漫不经心地瞥了一眼柜台。漫不经心的一瞥使她顿时大惊失色——价格最贵的一枚戒指不见了！

那是一家小首饰店，当然也不可能有贵到价值几千几万的戒指。

然而姑娘还是呆住了，仿佛被冻僵了一样。那一时刻她脸色苍白，心跳似乎停止了，血液也似乎不流通了……

而男人已经推开了店门，一只脚已迈到了门外……

"先生！……"

姑娘听出了她自己的声音有多么颤抖。

男人的另一只脚，就没向门外迈。

男人也仿佛被冻僵在那儿了。

姑娘又说："先生，我能请求您先别离开吗？"

男人已迈出店门的脚竟收回来了……

他缓缓地，缓缓地转过了身……

他低声说："小姐，我还有很急迫的事等着我去办。"

分明的，他随时准备扬长而去……

姑娘绕出柜台，走到门口，有意无意地将他挡在了门口……

男人的目光冷森起来……

姑娘说："先生，我只请求您听我几句话……"

男人点了点头。姑娘说："先生，您也许会知道我找到这一份工作有多么的不容易！我的父亲失业了。我的哥哥也失业了。因为家里没钱养两个大男人，我的母亲带着我生病的弟弟回乡下去了。我的工资虽然低微，但我的父亲我的哥哥和我自己，正是靠了我的工资才每天能吃上几小块面包。如果我失去了这份工作，那么我们完了。除非我做妓女……"

姑娘说的每一句话都是实话。

姑娘说不下去了。流泪了。无声地哭了……

男人低声说："小姐，我不明白您的话。"

姑娘又说："先生，刚才给您看过的一枚戒指现在不见了。如果找不到它，我不但将失去工作，还肯定会被传到法院去的。而如果我不能向法官解释明白，我不是要坐牢的吗？先生，我现在绝望极了，害怕极了。我请求您帮着我找！我相信在您的帮助之下，我才会找到它……"

姑娘说的每一句话都是由衷的话。

男人的目光不再冷森。

他犹豫片刻，又点了点头。

于是他从门口退开，帮着姑娘找。

两个人分头这儿找那儿找，没找到。

男人说："小姐，我真的不能再帮您找了。我必须离开了。小姐您瞧，柜台前的这道地板缝多宽呀！我敢断定那枚戒指一定是掉在地板缝里了。您独自再找找吧！听我的话，千万不要失去信心！……"

男人一说完就冲出门外去了……

姑娘愣了一会儿，走到地板缝前俯身细瞧——

戒指卡在地板缝间……

而男人走前蹲在那儿系过鞋带……

第二天，人们相互传告——夜里有一名中年男子抢银行未遂……

几天后，当罪犯被押往监狱时，他的目光在道边围观的人群中望见了那姑娘……

她走上前对他说："先生，我要告诉您我找到那枚戒指了，因而我是多么地感激您啊！……"

并且，她送给了罪犯一个小面包圈儿。

她又说："我只能送得起这么小的一个小面包圈儿。"

罪犯流泪了。

当囚车继续向前行驶。姑娘追随着囚车，真诚地说："先生，听我的话，千万不要失去信心！……"

那是他对姑娘说过的话。

他——罪犯，点了点头……

三

这是秋季的一个雨夜。雨时大时小，从天黑下来后一直未停，想必整夜不会停的了。

在城市某一个区的消防队值班室里，一名年老的消防队员和一名年轻的消防队员正下棋。棋盘旁边是电话机，是二人各自的咖啡杯。

他们的值班任务是——有火灾报警电话打来，立即拉响报警器。

年老的消防队员再过些日子就要退休了；年轻的消防队员才参加工作没多久。

他们第一次共同值班。

老消防队员举起一枚棋子犹豫不决之际，电话铃骤响……

年轻的消防队员反应迅速地一把抓起了电话……

"救救我……我的头磕在壁炉角上了，流着很多血……我快死了，救救我……"

话筒那端传来一位老女人微弱的声音。

那是一台扩音电话。

年轻的消防队员愣了愣，爱莫能助地回答："可是夫人，您不该拨这个电话号码。这里是消防队值班室……"

话筒那一端却再也没有任何声音传来。年轻的消防队员一脸不安，缓缓地，缓缓地放下了电话。

他们的目光刚一重新落在棋盘上，便不约而同地又望向电话机了。

接着他们的目光注视在一起了……

老消防队员说："如果我没听错，她告诉我们她流着很多血……"

年轻的消防队员点了一下头："是的。"

"她还告诉我们，她快死了。"

"是的。"

"她在向我们求救。"

"是的。"

"可我们……在下棋……"

"不……我怎么还会有心思下棋呢？"

"我们总该做点儿什么应该做的事对不对？"

"对……可我，真的不知道该做什么……"

老消防队员嘟哝："总该做点儿什么的……"

他们就都不说话了。

都在想究竟该做点儿什么。

他们首先给急救中心挂了电话，但因为不清楚确切的住址，急救中心的回答是非常令他们遗憾的……

他们也给警方挂了电话，同样的原因，警方的回答也非常令他们失望……

该做的事已经做了，连老消防队员也不知道该继续做什么了……

他说："我们为救一个人的命已经做了两件事，但并不意味着我们救了一个向我们求救过的人。"

年轻的消防队员说："我也这么想。"

"她肯定还在流血不止。"

"肯定的。"

"如果没有人实际上去救她，她真的会死的。"

"真的会死的……"

年轻的消防队员说完，忽然拍了一下自己的前额："嘿，我们干吗不查问一下电话局？那样，我们至少可以知道她住在哪一条街区！……"

老消防队员赶紧抓起了电话……

一分钟后，他们知道求救者住在哪一条街了……

两分钟后，他们从地图上找到了那一条街。

它在另一市区。

他们又将弄清的情况通告急救中心或警方……

但是一方暂无急救车可以前往，一方的线路占线，连拨不通……

老消防队员灵机一动，向另一市区的消防队值班室拨去了电话，希望派出消防车救一位老女人的命……

他遭到了拒绝。

拒绝的理由简单又正当：派消防车救人？荒唐之事！在没有火灾也未经特批的情况下出动消防车，既不但严重违犯消防队的纪律条例，也严重违犯城市管理法啊！他们一筹莫展了……

老消防队员发呆地望了一会儿挂在墙上的地图，主意已定地说："那么，为了救一个人的命，就让我来违犯纪律和违法吧！……"

他起身拉响了报警器。

年轻的消防队员说："不能让你在退休前受什么处罚。报警器是我拉响的，一切后果由我来承担。"

老消防队员说："你还是一名见习队员，怎么能牵连你呢？报警器明明是我拉响的嘛！"

而院子里已经嘈杂起来，一些留宿待命的消防队员匆匆地穿着消防服……

当老消防队员说明拉报警器的原因后，院子里一片肃静。

老消防队员说："认为我们不是在胡闹的人，就请跟我们去吧！……"

他说完走向一辆消防车，年轻的消防队员紧随其后。

没有谁返身回到宿舍去。

也没有谁说什么问什么。

都分头踏上了两辆消防车……

雨又下大了。

马路上的车辆皆缓慢行驶……

两辆消防车一路鸣笛，争分夺秒地从本市区开往另一市区……

它们很快就驶在那一条街道上了。

那是一条很长的街道。正是周末，人们睡得晚。几乎家家户户的窗子都明亮着。

求救者究竟倒在哪一幢楼的哪一间屋子里呢？

断定本街上并没有火灾发生的市民，因消防车的到来滋扰了这里的宁静而愤怒。有人推开窗子大骂消防队员们……

年轻的消防队员站立在消防车的踏板上，手持话筒做着必要的解释。

许多大人和孩子从自家的窗子后面，观望到了大雨浇着他和别的消防队员们的情形……

"市民们，请你们配合我们，关上你们各家所有房间的电灯！……"

年轻的消防队员反复要求着……

一扇明亮的窗子黑了……

又一扇明亮的窗子黑了……

再也无人大骂了……

在这一座城市，在这一条街道，在这一个夜晚，在瓢泼大雨中，两辆消防车如夜海上的巡逻舰，缓缓地一左一右地并驶着……

迎头的各种车辆纷纷倒退……

除了司机，每一名消防队员都站立在消防车两旁的踏板上，目光密切地关注着街道两侧的楼房，包括那位老消防队员……

雨，是下得更大了……

街道两旁的楼房的窗全都黑暗了，只有两行路灯亮着了……

那一条街道那一时刻那么的寂静……

"看！……"

一名消防队员激动地大叫起来……

他们终于发现了唯一一户人家亮着的窗……

一位七十余岁的老妇人被消防车送往了医院……

医生说，再晚十分钟，她的生命就会因失血过多不保了。

两名消防队员自然没受处罚。

市长亲自向他们颁发了荣誉证书，称赞他们是本市"最可爱的市民"。其他消防队员也受到了市长的表扬。

那位老妇人后来成为该市年龄最大也最积极的慈善活动志愿者……

大约是在初一时，我从隔壁邻居卢叔收的废报刊堆里翻到了一册港版的《读者文摘》，其中的这一则纪实文章令我的心一阵阵感动。但是当年我不敢向任何人说出我所受的感动——因为事情发生在美国。

当年我少年的心又感动又困惑——因为美国大兵正在越南用现代武器杀人放火。

人性如泉，流在干净的地方带走不干净的东西；流在不干净的地方它自身也污浊。

后来就"文革"了。"文革"中我更多次地联想到这一则纪实……

四

以下一则"故事"是以第一人称叙述的，那么让我也尊重"原版"，以第一人称叙述……

"我"是一位已毕业两年了的文科女大学生。"我"两年内几十次应聘，仅几次被试用过。更多次应聘谈话未结束就遭到了干脆的或客气的拒绝。即使那几次被试用，也很快被以各种理由打发走了……

这使"我"产生了巨大的人生挫败感。

刚刚踏入社会啊！

"我"甚至产生过自杀的念头。

"我"找不到工作的主要原因不是有什么品行劣迹，也不是能力天生很差——大学毕业前夕"我"被车剐倒过一次，留下了难以治愈的后遗症——心情一紧张，两耳便失聪。

"我"是一个诚实的人。

每次应聘，"我"都声明这一点。

而结果往往是——招聘主管者们欣赏"我"的诚实，但却不肯降格以用。"我"虽然对此充分理解，可无法减轻人生忧愁。

"我"仍不改初衷，每次应聘，还是一如既往地声明在先，也就一如既往地一次次希望落空……

在"我"沮丧至极的日子里，很令"我"喜出望外的，"我"被一家报社试用了！

那是因为她的诚实起了作用。

也因为她诚实不改且不悔的经历引起了同情和尊敬。

与"我"面谈的是一位部门主任。

他对"我"说："你是受过高等教育的，社会应该留给你这么诚实的人适合你的一种工作，否则，就谁也没有资格要求你热爱社会了。"

部门主任的话也令"我"大为感动。

"我"的具体工作是资料管理。

这一份工作获得不易，"我"异常珍惜，而且，也渐渐喜欢这一份工作了。"我"的心情从没有过的好，每天笑口常开。当然，双耳失聪的后遗症现象一次也没发生过……

同事们不但接受了"我"这一名资料管理员，甚至开始称赞"我"良好的工作表现了。

试用期一天天地过去着，不久，"我"将被正式签约录用了。

这是"我"梦寐以求的呀！

"我"不再觉得自己是一个不幸的人，反而觉得自己是一个十分幸运的人了。

某一天，那一天是试用期满的前三天——报社同事上下忙碌，为争取对一新闻事件的最先报导，人人放弃了午休。到资料室查询相关资料的人接二连三……

受紧张气氛影响，"我"最担心之事发生了，"我"双耳失聪了！

这使我陷于不知所措之境。

也使同事们陷于不知所措之境。

笔谈代替了话语。时间对于新闻意味着什么不言自明，何况有多家媒体在与该报抢发同一条新闻！……

结果该报在新闻战中败北了。

对于该报，几乎意味着是一支足球队在一次稳操胜券的比赛中惨遭淘汰……

客观地说，如此结果，并非完全是由"我"一人造成的。但"我"确实难逃干系啊！

"我"觉得多么地对不起报社对不起同事们呀！

"我"内疚极了。

同时，多么地害怕三天后被冷淡地打发走呢！

"我"向所有当天到过资料室的人表示真诚的歉意；"我"向部门主任当面承认"错误"，尽管不是因为工作态度而失职……

一切人似乎都谅解了"我"。在"我"看来，似乎而已。

"我"敏感异常地觉得，人们谅解自己是假的，是装模作样的。总之是表面的。仅仅为了证明自己的宽宏大量罢了……

"我"猜想，其实报社上上下下，都巴不得自己三天后没脸再来上班……

但，那"我"不是又失业了吗？

"我"还能幸运地再找到一份工作吗？

第二次幸运的机会究竟在哪儿呀？

"我"已根本不相信它的存在了……

奇怪的是——三天后并没谁找"我"谈话，通知我被解聘了；当然也没谁来让"我"签订正式录用的合同。

"我"太珍惜获得不易的工作了！

"我"决定放弃自尊，没人通知就照常上班。

一切人见了"我"，依旧和"我"友好地点头，或打招呼。

但"我"觉得人们的友好已经变质了，微笑着的点头已是虚伪的了。

分明的，人们对"我"的态度，与以前是那么的不一样了，变得极不自然了，仿佛竭力要将自己的虚伪成功地掩饰起来似的……

以前，每到周末，人们都会热情地邀请"我"参加报社一向的"派对"娱乐活动。

现在，两个周末过去了，"我"都没受到邀请——如果这还不是歧视，那什么才算歧视呢？

"我"由内疚由难过而生气了——倒莫如干脆打发"我"走！为什么要以如此虚伪的方式逼"我"自己离开呢？这不是既想达到目的又企图得到善待试用者的美名吗？

"我"对当时决定试用自己的那一位部门主任，以及自己曾特别尊敬的报社同事们暗生嫌恶了。

都言虚伪是当代人之人性的通病，"我"算是深有体会了！

第三个周末，下班后，人们又都匆匆地结伴走了。

"派对"娱乐活动室就在顶层，人们当然是去尽情娱乐了呀！

只有"我"独自一人留在资料室发呆，继而落泪。

回家吗？

明天还照常来上班吗？

或者明天自己主动要求结清工资，然后将报社上上下下骂一通，扬长而去？

"我"做出了最后的决定。

一经决定，"我"又想，干吗还要等到明天呢？干吗不今天晚上就到顶层去，突然出现，趁人们皆愣之际，大骂人们的虚伪。趁人们被骂得呆若木鸡，转身便走有何不可？

难道虚伪是不该被骂的吗？！

不就是三个星期的工资吗？为了自己替自己出一口气，不要就是了呀！

于是"我"抹去泪，霍然站起，直奔电梯……

"我"一脚将娱乐活动室的门踢开了——人们对"我"的出现倍感意外，确实地，都呆若木鸡；而"我"对眼前的情形也同样地倍感意外，也同样地一时呆若木鸡……

"我"看到一位哑语教师，在教全报社的人哑语，包括主编和社长也在内……

部门主任走上前以温和的语调说："大家都明白你目前这一份工作对你是多么的重要。每个人都愿帮你保住你的工作。三个周末以来都是这样。我曾经对你说过——社会应该留给你这么诚实的人一份适合你的工作。我的话当时也是代表报社代表大家的。对你，我们大家都没有改变态度……"

"我"环视同事们，大家都对"我"友善地微笑着……

还是那些熟悉了的面孔，还是那些见惯了的微笑……

却不再使"我"产生虚伪之感了。

还是那种关怀的目光，从老的和年轻的眼中望着"我"，似乎竟都包含着歉意，似乎每个人都在以目光默默地对"我"说："原谅我们以前未想到用这样的方式帮助你……"

曾使我感到幸运和幸福的一切内容，原来都没有变质。非但都没有变质，而且美好地温馨地连成一片令"我"感动不已的，看不见却真真实实地存在着的事实了……

"我"的泪水顿时夺眶而出。

"我"站在门口，低着头，双手捂脸，孩子似的哭着哭着……

眼泪因被关怀而流……

也因对同事们的误解而流……

那一时刻"我"又感动又羞愧，于是人们渐渐聚向"我"的身旁……

五

还是冬季，还是雪花漫舞的傍晚，还是在人口不多的小城，事情还是与一家小小的首饰店有关……

它是比前边讲到的那家首饰店更小了。前边讲的那家首饰店，在经济大萧条的时代，起码还雇得起三位姑娘。这一家小首饰店的主人，却是谁都雇不起的……

他是三十二三岁的青年，未婚青年。他的家只剩他一个人了，父母早已过世了，姐姐远嫁到外地去了。小首饰店是父母传给他继承的。它算不上是一宗值得守护的财富，但是对他很重要，他靠它为生。

大萧条继续着。

他的小首饰店是越来越冷清了，他的经营是越来越惨淡了。

那是圣诞节的傍晚。他寂寞地坐在柜台后看书，巴望有人光临他的小首饰店。已经五六天没人迈入他的小首饰店了。他既巴望着，也不多么地期待。在圣诞节的傍晚他坐在他的小首饰店里，纯粹是由于习惯。反正回到家里也是他一个人，也是一样的孤独和寂寞。几年以来的圣诞节或别的什么节日，他都是在他的小首饰店里度过的……

万一有人……

他只不过心存着一点点侥幸罢了。

如果不是经济大萧条的时代，节日里尤其是圣诞节，光临他的小首饰店的人还是不少的。

因为他店里的首饰大部分是特别廉价的，是适合底层的人们一向选择了作为礼物的。

经济大萧条的时代是注定要剥夺人们某种资格的。首先剥夺的是底层人在节日里相互赠礼的资格。对于底层人，这一资格在经济大萧条的时代成了奢侈之事……

青年的目光，不时离开书页望向窗外，并长长地忧郁地叹上一口气……

居然有人光临他的小首饰店了！

光临者是一位少女，看上去只有十一二岁。一条旧的灰色的长围巾，严严实实地围住了她的头，只露出正面的小脸儿。

少女的脸儿冻得通红。

手也是。

只有老太婆才围她那种灰色的围巾。肯定的，在她临出家门时，疼爱她的母亲或祖母将自己的围巾给她围上了——青年这么想。

他放下书，起身说："小姐，圣诞快乐！希望我能使你满意，您也能使我满意。"

青年是高个子。

少女仰起脸望着他，庄重地回答："先生，也祝您圣诞快乐！我想，我们一定都会满意的。"

她穿一件打了多处补丁的旧大衣。

她回答时，一只手朝她一边的大衣兜拍了一下。仿佛她是阔佬，那只大衣兜里揣着满满一袋金币似的。青年的目光隔着柜台端详她，看见她穿一双靴腰很高的毡靴。毡靴也是旧的，显然比她的脚要大得多。而大衣原先分明很长，是大姑娘们穿的无疑。谁替她将大衣的下摆剪去了，并且按照她的身材改缝过了吗？也是她的母亲或祖母吗？

他得出了结论——少女来自一个贫寒家庭。

她使他联想到了《卖火柴的小女孩》。而他刚才捧读的，正是一本安徒生的童话集。

青年忽然觉得自己对这少女特别地怜爱起来，觉得她脸上的表情那会儿纯洁得近乎圣洁。他决定，如果她想买的只不过是一只耳环，那么他将送给她。或仅象征性地收几枚小币……

少女为了看得仔细，上身伏于柜台，脸几乎贴着玻璃了——她近视。

青年猜到了这一点，一边用抹布擦柜台的玻璃，一边温情地瞧着少女。其实柜台的玻璃很干净，可以说一尘不染。他还要擦，是因为觉得自己总该为小女孩做些什么才对。

"先生，请把这串项链取出来。"

少女终于抬起头指着说。

"怎么……"

他不禁犹豫。

"我要买下它。"

少女的语气那么自信，仿佛她大衣兜里的钱，足以买下他店里的任何一件首饰。

"可是……"

青年一时不知自己想说的话究竟该如何说才好。

"可是这串项链很贵？"

少女的目光盯在他脸上。

他点了点头。

那串项链是他小首饰店里最贵的。它是他的压店之宝。另外所有首饰的价格加起来，也抵不上那一串项链的价格。当然，富人们对它肯定是不屑一顾的，而穷人们却只有欣赏而已，所以它陈列在柜台里多年也没卖出去。有它，青年才觉得自己毕竟是一家小首饰店的店主。他经常这么想——倘若哪一天他要结婚了，它还没卖出去，那么他就不卖它了。他要在婚礼上亲手将它戴在自己新娘的颈上……

现在，他对自己说，他必须认真地对待面前的女孩了。

她感兴趣的可是他的压店之宝呀！不料少女说："我买得起它。"少女说罢，从大衣兜里费劲地掏出一只小布袋儿。小布袋儿看去沉甸甸的，仿佛装的真是一袋金币。

少女解开小布袋儿，往柜台上兜底儿一倒，于是柜台上出现了一堆硬币。但不是金灿灿的金币，而是一堆收入低微的工人们在小酒馆里喝酒时，表示大方当小费的小币……

有几枚小币从柜台上滚落到了地上，少女弯腰——捡起它们。由于她穿着高腰的毡靴，弯下腰很不容易。姿势像表演杂技似的。还有几枚小币滚到了柜台底下，她干脆趴在地上，将手臂伸到柜台底下去捡……

她重新站在他面前时，脸涨得通红。她将捡起的那几枚小币也放在柜台上，一双大眼睛默默地庄严地望着青年，仿佛在问："我用这么多钱还买不下你的项链吗？"

青年的脸也涨得通红，他不由得躲闪她的目光。

他想说的话更不知该如何说才好了。

全部小币，不足以买下那串项链的一颗，不，半颗珠子。

他沉吟了半天才吞吞吐吐地说："小姐，其实这串项链并不怎么好。我……我愿向您推荐一只别致的耳环……"

少女摇头道："不。我不要买什么耳环，我要买这串项链……"

"小姐，您的年龄，其实还没到非戴项链不可的年龄……"

"先生，这我明白。我是要买了它当做圣诞礼物送给我的姐姐，给她一个惊喜……"

"可是小姐，一般是姐姐送妹妹圣诞礼物的……"

"可是先生，您不知道我有多爱我的姐姐啊！我可爱她了！我无论送给她多么贵重的礼物，都不能表达我对她的爱……"

于是少女娓娓地讲述起她的姐姐来……

她很小的时候，父母就去世了，是她的姐姐将她抚养大的。她从三四岁起就体弱多病，没有姐姐像慈母照顾自己心爱的孩子一样照顾她，她也许早就死了。姐姐为了她一直未嫁。姐姐为了抚养她，什么受人歧视的下等工作都做过了，就差没当侍酒女郎了。但为了给她治病，已卖过两次血了……

青年的表情渐渐肃穆。

女孩儿的话使他想起了他的姐姐。然而他的姐姐对他却一点儿都不好。出嫁后还回来与他争夺这小首饰店的继承权。那一年他才十九岁呀！

他的姐姐伤透了他的心……

"先生，您明白我的想法了吗？"女孩儿噙着泪问。

他低声回答："小姐，我完全理解。"

"那么，请数一下我的钱吧。我相信您会把多余的钱如数退给我的……"

青年望着那堆小币愣了良久，竟默默地、郑重其事地开始数……

"小姐，这是您多余的钱，请收好。"他居然还退给了少女几枚小币，连自己也不知自己在干什么。

他又默默地、郑重其事地将项链放入它的盒子里，认认真真地包装好。"小姐，现在，它归您了。"

"先生，谢谢。"

"尊敬的小姐，外面路滑，请走好。"

他绕出柜台，替她开门，仿佛她是慷慨的贵妇，已使他大赚了一笔似的。

望着少女的背影在夜幕中走出很远，他才关上他的店门。

失去了压店之宝，他顿觉他的小店变得空空荡荡不存一物似的。

他散漫的目光落在书上，不禁地在心里这么说："安徒生先生啊，都是由于你的童话我才变得如此的傻。可我已经是大人了呀！……"

那一时刻，圣诞之夜的第一遍钟声响了……

第二天，小首饰店关门。

青年到外地打工去了，带着他爱读的《安徒生童话集》……

三年后，他又回到了小城。

圣诞夜，他又坐在他的小首饰店里，静静地读另一本安徒生的童话集……

教堂敲响了入夜的第一遍钟声时，店门开了——进来的是三年前那一位少女，和她的姐姐，一位容貌端秀的二十四五岁的女郎……

女郎说："先生，三年来我和妹妹经常盼着您回到这座小城，像盼我们的亲人一样。现在，我们终于可以将项链还给您了……"

长大了三岁的少女说："先生，那我也还是要感谢您。因为您的项链使我的姐姐更加明白，她对我是像母亲一样重要的……"

青年顿时热泪盈眶。

他和那女郎如果不相爱，不是就很奇怪了吗？

……

以上五则，皆真人真事，起码在我的记忆中是的。从少年至青年至中年时代，他们曾像维生素保健人的身体一样营养过我的心。第四则的阅读时间稍近些，大约在70年代末。那时我快三十岁了。"文革"结束才两三年，中国的伤痕一部分一部分地裸露给世人看了。它在最痛苦也在最普遍最令我们中国人羞耻的方面，乃是以许许多多同胞的命运的伤痕来体现的，也是我以少年的和青年的眼在"文革"中司空见惯的。"文革"即使没能彻底摧毁我对人性善的坚定不移的信仰，也使我在极大程度上开始怀疑人性善之合乎人作为人的法则。事实上经历了"文革"的我，竟有些感觉人性善之脆弱，之暧昧，之不怎么可靠了。我已经就快变成一个冷眼看世界的青年了，并且不得不准备硬了心肠体会我所生逢的中国时代了。

幸而"文革"结束了。

否则我不敢自信我生为人恪守的某些原则，无论在任何情况下都不会放弃；不敢自信我绝不会向那一时代妥协；甚至不敢自信我绝不会与那一时代沆瀣一气，同流合污……

具体对我而言，我常想，"文革"之结束，未必不也是对我之人性质量的及时拯救，在它随时有可能变质的阶段……

所以，当我读到人性内容的记录那么朴素，那么温馨的文字时，我之感动尤深。我想，一个人可以从某一天开始一种新的人生，世间也是可以从某一年开始新的整合吧？于是我又重新祭起了对人性善的坚定不移的信仰；于是我又以特别理想主义的心去感受时代，以特别理想的眼去看社会了……

这一种状态一直延续了十余年。十余年内，我的写作基本上是理想主义色彩鲜明的。偶有愤世嫉俗性的文字发表，那也往往是由于我认为时代和社会的理想化程度不合我一己的好恶……

然而，步入中年以后，我坦率承认，我对以上几则"故事"的真实性越来越怀疑了。

可它们明明是真实的啊！

它们明明坚定过我对人性善的信仰啊！

它们明明营养过我的心啊！

我知道，不但时代变了，我自己的理念架构也在浑然不觉间发生了重组。我清楚这一点。

我不再是一个理想主义者了。

并且，可能永远也不再会是了。

这使我经常暗自悲哀。

我的人生经验告诉我——人在少年和青年时期若不曾对人世特别的理想主义过，那么以后一辈子都将活得极为现实。

少年和青年时期理想主义过没什么不好，一辈子都活得极为现实的人生体会也不见得多么良好；反过来说也行。那就是——一辈子都活得极为现实的人生不算什么遗憾，少年和青年时期理想主义过也不见得是一件值得欣慰的事……

以上几则"故事",依我想来,在当今中国之现实中,几乎都没有了"可操作"性。谁若在类似的情况下,像它们的当事人那么去思维去做,不知结果会怎样? 恐怕会是自食恶果而且被人冷嘲曰自作自受的吧?

我也不会那么去思维那么去做的了。

故我将它们追述出来,绝无倡导的意思,只不过是一种摆脱记忆粘连的方式罢了。

再有什么动机,那就是提供朴素的、温馨的人性和人道内容的体会了。

体会体会反正也不损失我们什么……

解剖我的心灵

其实，依我想来，我们每一个人，都有若干机会，或曰若干时期，证明自己是一个心灵方面、人格方面的导师和教育家。区别在于，好的，不好的，甚而坏的，邪恶的。

我相信有人立刻就能领会我的意思，并赞同我的看法。会进一步指出，完全是这样——不过是在我们成为父亲或母亲之后。

这很对。但这非是我的主要的意思。

我的人生经验和教训告诉我——也许这世界上根本没有谁能够对我们施以终生的影响。根本没有谁能够对我们负起长久的责任。连对我们最具责任感的父母都不能够。正如我们做了父母，对自己的儿女也不能够一样，倘说确曾存在过能够对我们的心灵品质和人格品质的形成施以终生影响负起长久责任的某先生和某女士，那么他或她绝不会是别人。肯定的，乃是我们自己。

我们在我们是儿童的时候就已经开始教育我们自己了。

我们在我们是少年的时候，就已经开始怀疑甚至强烈排斥大人们对我们的教育了。处在那么一种年龄的我们自己，已经开始习惯于说"不，我认为……"了。我们正是从开始第一次这么说、这么想那一天起，自觉不自觉地进入了导师和教育家的角色。于是我们收下了我们"教育生涯"的第一个学生——我们自己。于是我们"师道尊严"起来,朝"绝对服从"这一方面培养我们的本能。于是我们更加防范别人,有时几乎是一切人,包括我们所敬爱的人们对我们的影响。如同一位导师不能容忍另一位导师对自己最心爱的弟子耳提面命一样……

我们在这样的心理过程中成为了青年。这时我们对自己的"高等教育"已经临近结业。我们已经太像我们按照我们自己确定的"教育大纲"和自己编写的"教材"所预期的那一个男人或女人了。当然,我指的是心灵方面和人格方面。

四十多岁的我,看我自己和我周围人们的童年、少年和青年时期,仿佛翻阅了一册册"品行记录"。其上所载全是我们自己对自己的评语和希望。我的小学同学、中学同学、兵团知青战友,无论今天在社会地位坐标上显示出是怎样的人,其在心灵和人格方面的基本倾向,几乎全都一如当年。如果改变恐怕只有到了老年,因为老年时期是人的二番童年的重新开始。在这一点上,"返老还童"有普遍的意义。老年人,也许只有老年人,在临近生命终点的阶段,积一生几十年之反省的力量,才可能彻底否定自己对自己教育的失误。而中年人往往不能。中年人之大多数,几乎都可悲地执迷于早期自我教育的"原则"中东突西撞,无可奈其何。

童年的我曾是一个口吃得非常厉害的孩子,往往一句话说不出来,"啊啊呀呀"半天,憋红了脸还是说不出来。我常想我长大了可不能这样。父母为我犯愁却不知怎么办才好。我决定自己"拯救"我自己。这是一个漫长的"计划"。基本实现这一"计划",我用了三十余年的时间。

少年时的我曾是一个爱撒谎的孩子,总企图靠谎话推掉我对某件错事的责任。

青年时期的我曾受过种种虚荣的不可抗拒的诱惑,而且嫉妒之心十分强烈。我常常竭力将虚荣心和嫉妒心成功地掩饰起来。每每的，也确实掩饰得很成功，但这成功却是拿虚伪换来的。

幸亏上帝在我的天性中赋予了一种细敏的羞耻感。靠了这一种羞耻感我才能够常常嫌恶自己。而我自己对自己的劣点的嫌恶，则从心灵的人格方面"拯救"了我自己。否则，我无法想象——一个少年时爱撒谎，青年时虚荣、嫉妒且虚伪的人，四十多岁的时候会成为一个怎样的男人？

所以，我对"自己教育自己"这句话深有领悟。它是我的人生信条之一。最主要的也是最重要的、首位的人生信条。

我想，"自己教育自己"，体现着人对自己的最大爱心，对自己的最高责任感。在这一点上，我们不能指望别人对我们比我们自己对自己更有义务。一个连这一种义务都丧失了的人，那么，便首先是一个连自己都不爱的人了。一个连自己都不爱的人，那么，他或她对异性的爱，其质量都肯定是低劣的。

我想，我们每个人生来都被赋予了一根具有威严性的"教鞭"。它是我们人类天性之中的羞耻感。它使我们区别于一切兽类和禽类。我们唯有靠了它才能够有效地对自己实施心灵和人格方面的教育。通常我们将它寄放在叫做"社会文明环境"的匣子里。它是有可能消退也有可能常新的一种奇异的东西。我们久不用它，它就消退了。我们常用它指斥自己的心灵，它便是常新的。每一次我们自己对自己的心灵的指斥，都会使我们的羞耻感变得更加细敏而不至于麻木，都会使它更具有权威性而不至于丧失。它的权威性是揿除我们心灵里假丑恶的最好的工具，如果我们长久地将它寄存在"社会文明环境"这个匣子里不用，那么它过不了多久便会烂掉。因为那"匣子"本身，永远不是纯洁的真空。

我对自己的心灵进行"自我教育"的时间，肯定地将比我用意志校正自己口吃的时间长得多，因为我现在还在这样。但其"成果"，则比我校正自己口吃的"成果"相差甚远。在四十五岁的我的内心里，仍有许多腌腌臜臜的东西及某些丑陋的"寄生虫"。我的人格的另一面，依然是褊狭的，嫉名妒利的，暗求虚荣的，乃至无可奈何地虚伪着的。还有在别人遭到挫败时的卑劣的幸灾乐祸和快感。

有人肯定会认为像我这样活着太累，其实我的体会恰恰相反。内心里多一份真善美，我对自己的满意便增加一层。这带给我的更是愉悦。内心里多一份假丑恶，我对自己的不满意、沮丧、嫌恶乃至厌恶也便增加一层。人连对自己都不满意的时候还能满意谁满意什么？人连对自己都很厌恶的话又哪有什么美好的人生时光可言？

至今我仍是一个活在"好人山"之山脚下的人。仍是一个活在"坏人坑"之坑边上的人。在"山脚下"和"坑边上"两者之间，我手执人的羞耻感这一根"教鞭"，比以往任何时候都更加"师道尊严"地教诲我自己这一个"学生"。我深知我不是在"坑"内而是在"坑"边上，所幸全在于此。因为，从童年到少年到青年到现在，我受过的欺骗、遭到过的算计、陷害和突然袭击，多少次完全可能使我脚跟不稳身子一晃，索性栽入"坏人坑"里，索性坏起来。在兵团、在大学、在京都文坛，有几次陷害和袭击，对我的来势几乎是置于死地的。

可我至今仍活在"好人山"脚下，有时细想想，这真不容易啊！

每个人的心灵都是一处院落。在未来的日子里，有许多人将会教给我们许多谋生的技艺和与人周旋的技巧，但为我们的心灵充当园丁的人，将很少很少。羞耻感这根人借以自己教诲自己的"教鞭"，正大批地消退着，或者腐烂着。

朋友，如果你是爱自己的，如果你和我一样，存在于"山"之脚下和"坑"之边上，那么，执起"教鞭"吧……